Littératures francophones de l'Océan Indien

ANTHOLOGIE

Jean-Louis Joubert
Amina Osman
Liliane Ramarosoa

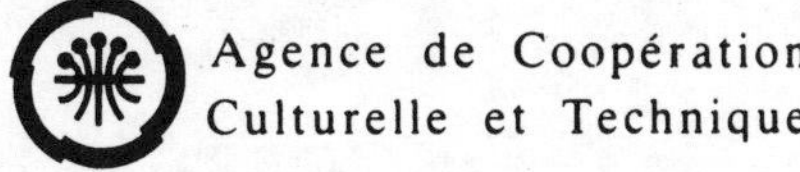

Préface

Lorsqu'en 1992, suite aux recommandations des sommets de Québec, Dakar et Chaillot, l'Agence de Coopé ration Culturelle et Technique décida de produire et de diffuser, au sein de l'espace francophone et dans le cadr du Fonds d'aide au manuel scolaire, une anthologie de la littérature francophone, l'Agence s'inscrivait dans s vocation originelle conférée par sa charte.

L'une des fonctions de l'Agence est en effet de « dresser des inventaires des ressources du monde franco phone dans tous les domaines de sa compétence… et de proposer selon les besoins la mise en commun d'un partie des moyens intellectuels, techniques et financiers de ses membres pour la réalisation de programmes d développement utiles à l'ensemble de ses membres ou à plusieurs d'entre eux ».

Première tentative de regroupement d'une masse critique d'informations sur l'esthétique littéraire franco phone, *l'anthologie de la littérature francophone* constitue une amorce de réponse globale aux demandes sou vent formulées au sein de toutes les aires de la francophonie relativement à une meilleure connaissance des cul tures francophones à travers les richesses littéraires des pays ayant en commun l'usage du français.

Elle participe aussi au dévoilement de l'interculturel et permet de rejoindre la francophonie comme espac de promotion solidaire de l'interculture, par-delà les cultures particulières ou identitaires.

Elle participe enfin à l'atteinte de l'objectif « un livre par élève en l'an 2000 » que l'Agence s'est fixé dans l cadre de la réussite éducative, thème autour duquel les ministres de l'Éducation nationale de l'espace franco phone se sont réunis en juin 1992 à Montréal.

Publié en 1992 sous le titre *Littérature francophone, Anthologie,* de nombreux exemplaires de cet ouvrag ont été offerts, à ce jour, par l'Agence aux professeurs et aux élèves du second cycle des lycées et des collèges aux centres de documentation et à des classes pilotes, dans plus de 32 pays à travers le monde.

Mais le projet initial de production d'une anthologie comportait dans ses présupposés et dans ses objectif mêmes les impératifs catégoriels de réalisation, à partir de cette première matrice, des ouvrages d'anthologie déri vés répondant davantage aux besoins plus spécifiques de publics mieux ciblés. C'est l'objet de ce second corpu intitulé *Littératures francophones de l'Océan Indien,* premier volume de la famille d'ouvrages régionaux de c genre littéraire.

Comme son aîné, il rassemble une masse critique d'informations sur l'esthétique littéraire de la région océa Indien, où terre et mer s'unissent pour donner au monde l'un des sites les plus prestigieux, les plus mystérieu mais en même temps les plus chaleureux de notre planète. De ceci et de cela, les poètes, les romanciers, les phi losophes, en un mot les orfèvres du verbe, soigneusement choisis, rendent compte dans cet ouvrage, avec raiso et passion, avec puissance et beauté.

Comme son aîné, le présent ouvrage constitue lui aussi une tentative de dévoilement de l'interculturel propr aux pays francophones de la région et qui ont nom : Comores, France-Réunion, Maurice, Madagascar, Seychelles La variété et la richesse des écrits et des écrivains, des textes et des formes littéraires témoignent de la vivacit des cultures identitaires que notre langue commune réunit et unit dans un même regard, mais sous des forme variées, de la transcendance et de l'essence, du réel et du matériel.

Enfin comme son aîné, ce volume s'adresse certes aux professeurs et élèves des lycées et des collèges, mai aussi à tous ceux qui aspirent à connaître et à reconnaître l'autre dans son authenticité et dans son unité, comm source d'enrichissement et de complémentarité en francophonie.

Puissent tous ceux qui auront cet ouvrage entre les mains y puiser les ressources additionnelles dont chacu de nous a besoin pour bâtir et fortifier ses propres ressources dans une dynamique nouvelle que le Sommet fran cophone de Maurice, cinquième du nom, promet d'aborder avec fermeté et sérénité.

Jean-Louis ROY
Secrétaire général de l'Agenc
de Coopération Culturelle et Techniqu

ISBN : 2-288-82221-5

Avant-propos

Le présent ouvrage veut apporter un premier complément à l'*Anthologie de la littérature francophone,* publiée en 1992 sous l'égide de l'Agence de Coopération Culturelle et Technique, et qui dressait un ample panorama de la richesse et de la variété littéraire de la francophonie. Il s'agit maintenant de proposer des explorations moins générales et plus soucieuses d'entrer dans les détails et les spécificités de domaines géographiquement limités.

La région présentée, c'est-à-dire l'ensemble des îles de l'océan Indien, a parfois souffert de son relatif isolement. Ses écrivains sont peut-être moins connus que ceux d'autres régions de la francophonie, tout simplement parce que leurs textes sont plus difficilement accessibles. Il convenait sans doute de leur donner l'occasion d'être mieux appréciés et reconnus. La présente anthologie littéraire des îles de l'océan Indien vient donc d'abord combler un manque en offrant un tableau riche et le plus complet possible d'une des régions les plus remarquables de la francophonie littéraire.

Le plan choisi dans l'organisation du volume épouse le découpage géographique. Chaque île ou archipel est présenté dans son développement littéraire, depuis les précurseurs du XIXe siècle jusqu'aux productions contemporaines. On a ajouté un chapitre consacré au « regard des autres », nécessaire contrepoint extérieur à l'image que donnent les littératures nationales. Les textes présentés ont été choisis en fonction de leur qualité littéraire (c'est l'exigence première) et de leur importance dans la définition et l'affirmation des civilisations insulaires. Des pages de synthèse littéraire font le point sur des aspects particuliers et originaux des littératures des îles, tandis que chaque île ou archipel est présenté par un bref panorama de son histoire littéraire.

Le livre s'adresse en priorité aux professeurs et aux élèves de l'enseignement secondaire des pays de l'océan Indien. Ils y trouveront des textes dont ils sont les destinataires privilégiés. Les appareils pédagogiques tiennent compte de cette priorité d'usage des destinataires naturels des littératures des îles. Mais l'ouvrage est conçu comme un livre d'ouverture : il facilitera, nous l'espérons, le dialogue et la meilleure compréhension d'une île à l'autre comme il donnera l'occasion de faire connaître des textes de grande valeur, à l'intérieur et à l'extérieur de la francophonie.

Tous ceux qui entreront dans ce livre éprouveront, dans le commerce des textes qu'il propose, que la langue française peut les accompagner dans leur quête de liberté et d'épanouissement humain.

Les auteurs

Cet ouvrage a été publié avec la participation
de l'Agence de Coopération Culturelle et Technique

MADAGASCAR

LA RÉUNION

L'ÎLE MAURICE

LES ARCHIPELS

LE REGARD DES AUTRES

Les littératures de l'océan Indien

La géographie réunit par leur relative proximité les îles de l'océan Indien qui se situent au sud de l'équateur et au large de l'Afrique : il s'agit des Comores, de Madagascar, des Mascareignes (l'île Maurice, la Réunion et Rodrigues) et des Seychelles. Ces îles ont été séparées de l'évolution des autres terres émergées il y a près de cent millions d'années, quand la dislocation du continent initial de Gondwana a donné naissance à l'Afrique, à l'Inde, à l'Australie et au continent antarctique. Elles ont donc connu une évolution autonome, produisant une flore et une faune originales. Elles sont cependant d'une très grande diversité naturelle, opposant l'immensité du quasi-continent Madagascar aux dimensions exiguës de certaines des Seychelles, l'ancienneté de Maurice, fortement érodée, à la jeunesse de la Réunion et de ses montagnes vertigineuses, la naissance volcanique de la Grande Comore ou de la Réunion à la lente croissance corallienne de plusieurs Seychelles. Mais toutes appartiennent à la zone climatique tropicale, soumise au régime de la mousson, qui a permis à l'époque historique la circulation entre les îles.

L'entrée dans l'histoire

La diversité est tout aussi grande sur le plan culturel et chaque île présente un visage original. Pourtant, ces îles de l'océan Indien ne sont entrées dans l'histoire humaine qu'à une date relativement récente. Il semble bien qu'elles soient restées à l'écart pendant les longs millénaires de la préhistoire et pendant les premiers siècles de l'histoire ancienne. Les premiers hommes ont dû arriver à Madagascar au cours du premier millénaire de notre ère : il y a peut-être quinze siècles. Les Seychelles n'ont été occupées que depuis le XVIIIe siècle. En s'installant sur ces îles restées si longtemps inhabitées, les hommes ont précipité la disparition d'espèces animales étranges, survivances des temps primordiaux : *æpyornis* de Madagascar, *dodo* de Maurice…

Les îles ont donc été lentement peuplées par des migrations venant de toutes les rives de l'océan Indien. Les ancêtres des Malgaches sont venus d'Indonésie et d'Afrique, certains sont peut-être passés par l'Inde. L'expansion de l'Islam a favorisé des échanges avec le monde arabe et la Perse. Les voyageurs européens du XVIe siècle ont préparé les voies de la colonisation. La traite des esclaves a puisé dans les ressources humaines de l'Afrique, mais aussi du monde malais. Des pirates ont fréquenté les côtes isolées. Après l'abolition de l'esclavage, on a recruté en Inde des travailleurs sous contrat, qui se sont installés et ont fait souche. Des marchands indiens, des colporteurs chinois sont venus de leur propre gré. Des aventuriers ont rejoint les exilés… Ces mouvements complexes de populations ont produit la plus grande variété culturelle. Chaque île, par le jeu de son histoire particulière, a modelé son identité, qui tient à sa composition ethnique comme aux modes de vie, aux langues, aux religions qui y ont connu un développement propre.

La langue française dans l'océan Indien

La conséquence de l'histoire des derniers siècles est que la langue française est devenue un bien commun à toutes les îles de l'océan Indien. En effet, toutes ont été placées, à un moment ou à un autre, dans la mouvance française, et elles en ont gardé l'usage du français, partout plus ou moins répandu et plus ou moins pratiqué.

L'*île Bourbon,* aujourd'hui *la Réunion,* a été possession française dès 1638 et elle est devenue en 1946 un département d'outre-mer. L'*île Maurice* (qui s'est appelée *île de France* au XVIIIe siècle) et les *Seychelles* ont été colonies françaises, avant d'être placées par le traité de Paris de 1814 sous domination britannique. Elles sont devenues indépendantes : Maurice en 1968 et les Seychelles en 1976. Après des velléités avortées de colonisation sous Richelieu et Louis XIV, *Madagascar* a subi la colonisation française de 1895 à 1960. L'archipel des *Comores,* à partir de 1841, a été contrôlé ou administré par la France, sous divers statuts jusqu'à l'indépendance de 1975 (refusée cependant par Mayotte).

Dans toutes ces îles, le français bénéficie aujourd'hui d'un statut particulier : langue officielle, langue d'usage, de travail… Mais partout il est en contact étroit avec une ou plusieurs autres langues, qui sont langues maternelles ou langues communautaires, langues d'identités valorisées ou langues de pratiques religieuses… Ce sont le malgache, le créole, le comorien, mais aussi l'anglais, les langues indiennes, le chinois, l'arabe, etc. Cette polyphonie linguistique constitue l'un des caractères essentiels des civilisations de l'océan Indien. Elle retentit sur la nature même du français des îles, qui s'est quelque peu métamorphosé sous les tropiques, en adoptant une mélodie et une accentuation particulières, en développant un vocabulaire propre à dire les réalités insulaires, en privilégiant certaines tournures de langue, parfois condamnées par les puristes. On s'accorde aujourd'hui à reconnaître l'existence et la légitimité des français régionaux de l'océan Indien, qui ont su manifester une belle vitalité.

Les pratiques littéraires

Chaque île a développé sa propre pratique littéraire, en fonction des langues en usage, de l'évolution historique, des demandes sociales, des modèles hérités... Mais on connaît partout une même répartition tripartite des réalisations littéraires : oralité traditionnelle ; littérature écrite en français ; littérature écrite moderne en langue vernaculaire.

La *littérature orale,* en « langue native » (malgache, créole, comorien...), est étroitement insérée dans le fonctionnement social ancien : elle scande les moments importants de la vie individuelle et collective, en empruntant aux formes les plus universelles : proverbes, contes, chants d'accompagnement des activités quotidiennes, etc. Elle est donc menacée par les transformations rapides des sociétés et la modernisation des genres de vie, qui la réduisent à un rôle résiduel.

La *littérature d'expression française* (de même que les quelques textes écrits en anglais) s'est développée à la suite des installations coloniales. Elle a bénéficié de l'introduction précoce de l'imprimerie, des progrès rapides de la scolarisation. D'abord conçue en référence à des modèles européens, elle s'est peu à peu naturalisée : une vie littéraire insulaire s'est développée (soutenue par la publication de revues), un public s'est constitué, attentif aux productions des écrivains du pays.

La *littérature moderne en langue vernaculaire* est elle aussi fille de l'imprimerie : elle a bénéficié du développement de la presse, notamment à Madagascar pour les textes en malgache et aux Mascareignes pour les textes en créole. Écrite dans la langue du pays, elle contribue à la prise de conscience de l'identité nationale. Mais elle peut pâtir de l'exiguïté de sa diffusion.

Chaque île se singularise par le dosage qu'elle accorde à chacun de ces types littéraires : place plus importante à la littérature en malgache, orale ou écrite, à Madagascar ; prédominance de la littérature de langue française à Maurice ou à la Réunion, où l'oralité littéraire n'est plus, au mieux, qu'une survivance.

On peut donc définir la littérature de chacune des îles comme la somme des textes, oraux ou écrits, qui participent à l'élaboration de son identité. Ce qui fait entrer un texte dans la littérature malgache, mauricienne ou réunionnaise, c'est le fait que, par ses conditions de production, de diffusion ou de lecture, ce texte propose aux Malgaches, aux Mauriciens ou aux Réunionnais le point de départ d'une réflexion sur eux-mêmes.

Points de vue et stratégies littéraires

Pour comprendre comment les textes peuvent prendre sens dans une société donnée, il faut tenir compte de leur origine (qui parle ou écrit ? au nom de quoi ou de qui ?), de leur mode de diffusion (oral ou écrit ? sous forme de livre ou de publication dans la presse ?), du public qui est visé et de celui qui est réellement touché (comment le texte atteint-il ses lecteurs ? quelles sont les aides qui favorisent cette réception ? quel est le rôle des critiques ? de l'école ?), sans oublier de s'interroger sur ce que disent ces textes, sur le retour des mêmes thèmes, sur le choix d'une forme plutôt que d'une autre, etc.

On peut discerner aux îles plusieurs modalités littéraires, qui se distingueront en fonction du statut des écrivains et de leur point de vue sur l'île, des stratégies d'écriture et du mode de diffusion de leurs textes.

La *littérature des voyageurs* comprend les textes écrits par des étrangers, à partir de leur voyage aux îles (réel ou imaginé). Ce sont des récits de voyage, des romans, voire des poèmes, destinés au public européen, jouant souvent sur le ressort de l'exotisme, proposant aux insulaires une image d'eux-mêmes plus ou moins déformée, qu'il importe d'étudier pour pouvoir reconnaître et dénoncer les préjugés et les stéréotypes. La *littérature des colons et des résidents installés aux îles à demeure* est le plus souvent écrite, publiée et diffusée sur place : elle participe de la vie insulaire, mais par son inspiration elle reste tournée vers les modèles littéraires métropolitains et retombe souvent dans la pratique de l'exotisme. La *littérature des insulaires* coupe le lien d'allégeance avec les lointaines métropoles. Elle est le fait d'écrivains qui font de l'île l'origine de leur projet littéraire et le point de destination de leurs textes. Elle s'enracine dans la terre insulaire, en développant des mythologies littéraires originales ou en métissant le français dans le contact des langues et des cultures. La *littérature des exilés* est produite par ceux qui ont cédé aux appels de la mer et qui se sont coulés dans le jeu littéraire du Nord. Mais ces exilés ont gardé le souvenir du pays natal, comme une province secrète de leur esprit, que la pratique littéraire permet de réanimer.

***

Le fait de l'insularité commande la vie littéraire dans l'océan Indien. Ce qui a tendu à renfermer les écrivains sur eux-mêmes, dans la sécurité du cocon insulaire, tout en les isolant trop des grandes mutations du siècle, ainsi que des productions littéraires des îles voisines. D'où le caractère parfois trop limité de certaines inspirations... En revanche, le recours à l'impression et à la diffusion locales a favorisé l'autonomie de l'activité littéraire. Rabearivelo écrit et publie à Madagascar et devient le grand poète national. Le « roman mauricien » des années 30 ne se conçoit pas en dehors de l'île. Les rêveries sur la Lémurie mythique ne disent pas autre chose qu'un désir d'enracinement dans un sol dont on se revendique les enfants légitimes. L'écriture de l'insularité participe, à sa manière, à l'invention de l'identité des îles.

Les événements

Ier millénaire	Les Comores sont habitées Vagues successives d'immigration à partir de l'Indonésie et de l'Afrique jusqu'à Madagascar
1500	Le navigateur portugais Diogo Dias reconnaît les côtes de Madagascar
1507 ?-1511 ?	Découverte des Mascareignes
1575 ?-1610 ?	Règne du roi Ralambo sur les Hauts Plateaux de Madagascar
1638-1710	L'île Maurice hollandaise
1649	Étienne de Flacourt prend possession de l'île Bourbon
1715	Les Français prennent possession de l'île de France
1735-1746	Mahé de La Bourdonnais aux Mascareignes
1770	Premières installations durables aux Seychelles
v. 1785-1810	Règne d'Andrianampoinimerina à Tananarive
1793	L'île Bourbon devient la Réunion
1810-1828	Règne du roi Radama Ier
1810	Une armée anglaise débarque à l'île de France
1811	Les Seychelles passent sous domination anglaise
1814	Traité de Paris : l'île de France devient colonie britannique et reprend le nom d'île Maurice
1828-1861	Règne de Ranavalona Ire
1829	Début de l'immigration d'engagés indiens à Maurice
1835	Abolition de l'esclavage à l'île Maurice
1841	Traité de cession de Mayotte à la France L'esclave Albius découvre, à la Réunion, la fécondation artificielle de la vanille
1848	Abolition de l'esclavage à la Réunion
1861-1863	Règne de Radama II
1863-1868	Règne de Rasoherina
1868-1883	Règne de Ranavalona II
1881	« Code des 305 articles » à Madagascar Humblot aux Comores
1883-1896	Règne de Ranavalona III
1886	Protectorat français sur les Comores
1895	Conquête de Madagascar par une expédition française
1896	Annexion de Madagascar érigée en colonie
1901	Séjour de Gandhi à Maurice
1915	Complot de la V.V.S. à Tananarive
1946	Départementalisation de la Réunion
1947	Soulèvement de Madagascar et répression Nouvelle constitution à l'île Maurice
1958	Philibert Tsiranana élu président de la Ire République malgache
1972	Proclamation de l'indépendance de Madagascar
1975	Didier Ratsiraka président de la IIe République malgache Proclamation de l'indépendance des Comores (sauf Mayotte)
1976	Indépendance des Seychelles
1991-1993	Crise politique à Madagascar : Albert Zafy est élu président de la République

Vie intellectuelle et littéraire

1768 Première imprimerie à l'île Maurice

1773 Bernardin de Saint-Pierre, *Voyage à l'île de France*

1787 Évariste Parny, *Chansons madécasses*

1788 Bernardin de Saint-Pierre, *Paul et Virginie*

1828 Écriture du malgache en caractères latins

1839 Auguste Lacaussade, *les Salaziennes*

1843 Alexandre Dumas, *Georges*

1844 Louis Timagène Houat, *les Marrons*

1887 Léoville L'Homme, *Poèmes païens et bibliques*

1902 Fondation de l'Académie malgache

1920 Robert-Edward Hart, *les Voix intimes*

1924 Marius-Ary Leblond, *Ulysse, Cafre*

Jean-Joseph Rabearivelo, *la Coupe de cendres*

1926 Savinien Mérédac, *Polyte*

1927 Jules Hermann, *les Révélations du Grand Océan*

1928 Robert-Edward Hart, *Mémorial de Pierre Flandre*

Arthur Martial, *À l'ombre du vieux moulin*

1934 Jean-Joseph Rabearivelo, *Presque-Songes*

1935 Clément Charoux, *Ameenah*

Jean-Joseph Rabearivelo, *Traduit de la nuit*

1941 Robert-Edward Hart, *Poèmes védiques*

1947 Malcolm de Chazal, *Sens plastique*

Flavien Ranaivo, *l'Ombre et le Vent*

1948 Jacques Rabemananjara, *Antsa*

1951 Jean Albany, *Zamal*

Malcolm de Chazal, *Petrusmok*

1956 Jacques Rabemananjara, *Lamba*

1957 Jacques Rabemananjara, *les Boutriers de l'aurore*

1960 Jean-Joseph Rabearivelo, *Poèmes* (éd. bilingue)

1961 Loys Masson, *le Notaire des Noirs*

1964 Édouard J. Maunick, *les Manèges de la mer*

1965 Marcel Cabon, *Namasté*

1970 Raymond Chasle, *le Corailleur des limbes*

1971 Gilbert Aubry, *Rivages d'alizé*

1973 Boris Gamaleya, *Vali pour une reine morte*

1977 Antoine Abel, *Une tortue se rappelle*

Anne Cheynet, *les Muselés*

1979 Jean-Henri Azéma, *D'azur à perpétuité*

Marie-Thérèse Humbert, *À l'autre bout de moi*

1985 Jean-Marie G. Le Clézio, *le Chercheur d'or*

Mohamed A. Toihiri, *la République des imberbes*

1988 Michèle Rakotoson, *le Bain des reliques*

1990 Axel Gauvin, *l'Aimé*

1992 Jean-François Samlong, *la Nuit cyclone*

Palais royaux et maisons de nobles à Tananarive (XIXe siècle).

MADAGASCAR

« Nous sommes des voleurs de langues. Ce délit-là, au moins, nous l'avons commis. »

Jacques Rabemananjara,
Deuxième Congrès des écrivains et artistes noirs, Rome, 1959

Littérature malgache

Il existe une triple tradition littéraire à Madagascar : *oralité populaire* dans les diverses variantes dialectales de la langue malgache ; *littérature malgache moderne écrite,* qui s'est développée depuis le milieu du XIXe siècle ; *littérature d'expression française,* apparaissant à l'époque de la colonisation, puis connaissant un long sommeil et renaissant aujourd'hui dans les mutations que recherche le pays.

Oralité malgache

La langue malgache appartient à la famille des langues malayo-polynésiennes et présente, malgré d'assez fortes variations dialectales, une unité indéniable. Les traditions littéraires orales sont en partie héritées des cultures d'origine des premiers Malgaches, mais elles ont connu une évolution particulière en s'enracinant dans la Grande Île.

À Madagascar comme ailleurs, la modernité tend à réduire la place de l'oralité traditionnelle, en particulier dans les grandes villes. Ce phénomène de désaffection a commencé dès la fin du XIXe siècle. Des témoins attentifs (missionnaires des églises chrétiennes ou intellectuels malgaches désireux de préserver le patrimoine national) ont commencé alors à recueillir les proverbes, les discours royaux, les chroniques, les mythes anciens, les contes, etc.

Il existe aujourd'hui un grand nombre de recueils de contes malgaches, en versions originales et en traductions. Ce sont d'excellents introducteurs à la connaissance d'une civilisation. Dès l'époque coloniale, grâce aux publications de Gabriel Ferrand, Charles Renel, André Dandouau, Raymond Decary..., des recueils de contes traduits ont pu atteindre un assez large public en dehors de la Grande Île.

Deux formes anciennes ont surtout attiré l'attention sur l'originalité de la culture malgache : le *kabary* et le *hain-teny*.

Le *kabary* est un discours qui orchestre les moments importants de la vie malgache : naissance, circoncision, demande en mariage, funérailles... Il obéit à un schéma nécessaire : multiplication d'excuses pour écarter le risque inhérent à tout acte, à toute prise de parole, puis remerciements à Dieu, aux ancêtres, à tous les détenteurs d'un pouvoir, enfin entrée dans le vif du sujet, mais sans le souci de se soumettre à la rigueur d'une argumentation. L'orateur joue sur l'accumulation des proverbes, selon une subtile esthétique de la variation. Tout l'art du *kabary* est « à la fois de bien dire et de surprendre, sans s'écarter le moins du monde des traditions et des usages littéraires » (O. Mannoni).

Le *hain-teny* est une forme de poésie de dialogue. Dans une sorte de joute poétique, deux récitants improvisent des poèmes dont l'enchaînement esquisse une situation amoureuse : agaceries du désir, tentatives de séduction, esquives, jalousies, désenchantements, ruptures... Chaque improvisateur construit la marqueterie de ses poèmes en puisant dans un stock d'images et de proverbes que lui transmet la tradition du genre. Le *hain-teny* le plus apprécié sera celui qui manifestera la plus forte teneur en images et proverbes, la mieux adaptée aussi à la situation. C'est ce qui permettra de faire triompher l'un des deux adversaires du combat poétique. Car, autrefois, les débats en *hain-teny* servaient à trancher des conflits entre plaignants : discussions sur les limites d'une rizière, sur la qualité d'un service rendu, sur une dette non réglée. Les deux parties en opposition s'affrontaient par la médiation du *hain-teny,* jouant leur différend sous le déguisement de la querelle amoureuse.

Jean Paulhan a été le premier à révéler la beauté de ces poèmes anciens dans une étude parue pour la première fois en 1913, qui a beaucoup fasciné et influencé des poètes français comme Paul Éluard ou Raymond Queneau.

Prestige de l'écriture

Les Malgaches connaissent l'écriture depuis fort longtemps, notamment sous la forme des *sorabe,* qui sont des manuscrits d'écorce conservant des textes malgaches notés en écriture arabe : on y conserve surtout des formulaires magiques, des textes religieux, des généalogies.

Le roi merina Radama Ier, désireux de mettre à son service la technique moderne de l'écriture, qui permettait de recenser les hommes, de comptabiliser les richesses, de transmettre les ordres plus rapidement, bref de mieux gouverner le royaume, fit mettre au point par les missionnaires britanniques un système de notation de la langue malgache en caractères latins. Dès 1828, une imprimerie était installée et la traduction de la Bible entreprise (une première édition devait paraître en 1835).

Les premières tentatives littéraires écrites en malgache furent liées au progrès de la christianisation : on composa des cantiques, qui innovèrent en introduisant en poésie malgache la contrainte de la rime. L'écriture servit aussi à conserver, pour des usages privés, des traditions, des généalogies, des témoignages importants sur les coutumes des ancêtres (la reine Ranavalona Ire fit noter des collections de *hain-teny*).

Un cas particulier est celui de Raombana, un des jeunes Malgaches que le roi Radama Ier avait envoyé en Angleterre pour se former à la technologie européenne. Rentré au pays, Raombana y rédigea en anglais, dans les années 1853-1854, une compilation sur l'histoire et les coutumes malgaches. Cette œuvre, restée longtemps inédite, présente un remarquable exemple d'esprit critique par rapport à la tradition.

Modernité littéraire en langue malgache

Avant même la colonisation, il existait une presse de langue malgache, inaugurée en 1866 par le périodique *Teny Soa* (« La Bonne Parole »), d'inspiration chrétienne. Au moment de la chute de la monarchie merina, on pouvait compter à Tananarive une dizaine de publications. La colonisation surveilla et censura ces journaux, mais ne réussit pas à en supprimer le principe. C'est donc dans les colonnes des périodiques malgaches qu'a été publiée la plus grande partie de la production littéraire moderne en malgache : poèmes, contes, fables, nouvelles, etc. Or, il se trouve que, la scolarisation progressant, ces textes ont rencontré un public de plus en plus nombreux.

Certains auteurs acquièrent bientôt une flatteuse renommée. Impliqué dans l'affaire de la V.V.S.* et déporté à Mayotte en 1916, Ny Avana Ramanantoanina y compose des poèmes délicatement nostalgiques qui, pour ses lecteurs habiles à décrypter les sous-entendus, expriment le désir de liberté de tout un peuple. Les poètes se rassemblent volontiers en groupes littéraires, et l'anthologie poétique, publiée en 1926 par Jean Narivony et Rodlish, manifeste la vitalité littéraire de l'époque. Jean-Joseph Rabearivelo lance alors un débat dans la presse sur la nécessaire modernisation littéraire de Madagascar.

En 1933, un instituteur, A. Rajaonarivelo, se fait remarquer par son roman *Bina,* inspiré par sa découverte de la vie simple et fière d'un petit village de la région de Farafangana, sur la côte sud-est. Le genre romanesque parvient à toucher un large public en donnant la première place aux émotions sentimentales et en posant de grands problèmes de société : les mésalliances, la sorcellerie, l'adaptation nécessaire au monde moderne. Parmi les auteurs les plus prisés, on peut citer Clarisse Ratsifandrihamananana ou Andriamalala.

Le théâtre malgache, qui s'invente dans l'imitation du théâtre européen, donne lui aussi une large place aux thèmes moralisateurs.

Homme de théâtre et poète, Dox a été l'écrivain marquant des années 60 et 70 : sa sensibilité très vive a su s'accorder aux aspirations au changement d'une société encore mal remise de la période coloniale.

Une vie littéraire en français

La colonisation, qui donne au français une prééminence de fait, en l'instituant langue du pouvoir politique et économique, suscite une vie littéraire locale en français, soutenue par la publication de belles revues littéraires (*18° latitude sud, Capricorne,* et même l'officielle *Revue de Madagascar* qui accorde une place importante à la littérature). Des magistrats comme Pierre Camo, des hauts fonctionnaires comme Robert Boudry, des enseignants comme Octave Mannoni y publient des textes d'inspiration malgache et, surtout, guident les premiers essais des jeunes écrivains malgaches d'expression française.

Jean-Joseph Rabearivelo est très vite apparu comme le plus remarquable de ces littérateurs malgaches. Mais d'autres

* (Vy Vato Skelika, fer-pierre, ramification) Société secrète répandue dans le milieu intellectuel dont l'administration pensait qu'elle préparait un soulèvement.

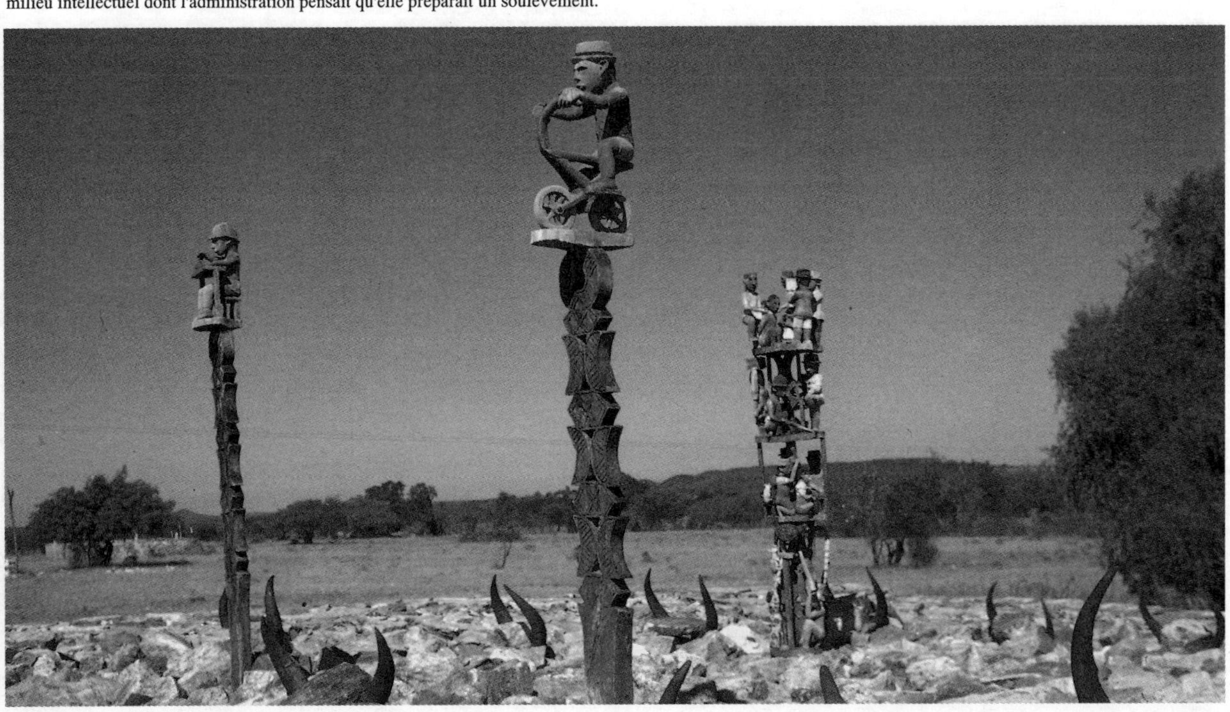

Tombeau (avec aloalos) dans le sud de Madagascar.

ont en même temps que lui exploré les possibilités de l'écriture en français. M.-F. Robinary suit les modèles parnassiens dans ses *Fleurs défuntes* (1932). Plus audacieux, un métis de mère malgache, Robert-Jules Allain (dont la mort prématurée devait frapper Rabearivelo), pratique une forme de poésie déjà libérée. Élie-Charles Abraham (*les Saisons de mon cœur,* 1939) ou Régis Rajemisa-Raolison (*les Fleurs de l'île rouge,* 1948) mettent un peu de fantaisie dans une versification encore très classique. Le mystérieux Édouard Bezoro, présenté par son éditeur parisien comme un « romancier hova » (mais c'est peut-être pour masquer son identité française) publie en 1932 *la Sœur inconnue,* roman faisant l'apologie de l'abolition de l'esclavage par Gallieni. Mais son exemple est peu suivi : il n'y a guère de romanciers malgaches de langue française (peut-être parce que le roman en malgache est, lui, florissant). Les tentatives de Rabearivelo sont restées inédites de son vivant. On peut cependant citer *Sous le signe de Razaizy* (1956) de Robinary, voire la biographie romancée de la dernière reine malgache, *Sa Majesté Ranavalona III, ma reine* (1946) par Danika Boyer.

Trois poètes majeurs

La publication de l'*Anthologie de la nouvelle poésie négro-africaine et malgache de langue française* (1948), préparée par le poète sénégalais Léopold Sédar Senghor, révèle à un large public l'existence d'une brillante poésie malgache en français, avec trois auteurs majeurs : Jean-Joseph Rabearivelo, Jacques Rabemananjara et Flavien Ranaivo.

Passionné de littérature dès son plus jeune âge, Jean-Joseph Rabearivelo a choisi d'écrire dans toutes les langues qu'il pratiquait : le malgache, le français et même l'espagnol pour quelques essais poétiques. Il donne des articles et des poèmes à la presse de Tananarive et à plusieurs revues européennes. Ses premiers recueils (*la Coupe de cendres,* 1924 ; *Sylves,* 1927 ; *Volumes,* 1928) suivent des modèles symbolistes ou fantaisistes, mais on y entend déjà une voix originale, exprimant une morbidité cultivée. Ses romans *(l'Aube rouge, l'Interférence),* qui prennent pour sujet la chute de la monarchie malgache de Tananarive et l'instauration de la colonisation, restent dans ses tiroirs.

Rabearivelo va découvrir une voie neuve en pratiquant une « poétique de la traduction ». Il transpose lui-même en malgache beaucoup de poèmes français, et réciproquement, du malgache au français, il traduit des œuvres empruntées à la tradition orale ou à la plume de jeunes poètes malgaches contemporains. Il donne ses chefs-d'œuvre avec *Presque-Songes* (1934) et *Traduit de la nuit* (1935), qui sont des tentatives pour écrire des poèmes malgaches en français. Cette recherche se poursuit dans *Imaitsoanala, fille d'oiseau* (1935), adaptation d'une vieille légende, et dans des traductions d'authentiques *hain-teny,* qui ne seront publiées qu'après sa mort (*Vieilles Chansons des pays d'Imerina,* 1939).

Des difficultés matérielles et morales insurmontables le conduisent au suicide en 1937. Il laisse à sa mort de nombreux inédits, dont un Journal tenu pendant de longues années.

Pirogues à Nosy Be.

Rizières aux environs de Tananarive.

Jacques Rabemananjara avait été désigné par Rabearivelo comme son continuateur naturel. Animateur de la *Revue des jeunes de Madagascar,* qui explorait les voies d'une renaissance malgache, Rabemananjara publie d'abord des poèmes sagement versifiés. Élu député de Madagascar en 1946, il est accusé d'avoir préparé l'insurrection de mars 1947. Condamné à une lourde peine, il écrit en prison des poèmes de protestation où il proclame sa passion de la liberté (*Antsa,* 1948 ; *Lamba,* 1956 ; *Antidote,* 1961). Son amour du pays natal anime aussi ses pièces de théâtre (*les Boutriers de l'aurore,* 1957). Après sa libération, il a été l'un des animateurs de la revue *Présence africaine,* ainsi l'a-t-on parfois catalogué, malgré ses propres réserves, comme un adepte de la négritude. En fait, la partie la plus originale de son œuvre pourrait bien être celle dans laquelle il s'interroge sur le mystère des origines. Dans *Lyre à sept cordes* (1947), *Rites millénaires* (1955), *les Ordalies* (1972), *Rien qu'encens et filigrane* (1987), il poursuit une recherche poétique qui associe la célébration des rites de l'amour à la sacralisation de l'île-femme Madagascar.

Flavien Ranaivo a su donner une grande intensité poétique à ses brefs recueils (*l'Ombre et le Vent,* 1947 ; *Mes chansons de toujours,* 1955 ; *le Retour au bercail,* 1962 ; *Hain-teny,* 1975). Ses poèmes sont le résultat d'une construction très travaillée à partir d'éléments (proverbes, images) que lui donne la tradition nationale : c'est le procédé même du *hain-teny,* dont Ranaivo retrouve l'inspiration amoureuse et la secrète violence sous-tendant la douceur nostalgique de surface.

Une renaissance littéraire

Les trois poètes majeurs révélés par l'*Anthologie* de Senghor ont longtemps semblé tenir toute la scène littéraire malgache, sans que se révèlent de nouveaux auteurs. Certes, l'étrange roman de Pelandrova Dreo, *Pelandrova* (1975), a surpris par l'intensité de ses évocations de la vie rurale du Sud malgache, mais ses maladresses de facture pouvaient gêner les lecteurs.

Le renouvellement est venu avec Michèle Rakotoson, qui a témoigné d'un vrai tempérament d'écrivain, en laissant s'exprimer sa sensibilité de femme et son désarroi devant les errements des nouveaux pouvoirs issus de la révolution de 1972 (*Dadabe,* 1984 ; *le Bain des reliques,* 1988). D'autres femmes se sont fait connaître. Charlotte Rafenomanjato a su donner en français une étonnante transposition du roman populaire et sentimental en malgache (*le Pétale écarlate,* 1990). Esther Nirina a imposé son ton poétique personnel, jouant des émotions intimes et de l'interrogation sur le mystère de l'être (*Simple Voyelle,* 1980 ; *Lente Spirale,* 1990).

Mais beaucoup de jeunes écrivains ne parviennent pas à se faire éditer. Leurs œuvres circulent plus ou moins confidentiellement, en manuscrits, sous forme ronéotée ou grâce à des lectures publiques. Genre privilégié, la nouvelle cultive une écriture haletante, brutale, qui vise à dire l'effondrement des valeurs, les déchirures du tissu social. Les jurys de plusieurs prix littéraires internationaux ont déjà distingué les œuvres de Jean-Luc Raharimanana et de Jean-Claude Fota, qui tranchent sur les stéréotypes de la « douceur malgache » et annoncent une littérature de rupture.

À Madagascar comme ailleurs, les contes constituent un trésor inépuisable de savoir traditionnel et de sagesse populaire. Tout en distrayant, ils transmettent des règles de vie, expliquent le mystère des origines, initient les enfants à la vie qu'ils vont mener. Ils ont donc dès lors attiré l'attention des chercheurs. L'un des premiers à les traduire en français, avec l'aide d'instituteurs malgaches, a été Charles Renel (1870-1925), qui fut directeur du Service de l'enseignement à Tananarive et membre de l'Académie malgache. Il a publié deux volumes de *Contes de Madagascar* (des « contes merveilleux » en 1910 et des « contes populaires », dans une publication posthume, en 1930).

XXe siècle

La Fille-des-eaux

Ce conte est présenté par Charles Renel comme ayant été « recueilli à Tananarive de la bouche d'un Merina ayant épousé une femme d'origine betsimisaraka et ayant séjourné longtemps à la côte ». Il prend comme héroïne une de ces ondines ou « Filles-des-eaux » qui jouent un rôle essentiel dans la tradition et l'imaginaire malgaches.

Dans un village entre Andevoranto et Tamatave, il y avait, dit-on, un homme pauvre, si pauvre qu'il n'avait même pas de quoi se vêtir ; ce malheureux, abandonné par ses parents, se nourrissait exclusivement de poissons. Un jour qu'il était à pêcher au bord de l'eau, son hameçon s'attacha à quelque chose de lourd. Il fut obligé de tirer très fort sur la ligne et à la fin il fit sortir de l'eau d'abord une chevelure de femme, puis la tête, le buste et le corps d'une jeune fille. Le pêcheur fut très effrayé, mais l'être mystérieux le rassura : « Je suis sortie des eaux, dit-elle, pour être ta femme. Voici mes conditions : je m'appelle Razazavavindrano[1], mais tu ne diras à personne d'où je viens, lorsque nous arriverons au village ; sinon je te quitterai et tu ne m'auras plus comme femme. »

Au village tout le monde fut stupéfait de la beauté de la femme et voulut savoir où le pêcheur avait pu la trouver. Mais lui refusa de rien dire et la Fille-des-eaux habita dans sa maison. Le petit ménage devint de plus en plus aisé. Un jour, dit-on, la Fille-des-eaux dit à son mari : « Va dans la forêt et abats de jeunes arbres pour faire un enclos à bœufs. » Quand la palissade fut près d'être terminée, Razazavavindrano dit encore : « Arrange la porte de façon qu'elle soit tournée du côté de l'eau. » Et cette nuit-là, vers minuit, on entendit des troupeaux de bœufs entrer dans l'enclos. Le lendemain, les habitants du village, étonnés, demandèrent au pêcheur d'où venaient ces bœufs, mais lui ne voulut rien dire. Le petit ménage cependant devint très riche. Au bout d'une année Razazavavindrano, qui avait conçu, accoucha d'un petit garçon. Mais les frères du pêcheur devinrent jaloux de lui, et après s'être concertés ensemble, jurèrent de lui faire avouer d'où venaient une si belle femme, tant de richesses et un si beau petit garçon. Un jour que l'homme était allé chercher du bois dans la forêt, ses frères le surprirent et le menacèrent de mort s'il ne révélait pas son secret. Le pauvre homme finit par avouer que sa femme était sortie du lac qui se trouvait non loin du village et que c'était à la pêche qu'il l'avait attrapée. Alors ses frères consentirent à le relâcher. Mais le soir de ce jour, dit-on, la Fille-des-eaux dit à son mari : « Puisque tu as été parjure, je vais retourner chez nous. » Le pauvre homme fondit en larmes et la supplia de rester : elle fut inflexible. Pourtant elle consentit à lui laisser l'enfant et à demeurer un jour encore. Le soir de ce jour-là, elle dit à son mari : « Puisque je pars et que je te laisse notre enfant, je vais vous faire devenir très riches. » Et bientôt la place au nord du village fut toute recouverte de bœufs. À cette vue le pauvre pêcheur sanglota de nouveau et supplia sa femme. Elle consentit à rester jusqu'au lendemain à midi. À midi elle dit à son mari : « Porte notre enfant et suis-moi. » Razazavavindrano les conduisit jusqu'à l'endroit où elle avait été pêchée autrefois et dit : « Aie bien soin de notre enfant. Quand vous voudrez me voir, amène-le ici au bord du lac ; pour moi, quand j'aurai envie de le voir, je viendrai, une fois la nuit tombée, dans ta maison. » Et elle se plongea dans les eaux. Dès le lendemain, le pêcheur amena son enfant au bord du lac. Ils virent alors la Fille-des-eaux, accompagnée de son père, de sa mère et de sa jeune sœur. Et quand ils eurent tous regardé l'enfant, ils retournèrent dans l'eau, leur demeure.

Charles Renel, *Contes de Madagascar,*
Paris, Leroux, 1910

COMPRÉHENSION ET LANGUE

1 – Quels sont les indices qui révèlent la présence d'un « conteur » ?
2 – Comment le narrateur ménage-t-il le suspense dans les lignes 5 à 7 ?
3 – Étudiez la gradation des sentiments qui animent les habitants du village à l'égard du couple.
4 – Quels sont les éléments qui relèvent du merveilleux dans ce conte ? Quelles remarques peut-on faire à ce propos ?
5 – D'après vous, ce conte se termine-t-il « bien » ou « mal » ?

ACTIVITÉS DIVERSES, EXPRESSION ÉCRITE

1 – Retrouvez d'autres contes populaires (de votre pays ou d'autres pays) où il est question, comme ici, d'une histoire d'amour entre une ondine et un homme.
Essayez de comparer les récits.
2 – Imaginez une autre fin pour ce conte, dans laquelle la Fille-des-eaux sanctionne autrement le parjure.

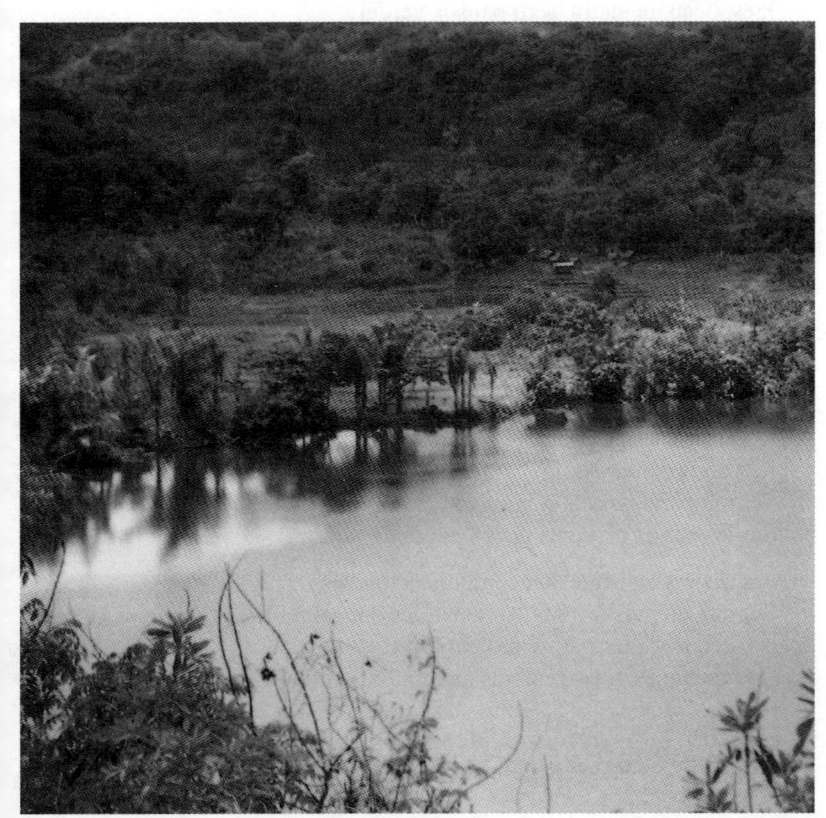

1. C'est-à-dire : « la Fille-des-eaux ».

MADAGASCAR

RÉGIS RAJEMISA-RAOLISON

Régis Rajemisa-Raolison (1913-1990) a consacré sa vie à l'exploration et à la sauvegarde de la civilisation malgache. Longtemps vice-président de l'Académie malgache, il a publié en 1966 un important *Dictionnaire historique et géographique de Madagascar.* Il a rassemblé, en 1948, un recueil de ses poèmes en français, *les Fleurs de l'île rouge,* où il cultive une discrète nostalgie du passé malgache.

COMPRÉHENSION ET LANGUE

1 – Retrouvez le plan du poème.
2 – Relevez les termes relatifs à l'architecture.
3 – Relevez tous les termes qui évoquent une couleur (même implicitement).
4 – Quelle impression d'ensemble offre le Palais ? Relevez les expressions qui justifient votre réponse.
5 – Relevez les expressions qui développent l'image du vers 12.
6 – Quelle autre métaphore du Palais est suggérée dans les vers 21 et 22 ?
7 – Comment l'impression de désolation est-elle exprimée dans les deux dernières strophes ?

ACTIVITÉS DIVERSES, EXPRESSION ÉCRITE

À partir de ce poème, constituez un petit dossier iconographique (reproductions de tableaux, de dessins ou d'illustrations de revues, etc.) qui puisse l'illustrer.

XXe siècle

Manjakamiadana

De facture traditionnelle, ce poème (dont seul le début est donné ici) célèbre le Palais de la Reine, construit par Jean Laborde en 1839 à l'intérieur du rova *(enceinte royale) de Tananarive.*

Sur le coteau bleui par des ombres sereines
Que la lueur du jour naissant faisait plus pur,
J'ai cru voir, ce matin, découpé dans l'azur,
Plus beau que chaque jour le PALAIS DE LA REINE.

Alors, ivre de rêve et d'amour à la fois,
Mon âme s'en allait, de chagrin oppressée,
Vers ces âges lointains que chacun porte en soi
En voyant ces témoins des époques passées.

C'est l'antique Palais de nos rois d'autrefois,
Taillé dans le granit au front de notre ville,
Et qui, depuis cent ans, sur la Cité des Mille,
« Sentinelle debout, veille comme un beffroi ».

Il est beau, le matin, serti dans la verdure,
Sous le ciel du printemps ou celui de l'hiver,
Lorsque son toit d'ardoise à demi découvert
Se montre dans la brume aux fines dentelures.

Ses quatre tours, couleur du temps, au front hautain,
Gardant dans leur granit un pli grave et sévère,
Évoquent tendrement à qui les voit de loin
La ville endormie à son ombre tutélaire.

Et l'on entend monter la nuit, au bruit du vent,
Des milliers de maisons dont il garde la troupe
Un murmure plaintif comme un vague et vieux chant,
Lointain, perdu là-bas, du côté de l'IKOPA.

Mais, las ! tout en gardant son maintien digne et fier,
Le Palais aujourd'hui regarde d'un œil triste
Ses remparts noircir et les chiendents pousser vert
Sur les débris disjoints de ses pavés de schiste.

Ses ruelles en pente aux contours détournés
Sur qui, en gais festons, s'arquent les bougainvilles
N'entendent plus parmi les cent bruits de la ville
Que quelques voix d'enfants aux timbres enroués.

[…]

Régis Rajemisa-Raolison, *les Fleurs de l'île rouge,* 1948

MADAGASCAR

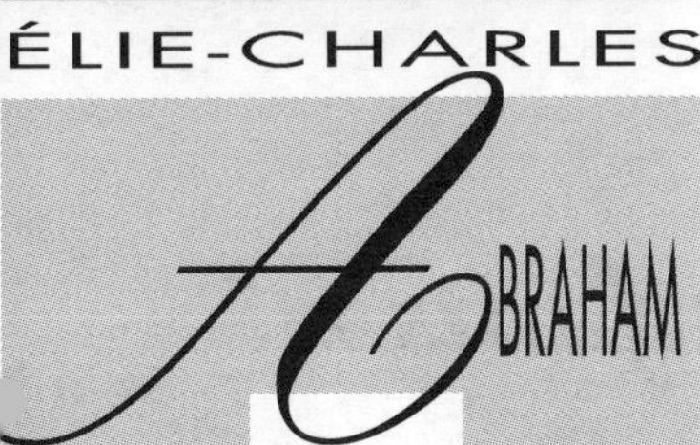

Élie-Charles Abraham (1919-1980) a été professeur de français et de malgache, journaliste et traducteur. Il a fondé et dirigé plusieurs revues littéraires *(Takariva, l'Île australe, Tatamo)*. Il est l'auteur de nombreux articles de critique littéraire en français et en malgache. Sa poésie en langue française a été rassemblée dans plusieurs plaquettes : *Tananarive* (1946) ; *Flux et reflux* (1949) ; *Pétales* (1986).

XXe siècle

Hiver malgache

Fantaisie et légèreté font le charme de ce poème. On peut même voir un brin d'ironie dans l'évocation de la bruyère (v. 27), qui n'est pas une plante très courante à Madagascar.

L'hiver malgache, il faut le dire,
Est le plus doux, le plus charmant.
Lui seul, il garde à tout moment,
Dans la tristesse ou le délire,
Son éternel petit sourire.

Chez nous, l'hiver n'est pas morose :
Un peu de brise et de frisson,
Un peu de danse et de chanson,
Et même encore un peu de rose…
Chez nous, l'hiver n'est pas morose.

Chez nous, l'hiver est assez gai :
Un peu d'amour, un peu d'étoile,
Un souvenir qui se dévoile
Lorsque le cœur est fatigué...
Chez nous, l'hiver est assez gai.

Chez nous, l'hiver n'a point d'alarme :
Un peu de rêve, un peu d'espoir,
Un peu de spleen parmi le soir,
Un peu de joie, un peu de charme…
Chez nous, l'hiver n'a point d'alarme.

Chez nous, pas de ruisseau de glace,
Ni de grésil, ni de frimas.
Pas de brise mortelle et pas
De sol gelé. L'hiver se passe
Chez nous sans que le cœur se glace.

Mais si le ciel est inquiet,
S'il pleut parfois sur la bruyère
Comme parmi la ville entière,
Le cœur aussi pleure en secret…
Parfois le ciel est inquiet…

L'hiver malgache, il faut le dire,
Est le plus doux, le plus charmant.
Lui seul, il garde à tout moment
Dans la tristesse ou le délire
Son éternel petit sourire...

Élie-Charles Abraham, *Flux et reflux*, 1949

COMPRÉHENSION ET LANGUE

1 – Étudiez la composition du poème et proposez-en le plan.
2 – Quelle progression le poète ménage-t-il dans les définitions de l'hiver malgache des strophes 2 à 4 (v. 6 à 20) ?
3 – Quel est le rôle de la strophe 5 (v. 21 à 25) ?
4 – Pourquoi la strophe 6 marque-t-elle une rupture dans la composition ? Quel en est l'effet ?
5 – Quel autre poème célèbre évoquent pour vous les vers 27 à 29 ?

ACTIVITÉS DIVERSES, EXPRESSION ÉCRITE

Constituez un petit corpus de poèmes sur le thème des saisons.

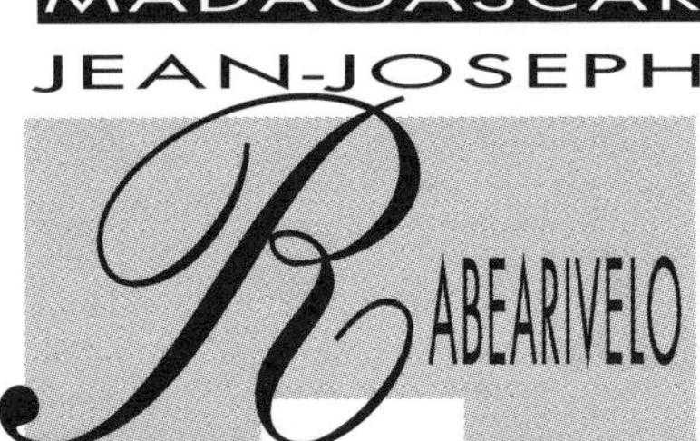

Jean-Joseph Rabearivelo (1901 ou 1903 - 1937) a très vite été reconnu comme le plus important des écrivains malgaches du XXe siècle. Son projet fondamental a été de développer la littérature malgache dans ses deux langues d'expression, en modernisant la littérature malgache écrite et en inventant une manière malgache d'écrire en français. Il a d'abord publié des articles et des poèmes, en malgache et en français, dans la presse de la Grande Île et dans des revues étrangères. Parmi ses œuvres de jeunesse, deux romans sur des sujets historiques, évoquant la fin de l'indépendance du royaume malgache de Tananarive et les débuts de la colonisation, sont longtemps restés inédits : l'un d'eux, *l'Interférence,* n'a été publié qu'en 1987.

« Rondes d'enfants » *

L'Interférence *se présente comme « le roman touffu de toute une famille et de presque toute une race ». Le lecteur est invité à suivre la vie d'une famille noble de Tananarive depuis le règne de Ranavalona Ire jusqu'aux débuts de la colonisation.*
Le chapitre V *de la deuxième partie raconte les fiançailles d'Andriantsitoha, représentant de la deuxième génération (sous le règne de Ranavalona II), avec une jeune fille du village d'Ilafy, Ravololona. C'est l'occasion d'évoquer une scène de la vie traditionnelle.*

Ils étaient un soir devant trois rondes d'enfants qui, en les reconnaissant, s'accrochèrent à eux et leur demandèrent de l'argent.

« Vous allez concourir, proposa Ravololona. Vous chanterez. Et la ronde qui me rappellera le mieux mon enfance aura dix mains de pistaches grillées. »

Les enfants poussèrent des cris de joie et enroulèrent à nouveau leurs rondes.

« Non, intervint Andriantsitoha, il ne faut pas chanter tous à la fois : nous n'arriverons pas à distinguer. On va procéder selon l'âge pour ne point faire des jaloux. »

Alors les plus âgés commencèrent, mais après avoir rompu la chaîne et formé deux lignes parallèles. Celle qui était à gauche, accompagnée par les sautillements de l'autre et des battements de mains, préluda :

Eh ! il fait clair à l'orient, chez nous !
Frappons, frappons le sol.

Et en un parfait accord, avec un étonnant unisson, tandis que tous les talons battaient l'herbe, la chanson reprit :

Eh ! et l'hiver n'y est pas rigoureux !

On s'était donné la main, la ronde était refaite et, en un roulement des plus souples qui se dispersait rapidement parmi les échos, tout le monde de chanter :

Eh ! Raivo ! Eh ! Raivo, nous nous séparerons un jour !

Une nouvelle troupe prit place. Elle se disposa autrement et s'aligna par deux. Chaque couple figurant une arcade, les doigts rejoints à la hauteur des bras tendus et légèrement recourbés, attendait qu'une petite fille passât en dessous pour chanter, en dansant :

Entrez, entrez, notre pintade !

Et pour reprendre aussitôt, en tâchant de donner un ton de regret à la voix :

Notre pintade est venue hier, elle est repartie !

Un des couples demanda :

* *Les titres entre guillemets ne sont pas des auteurs : ils sont empruntés aux textes.*

Que voulez-vous : l'étoile ou la lune ?

À l'unisson, tous répondirent :

Notre pintade est venue hier, elle est repartie !

La petite fille venait alors de sortir de la dernière arcade ; mais, en un tour de main, on réussit à l'encercler à nouveau.

« Ces petites histoires ont un sens, voyez-vous, murmura son oncle à Andriantsitoha qui caressait la main de sa fiancée appuyée sur son épaule. La première ronde, qui peut bien être une chanson d'exilés, celle d'un ménage d'exilés, dit la nostalgie, l'empressement de revenir au pays-des-ancêtres, puis se termine par l'amertume que provoque l'idée de la mort. L'autre dit le bonheur qui fuit à peine saisi, mais qu'on finit toujours, si l'on s'y met tous, par ravoir. Entre-temps, un désespoir que rien ne distrait, pas même les plus belles chimères. Tiens, reprit-il, mais cette autre vous concerne particulièrement ! »

La dernière ronde, en effet, jouait la demande en mariage.

Elle s'était scindée en quatre rangées : deux s'asseyaient à cinq mètres de distance environ entre elles, tandis que les deux autres, en ligne droite, formaient des colonnes mobiles.

L'une de ces dernières s'avança décisivement après quelques tiraillements. Les mains dans les mains, les petits enfants chantaient en marchant :

Nous venons demander... nous, nous, nous,

et reculaient une fois parvenus devant l'autre colonne qui s'ébranlait à son tour en répondant :

Qui voulez-vous demander... demander ?

Et le va-et-vient ne finit qu'avec l'histoire elle-même :

– Nous demandons Bozy, nous demandons.
– Pour qui la demandez-vous, la demandez-vous ?
– Naivo la prendra, la prendra.
– À quelle heure le rendez-vous, le rendez-vous ?
– À huit heures, le rendez-vous, le rendez-vous.
– Donnez-nous votre garantie, votre garantie.
– Voici notre garantie, notre garantie.

Alors, au milieu du terrain, la colonne posa une branche sans feuille, et les deux petits fiancés se levèrent de leurs places. Le bout du pied placé contre la borne, ils s'efforcèrent de s'entraîner chacun de son côté au milieu de cris d'exhortations. Naivo eut vite raison de sa partenaire, mais à la suite d'une rupture de tension subite, tous deux vinrent rouler près des vrais fiancés. Si ceux-ci n'avaient pas eu le temps de les recevoir dans leurs bras, ils se seraient blessés assez sérieusement.

On n'en finissait plus d'applaudir.

Pour satisfaire tout le monde, Ravololona distribua des pistaches à tous les enfants en leur faisant promettre de reprendre le jeu après le dîner.

Jean-Joseph Rabearivelo, *l'Interférence*,
© Hatier, Paris, 1987

COMPRÉHENSION ET LANGUE

1 – Retrouvez les grands mouvements du texte.
2 – Proposez un titre pour chacune des rondes.
3 – Le texte apporte maints détails sur les gestes qui agrémentent rituellement la dernière ronde. Que miment-ils à votre avis ?
4 – Est-ce que la chute finale des deux enfants (l. 69 à 71) peut également « avoir un sens » ? Que peut-elle laisser présager sur l'union d'Andriantsitoha et de Ravololona ?

ACTIVITÉS DIVERSES, EXPRESSION ÉCRITE

1 – Retrouvez, dans le folklore de votre pays, des rondes qui s'apparentent à celles que ce passage décrit.
2 – Retranscrivez quelques chansons populaires de votre pays, dont vous essaierez, comme dans ce passage, de dégager la symbolique.

MADAGASCAR

JEAN-JOSEPH

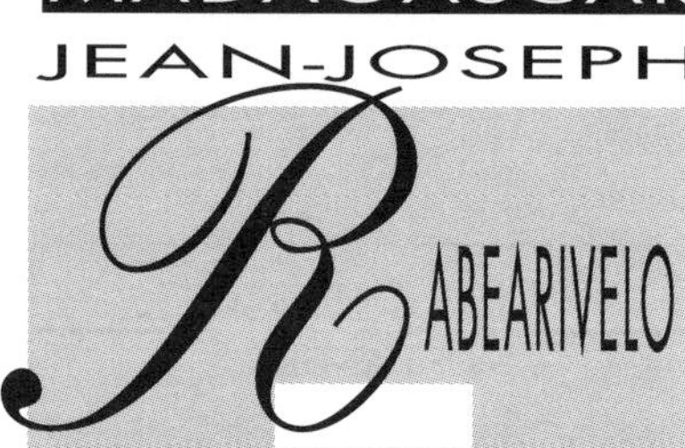

Jean-Joseph Rabearivelo a d'abord écrit des poèmes de forme traditionnelle versifiée : il y chante sa nostalgie du passé et sa fascination de la mort. Ce sont les recueils *la Coupe de cendres* (1924), *Sylves* (1927) et *Volumes* (1928) qui imposent sa réputation. Il a entretenu une abondante correspondance avec des écrivains des îles voisines et d'Europe. Il a porté au théâtre des légendes anciennes (*Imaitsoanala, Fille d'oiseau,* 1934). En 1934, la publication de *Presque-Songes,* recueil poétique de forme libérée, a surpris ses lecteurs. On a parlé de « surréalisme », mais Rabearivelo cherchait avant tout à se ressourcer en transposant les modèles de la poésie malgache orale.

XXe siècle

Aux arbres

Rabearivelo a consacré de nombreux poèmes à chanter les arbres de son pays, soit pour rappeler leur statut d'exilés, quand ils ont été importés de pays lointains, soit, comme ici, pour souligner leur enracinement dans la terre des morts.

Arbres sur la colline où reposent nos morts
Dont l'histoire n'est plus, pour ma race oublieuse,
Que fable, et toi, vent né des zones soleilleuses
Qui ranimes leur sein d'ombre humide et le mords,

Ce soir, je vous contemple et mon cœur vous écoute :
Votre rumeur me dit l'âme de mes aïeux
Tandis que l'horizon tragique et radieux
Annonce d'un beau jour la gloire et la déroute.

L'insidieuse nuit qui vient anéantir
Le navire paisible et bleu de vos ramures,
Riche d'un chargement de quelles pulpes mûres
Et de quels beaux palmiers qui pourraient reverdir,

Ainsi que le silence, esclave des ténèbres,
Qui prêtera son aide à son œuvre pervers :
Ah ! tout m'incitera qu'à vos mystères verts
J'offre des chants ardents et tristes et funèbres !

Car, déjà, vous attend la cognée ou le feu,
Vous qui n'avez jamais connu la grise automne
Et qui ceignez encor d'admirables couronnes
Le front des monts royaux, frères de l'azur bleu !

Jean-Joseph Rabearivelo,
***Volumes,* 1928**

COMPRÉHENSION ET LANGUE

1 – Que suggère le spectacle des arbres au poète dans les vers 1 et 6 ?
2 – Sur quelles antithèses reposent les images de la nature dans ce poème ?
3 – Précisez comment le poète conçoit la création poétique dans ce texte.
4 – Les allusions à l'univers malgache sont très discrètes dans ce poème. Sauriez-vous les retrouver ?

ACTIVITÉS DIVERSES, EXPRESSION ÉCRITE

Constituez un corpus sur le thème de l'arbre et dégagez les traits essentiels de sa symbolique dans la littérature.

Lire

Voici le poème inaugural du recueil Presque-Songes, *qui invite à déchiffrer un secret : on peut y lire comme une définition de la recherche poétique de Rabearivelo.*

Ne faites pas de bruit, ne parlez pas :
vont explorer une forêt les yeux, le cœur,
l'esprit, les songes…

Forêt secrète bien que palpable :
forêt.

Forêt bruissant de silence,
Forêt où s'est évadé l'oiseau à prendre au piège,
l'oiseau à prendre au piège qu'on fera chanter
ou qu'on fera pleurer.

À qui l'on fera chanter, à qui l'on fera pleurer
le lieu de son éclosion.

Forêt. Oiseau.
Forêt secrète, oiseau caché
dans vos mains.

Jean-Joseph Rabearivelo, *Presque-Songes*, Tananarive, 1934

Compréhension et langue

1 – Dites dans quelle mesure ce poème fonctionne comme une devinette.
2 – Retrouvez les images qui évoquent la matérialité du livre.
3 – Quelles sont les attitudes requises pour la lecture d'après la strophe 1 ?
4 – Commentez l'énumération des vers 2 et 3.
5 – Expliquez les vers 4 et 6. Quelle est la double nature de l'œuvre que ces images soulignent ?
6 – Quelle conception du poème se dégage de la métaphore de l'oiseau (v. 7 à 11).

Activités diverses, expression écrite

Proposez à votre tour un paragraphe où vous essaierez de définir ce que vous entendez par « lire ».

JEAN-JOSEPH RABEARIVELO

Jean-Joseph Rabearivelo, qui a choisi de se situer au confluent de deux langues, a toujours été passionné par les problèmes de la traduction et du passage d'une langue à une autre. Il avait préparé la traduction en malgache des poèmes de Paul Valéry, qui malheureusement est restée inédite. Il a aussi beaucoup traduit dans l'autre sens, du malgache au français. Dans ses deux recueils majeurs, *Presque-Songes* (1934) et *Traduit de la nuit* (1935), il invente une poésie très personnelle, en transposant en français les ressorts de la poésie malgache traditionnelle et notamment du *hain-teny*. Pour ces deux recueils, il a écrit une double version de chaque poème, en malgache et en français. Après sa mort, on a publié ses *Vieilles Chansons des pays d'Imerina,* qui sont des traductions d'authentiques *hain-teny*.

Naissance du jour – Une autre

Voici deux variations sur le thème de prédilection de Rabearivelo : la « naissance du jour », moment d'incertitude dans le passage d'un état à un autre.

Naissance du jour

Avez-vous déjà vu l'aube aller en maraude
au verger de la nuit ?
La voici qui en revient
par les sentes de l'Est
envahies de glaïeuls en fleurs :
elle est tout entière maculée de lait
comme ces enfants élevés jadis par des génisses ;
ses mains qui portent une torche
sont noires et bleues comme des lèvres de fille
mâchant des mûres.

S'échappent un à un et la précèdent
les oiseaux qu'elle a pris au piège.

* * *

Une autre

Fondues ensemble toutes les étoiles
dans le creuset du temps,
puis refroidies dans la mer
et sont devenues un bloc de pierre à facettes.
Lapidaire moribonde, la nuit,
y mettant tout son cœur et tout le regret qu'elle a de ses meules
qui se désagrègent, se désagrègent
comme cendres au contact du vent,
taille amoureusement le prisme.

Mais c'est une stèle lumineuse
que l'artiste aura érigée sur sa tombe invisible.

Jean-Joseph Rabearivelo, *Presque-Songes,* Tananarive, 1934

Zébu

Le zébu, qu'évoque ce poème de Presque-Songes, *joue un rôle essentiel dans la vie malgache, autant pour sa valeur symbolique que pour son intérêt économique.*

Voûté comme les cités d'Imerina
en évidence sur les collines
ou taillé à même les rochers ;
bossu comme les pignons
que la lune sculpte sur le sol,
voici le taureau puissant
pourpre comme la couleur de son sang.

Il a bu aux abords des fleuves,
il a brouté des cactus et des lilas ;
le voici accroupi devant du manioc
lourd encore du parfum de la terre,
et devant des pailles de riz
qui puent violemment le soleil et l'ombre.

Le soir a bêché partout,
et il n'y a plus d'horizon.
Le taureau voit un désert qui s'étend
jusqu'aux frontières de la nuit.
Ses cornes sont comme un croissant
qui monte.

Désert, désert,
désert devant le taureau puissant
qui s'est égaré avec le soir
dans le royaume du silence,
qu'évoques-tu dans son demi-sommeil ?
Est-ce les siens qui n'ont pas de bosse
et qui sont rouges comme la poussière
que soulève leur passage,
eux, les maîtres des terres inhabitées ?
Ou ses aïeux qu'engraissaient les paysans
et qu'ils amenaient en ville, parés
[d'oranges mûres,
pour être abattus en l'honneur du Roi ?

Il bondit, il mugit,
lui qui mourra sans gloire,
puis se rendort en attendant
et apparaît comme une bosse de la terre.

Jean-Joseph Rabearivelo,
***Presque-Songes*, Tananarive, 1934**

COMPRÉHENSION ET LANGUE

Naissance du jour

1 – Quels sont les divers moments de la naissance du jour ?
2 – Expliquez comment les vers 3 et 4 suggèrent l'aurore.
3 – Qu'évoquent le vers 6 et la comparaison du vers 7 ? Quelle est la portée de cette comparaison ?
4 – Quels vers annonce l'image des vers 8 à 10 ? Expliquez-la.

Une autre

1 – Relevez les expressions relatives au métier de lapidaire et les termes qui soulignent la passion du lapidaire pour son art.
2 – Quels sont les mots et expressions qui renvoient à l'univers de la nuit et de la naissance du jour ?
3 – Quelle autre activité artistique la métaphore du lapidaire suggère-t-elle ?

Zébu

1 – Retrouvez les grands mouvements du poème et proposez un titre pour chaque partie.
2 – Relevez les vers qui évoquent les traits physiques du zébu et la portée des comparaisons que l'auteur établit à ce propos.
3 – Expliquez l'image des vers 14 et 15.
4 – Quel moment du jour est évoqué dans ce poème à travers certaines images ?
5 – À quels référents culturels malgaches renvoient les vers 25 à 31 ?

ACTIVITÉS DIVERSES, EXPRESSION ÉCRITE

Naissance du jour

Retrouvez d'autres poèmes célèbres qui chantent la naissance du jour et dites où réside l'originalité de cette pièce de Jean-Joseph Rabearivelo.

Une autre

Retrouvez les mots et expressions dont la critique littéraire fait habituellement usage (pour évoquer la création poétique) et qui apparentent l'art du poète à d'autres activités artisanales.

Zébu

1 – Constituez un petit dossier sur la place du zébu dans la culture malgache (légendes, mythes, proverbes, etc.).
2 – Constituez un dossier sur l'animal emblématique de votre pays ou d'autres pays de votre choix.

MADAGASCAR

JEAN-JOSEPH

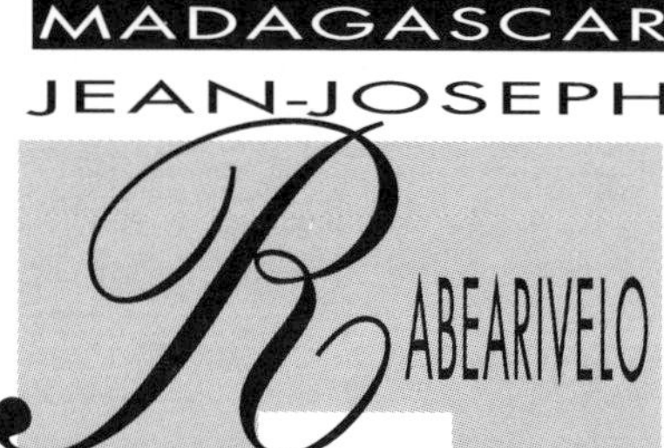

Le recueil *Traduit de la nuit,* au titre très symbolique, manifeste la parfaite maîtrise atteinte par Jean-Joseph Rabearivelo dans l'art de composer dans les deux langues. Mais de graves difficultés matérielles et morales, et peut-être une certaine incapacité à vivre, l'ont peu à peu conduit au suicide (22 juin 1937). Les poèmes de *Traduit de la nuit,* comme le dernier recueil qu'il publie, *Chants pour Abeone,* accordent une place de plus en plus grande à la fascination de la mort. Il ira jusqu'à noter dans son journal intime les étapes de son suicide, tout en composant un « dernier poème », en guise d'adieu à sa famille et à ses amis.

XXe siècle

« Le vitrier nègre »

Ce poème est le dix-septième du recueil Traduit de la nuit. *Il se construit à partir d'une métaphore volontairement énigmatique.*

Le vitrier nègre
dont nul n'a jamais vu les prunelles sans nombre
et jusqu'aux épaules de qui personne ne s'est encore haussé,
cet esclave tout paré de perles de verroterie,
qui est robuste comme Atlas
et qui porte les sept ciels sur sa tête
on dirait que le fleuve multiple des nuages va l'emporter,
le fleuve où son pagne est déjà mouillé.

Mille et mille morceaux de vitre
tombent de ses mains
mais rebondissent vers son front
meurtri par les montagnes
où naissent les vents.

Et tu assistes à son supplice quotidien
et à son labeur sans fin ;
tu assistes à son agonie de foudroyé
dès que retentissent aux murailles de l'Est
les conques marines –
mais tu n'éprouves plus de pitié pour lui
et ne te souviens même plus qu'il recommence à souffrir
chaque fois que chavire le soleil.

Jean-Joseph Rabearivelo, *Traduit de la nuit,* 1935

Compréhension et langue

1 – Dans ce poème métaphorique sur la naissance du jour, relevez les mots et expressions qui évoquent le ciel nocturne (v. 1 à 8).

2 – Quelles sont les métaphores qui suggèrent la présence des étoiles ?

3 – Comment comprenez-vous l'image du « vitrier nègre » ?

4 – Relevez les termes qui expriment la souffrance.

5 – Expliquez l'image des vers 16 à 18.

6 – Quels sont les termes soulignant l'aspect répétitif de l'action ?

Activités diverses, expression écrite

Recherchez des personnages mythologiques qui peuvent être apparentés au vitrier nègre.

MADAGASCAR
JEAN-JOSEPH RABEARIVELO

« À l'âge de Guérin, à l'âge de Deubel »

Dans la sérénité terrible de ce « dernier poème », Rabearivelo médite sur sa mort volontaire : abandon douloureux du monde des vivants, attente du retour à la terre maternelle, pour retrouver sa fille morte et le peuple des ancêtres, qui veille sur la cohue des vivants...

À l'âge de Guérin[1], à l'âge de Deubel[2],
un peu plus vieux que toi, Rimbaud[3] anté-néant,
parce que cette vie est pour nous trop rebelle
et parce que l'abeille a tari tout pollen,
ne plus rien disputer et ne plus rien attendre,
et, couché sur le sable ou la pierre, sous l'herbe,
    fixer un regard tendre
sur tout ce qui deviendra quelque jour des gerbes.
Fixer un regard tendre ! Tendresse de l'absence,
dans le Néant, Néant auquel je ne crois guère.
    Mais est-il plus pure présence
que d'être à toi rendu, ô Mère douce, ô Terre ?
On se retrouvera tous dans ta solitude,
et peuplée, et déserte ainsi que l'océan.
Et chaque fois que *ici-haut* soufflera le vent du sud
en bas l'on causera des survivants.
Quelles racines de fleurs viendront alors nous boire
pour calmer dans le soleil telle soif de fruits ?
Se pencheront sur nous les héliotropes[4] du soir
et viendra prendre de nos secrets le Bruit.
Le Bruit, le Bruit humain – vaines rumeurs de coquillages
pour les marins endormis du sommeil de la terre !
Le Bruit, le Bruit humain, toujours le même à travers les âges
et qui ne se dépouille que chez les morts d'un peu de vos misères.
Mais déjà je sens l'odeur de la poussière
et des herbes ; déjà j'entends l'appel de ma fille[5],
ah ! pour peu que l'oubli n'ait pas cerné vos yeux de terre
songez quelquefois à nous dans nos grottes tranquilles !
Et que ce ne soit pas pour verser des larmes
près de nos portes closes par le silence !
Que ce soit pour penser qu'il y aura quelque charme,
un jour, à être guidés par nous dans la fin immense.

Repris de *J.-J. Rabearivelo*, « Classiques du monde », Nathan, 1967

1. Charles Guérin, poète français, auteur de poèmes d'inspiration douloureuse, voire morbide, mort en 1907 à l'âge de 34 ans.
2. Léon Deubel, poète français, qui s'est suicidé à 34 ans, en 1913, en se jetant dans la Marne.
3. En fait, Rabearivelo a vécu moins d'années que Rimbaud (mort en 1891 à l'âge de 37 ans).
4. Fleurs qui se tournent vers le soleil.
5. Voahangy, fille du poète, est morte en 1933.

COMPRÉHENSION ET LANGUE

1 – Quels sont les points communs qui apparentent les écrivains évoqués dans les premiers vers ? Comment la critique littéraire désigne-t-elle ces poètes ?
2 – Relevez les images que le poète utilise pour évoquer la Mort, la tombe et les morts. Quelles remarques peut-on faire à ce propos ?
3 – Quels traits le poète retient-il de la vie dans les vers 21 à 24 ?
4 – À quelle activité humaine semble faire allusion la métaphore sur les morts des vers 15 à 20 ?
5 – Quel est le sentiment de la Mort que le poète exalte dans la fin du poème (à partir du vers 25).

ACTIVITÉS DIVERSES, EXPRESSION ÉCRITE

Retrouvez dans d'autres poèmes de Jean-Joseph Rabearivelo des métaphores originales sur la Mort. Essayez de les classer et de proposer les aspects privilégiés du thème chez le poète.

La poésie de traduction

L'activité de traduction joue un rôle essentiel dans l'affirmation de la littérature malgache de langue française. Les premiers écrivains malgaches, publiés dès les années 20 dans les revues littéraires de Madagascar *(18° latitude sud)* ou de France, ont cherché à faire connaître la richesse de la culture de leur pays en traduisant des poèmes traditionnels ou même des poèmes d'auteurs malgaches modernes. La littérature en français à Madagascar s'est développée à partir du patrimoine littéraire de langue malgache.

Rabearivelo : le « passeur de langues »

Jean-Joseph Rabearivelo s'est fait remarquer, dès le début de son activité littéraire, comme un infatigable « passeur de langues ». Car, pour lui, la traduction doit se pratiquer dans les deux sens. Dans les articles qu'il donne aux journaux malgaches pour définir ce que pourrait être une littérature moderne en malgache, il souligne sans cesse la nécessité de recourir à l'imitation et à la traduction de modèles étrangers (il n'est pas si loin des recommandations de Du Bellay dans *Défense et illustration de la langue française,* 1549, qui recommandait, pour enrichir et développer la littérature française, d'aller « piller » les modèles antiques ou italiens). Rabearivelo a lui-même montré l'exemple en traduisant en malgache des poèmes d'auteurs très variés : Baudelaire, Verlaine, Rimbaud, Rilke, Whitman, Tagore, Laforgue, Gongora et surtout Paul Valéry. Il avait formé le projet de publier un recueil de traductions en malgache des principaux poèmes de Valéry : la presse de l'époque s'en est fait l'écho et l'on a retrouvé ces très belles traductions dans ses papiers, après sa mort.

Ses premières publications en français ont été des traductions de contes et de poèmes malgaches, anciens ou modernes. Lorsqu'il publie en 1934 et 1935 ses deux grands recueils poétiques, *Presque-Songes* et *Traduit de la nuit,* il les présente dans un sous-titre comme « traduit(s) du hova [c'est-à-dire du malgache] par l'auteur ». Dans la première édition, Rabearivelo n'a donné qu'une version française de ces poèmes. Longtemps après sa mort, en 1960, une nouvelle édition a publié en même temps la version française et la version malgache des mêmes poèmes. Ce qui tendait à vérifier que ces recueils rassemblaient bien des poèmes « traduits » du malgache.

En fait, les choses sont plus complexes. Certains témoignages dans les lettres ou le journal intime du poète, certains indices internes semblent suggérer que parfois la version française a pu précéder la version malgache. Un débat s'est même instauré, entre spécialistes, sur cette question de l'antériorité de la langue d'écriture. La révélation récente des manuscrits montre que Rabearivelo, à un certain moment, a travaillé sur les deux versions qui étaient copiées côte à côte sur les mêmes pages d'un cahier : il y a porté des corrections qui suggèrent un aller et retour incessant entre ses deux langues d'écriture. Comme si Rabearivelo était devenu un poète profondément bilingue, n'écrivant plus en français ou en malgache, mais dans le passage, dans le glissement perpétuel d'une langue à l'autre.

Par ailleurs, les poèmes de *Presque-Songes* et de *Traduit de la nuit* jouent sur leur relation étroite avec l'ancien genre du *hain-teny.* Il ne s'agit nullement de traductions, ni même d'adaptations, mais plutôt de transpositions, c'est-à-dire d'un travail consistant à retrouver dans l'autre langue, mais avec des moyens tout différents, l'esprit, la dynamique, la manière de jouer avec les mots et les images de la langue d'origine. Rabearivelo a retenu du *hain-teny* l'idée que c'était une poésie de variation sur un thème unique (au lieu du thème amoureux propre au *hain-teny,* il choisira le motif du glissement de la nuit au jour et du jour à la nuit), et il a construit ses poèmes sur les retournements, les rebondissements, les superpositions de métaphores. Bref, il a choisi d'écrire en français, mais sur des modes malgaches (comme le dit le deuxième poème de *Presque-Songes,* ses textes sont des « chants en quête de paroles », dans lesquels « la langue de [s]es morts » se « module aux lèvres d'un vivant »). Et c'est sans doute ce subtil décalage qui a troublé ses premiers lecteurs et qui fait le charme de ses poésies.

Ranaivo et le hain-teny

C'est aussi une esthétique de la traduction qui commande l'œuvre de Flavien Ranaivo. Au point que l'on y passe parfois insensiblement de véritables traductions de textes populaires à des productions plus personnelles. Ranaivo est resté fidèle à l'inspiration du *hain-teny.* Il en garde surtout l'abondance des images, volontiers inattendues, très concrètes et colorées ; il joue sur le retour insistant des parallélismes ; il fait alterner douceur et violence. Mais si l'on compare l'écriture de Ranaivo à d'authentiques traductions de *hain-teny,* on est frappé par son originalité, qui tient au dépouillement de la phrase, au sens de l'ellipse, à la recherche de contrastes forts. Le mystère qui imprègne ses poèmes tient à leur discrète imprégnation par un art de dire, ou plutôt de suggérer, typiquement malgache.

La jeune littérature malgache de langue française s'est sans doute un peu écartée de cette poésie de traduction. Mais Esther Nirina, entre autres, reste encore assez proche de l'inspiration traditionnelle quand elle tente de suggérer des atmosphères évanescentes par la brièveté du poème.

MADAGASCAR

ROBERT-JULES

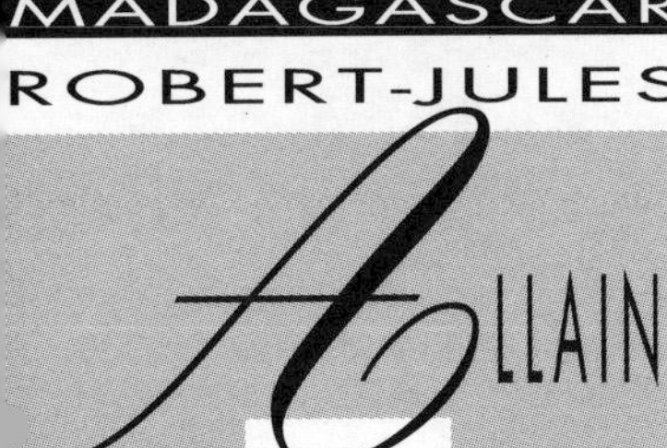

Robert-Jules Allain (1905-1934), métis de père français et de mère malgache, a été l'un des compagnons d'écriture de Jean-Joseph Rabearivelo. Il a dirigé pendant quelques mois la revue littéraire *Capricorne* publiée à Fianarantsoa en 1930-1931. Il préparait un recueil de ses poèmes sous le titre *Essais avant que d'entreprendre* quand la mort l'a brutalement emporté. Sa poésie se voulait aussi bien accueillante aux « rythmes nés sous d'autres cieux » que fidèle à cet « hymne quadrangulaire hautain et solitaire : le tombeau des aïeux ».

XXe siècle

Chant du Sud

Ce poème d'inspiration fantaisiste, publié dans une revue en 1931, est très représentatif de la poésie délicate et rêveuse pratiquée par les premières générations d'écrivains malgaches de langue française.

Mes porteurs chargés de fruits
et mon cœur chargé de rêves
s'en reviennent par la grève
de quelque eau morte sans bruit.

Sous les figuiers lourds d'ombrage
et de soleil, nous passons,
moi, sur mes porteurs en nage,
eux, sur l'orbe des chansons.

Et du val au mont chenu,
nous allons, je me balance
en l'azur plein de silence
sur quatre hommes quasi nus...

Robert-Jules Allain, « Poèmes »,
in *Capricorne,* 1931

COMPRÉHENSION ET LANGUE

1 – Précisez ce que l'auteur suggère par le « Sud » dans ce poème. Peut-on mieux situer la scène évoquée ?
2 – Relevez les termes relatifs au paysage. Proposez des synonymes pour le vers 9.
3 – Quelle impression se dégage de ce poème ? Précisez l'apport des sonorités.
4 – Quelles remarques peut-on faire sur les parallélismes des vers 1-2 et 7-8 ?
5 – Quel est le moyen de transport évoqué ici ? Que suggère le rythme du poème (surtout de la dernière strophe) ?

ACTIVITÉS DIVERSES, EXPRESSION ÉCRITE

Retrouvez d'autres poèmes qui évoquent des paysages ou des scènes exotiques de Madagascar. Essayez de dégager quelques traits de l'exotisme littéraire.

MADAGASCAR

Jacques Rabemananjara, né en 1913, qui a été l'un des fondateurs de la *Revue des jeunes de Madagascar* en 1935, a mené de front recherche littéraire et carrière politique. Député de Madagascar en 1946, condamné à une lourde peine à la suite du soulèvement de 1947, emprisonné, il ne rentre dans son pays qu'au moment de l'indépendance, en 1960, pour devenir ministre dans les différents gouvernements du président Tsiranana. Il s'exile après la révolution de 1972 et ne retourne dans l'île qu'en 1992. Son œuvre littéraire, qui lui a valu en 1988 le grand prix de la Francophonie, décerné par l'Académie française, s'est développée à la fois dans le prolongement de son action politique (ce sont les poèmes écrits en prison) et comme une quête très personnelle, rêvant d'un retour à l'origine par l'observance de très anciens rites (ce sont les recueils *Rites millénaires* en 1955, *les Ordalies* en 1972, *Rien qu'encens et filigrane* en 1987).

XXe siècle

Tourment

Extrait de Rites millénaires, *ce poème célèbre les rites de l'amour et l'approche d'une vérité sacrée.*

Mais qu'étions-nous avant cette heure
et qu'était le monde lui-même ?
Double néant sur le chaos.
Grains de poussière sur la route.

En vain, nos pas ont sur le sable
écrit l'image de l'emblème.
Toutes les bêtes du désert
ont vu nos deux ombres marcher.

Deux ombres marcher jour et nuit
sur la blancheur de l'univers.
Jour et nuit marcher, sans relâche,
à la recherche de nous-mêmes.

Mais qu'étions-nous
Sinon le tourment de nous-mêmes !

Quelle étape au bout de nos courses ?
Elle nous brûlait jusqu'aux os,
la soif des dieux et des présages ;

À peine aux cimes des roseaux
Un scintillement de rosée.
Dans l'air à peine un jeu d'oiseau
pour t'animer, Ô paysage !
Une mer, un mur sur nos pas...

Pourtant,
Nulle mesure à nos élans.
Nulle frontière à l'aventure.
Qui donc a délié nos jours de leurs péchés ?

Un vent berce les feuilles mortes
dans le silence des allées.

L'Amour fonce.
Une trombe de feu ravit les âmes nues.
Une eau brille, lustrale, aux fentes des rochers.

Qui donc, qui donc a délié
Nos jours mortels de leurs péchés !
Et quelle gorge inapaisée
rêve ainsi d'éternelles sources !

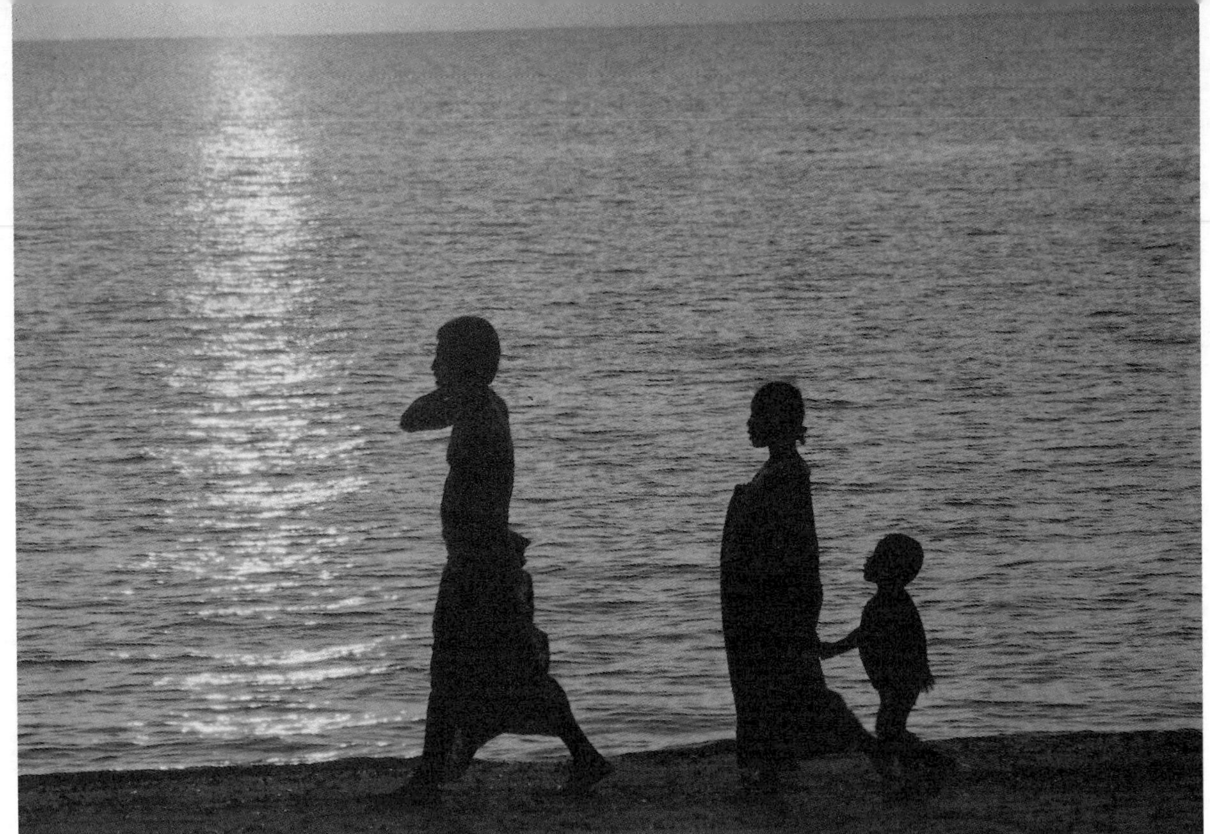

Un caillou jeté dans la nuit
trouble les étangs infinis.

Un scintillement de rosée
m'a torturé de ton désir,
Ô puits scellé du Paradis.

Le marbre nu de la margelle
saigne à l'approche de Midi.
Et tente mes lèvres torrides
le secret des eaux souterraines !

Oh ! quelle gorge inapaisée
rêve de sources impossibles !

Tout est soudain éternité :
La seconde comme le mot,
Le souffle ainsi que le silence.

Parmi la ronde des élus, deux bras d'ivoire ont clos la nue.
Deux bras d'ivoire ont apaisé le tumulte de l'horizon.
Et nous a pris dans son filet comme poissons dans une nasse
la pure étreinte de l'Été…

Mais qu'étions-nous, mais qu'étions-nous, mais qu'étions-nous
avant cette heure !?…

Jacques Rabemananjara, in *Rites millénaires*,
© Présence Africaine, Paris, 1955

Compréhension et langue

1 – Retrouvez les grands mouvements du poème (en précisant les procédés qui en marquent la progression) et proposez un titre pour chaque partie.
2 – Relevez les phrases interrogatives et commentez la progression qu'elles ménagent.
3 – Quels sont les paysages ou les lieux évoqués au fil du poème ?
4 – Commentez les vers 50 et 51.
5 – Proposez un autre titre pour ce poème. Justifiez votre choix.

Activités diverses, expression écrite

Quelles sont, en littérature, les autres métaphores de la source ou du puits ? Apportez des textes en guise d'illustration et constituez un dossier sur ce thème.

XXe siècle

« Rien qu'un mot ! »

D'abord rythmé par la répétition, sous forme d'invocation douloureuse, du nom de Madagascar, puis par la reprise d'un refrain (« Pleure, Madagascar, pleure ! »), le poème prépare lentement le surgissement d'un mot qui dise l'espoir et la délivrance.

Un mot,
Île,
rien qu'un mot !

Le mot qui coupe du silence
la corde serrée à ton cou.
Le mot qui rompt les bandelettes
du cadavre transfiguré !

Dans le ventre de la mère
l'embryon sautillera.
Dans les entrailles des pierres
danseront les trépassés.

Et l'Homme et la Femme,
et les morts et les vivants,
et la bête et la plante,
tous se retrouvent, haletants,
dans le bosquet de la magie,
là-bas,
au centre de la joie.

Un mot,
Île,
rien qu'un mot !

Le mot unique de la vie.
Le mot premier, le mot dernier.

Un mot comme la lance,
un mot comme l'éclair,
vieux comme la genèse,
jeune comme le jour !

Un mot de pure essence
et de pure clarté,
un mot d'éternité
fait de rêves sans nombre !

Le mot de l'âge d'or.
Le mot sur le Déluge.
Le mot qui fait tourner
le globe sur lui-même !

Écrit sur le papier destiné à recevoir le testament du poète emprisonné à la suite du soulèvement malgache de 1947, le poème *Antsa,* « ce cri que l'amour et la douleur arrachent à un fils de Madagascar », selon la formule de François Mauriac, a été publié par les amis de Jacques Rabemananjara, pour témoigner de l'injustice faite à un homme et à un peuple. Ce chant de protestation et d'espoir, né des circonstances, est animé d'un puissant élan lyrique. Jacques Rabemananjara a retrouvé le même ton enflammé dans *Lamba* (1956), *Antidote* (1961) et, beaucoup plus tard, pour fustiger ses adversaires politiques de la seconde République malgache (*Thrènes d'avant l'aurore,* 1985).

La fureur des combats !
Le cri de la victoire !
L'étendard de la paix !

Un mot, Île,
et tu frémis !
Un mot, Île,
et tu bondis !
Cavalière océane !

Le mot de nos désirs !
Le mot de notre chaîne !
Le mot de notre deuil !

Il brille
dans les larmes des veuves,
dans les larmes des mères
et des fiers orphelins.

Il germe
avec la fleur des tombes,
avec les insomnies
et l'orgueil des captifs.

Île de mes Ancêtres,
ce mot, c'est mon salut.
Ce mot, c'est mon message.
Le mot claquant au vent
sur l'extrême éminence !

Un mot.

Du milieu du zénith,
un papangue[1] ivre fonce,
siffle
aux oreilles des quatre espaces :
Liberté ! Liberté ! Liberté ! Liberté !

L'écho lance la Nouvelle
au Rond-Point des horizons
du grand geste de l'augure :
Liberté !

Une charge dans la nue.
Des signes sur l'Arc-en-ciel.
Les dieux passent :
Liberté !

Une marche sur la terre.
Des signes sur les tombeaux.
Les Ancêtres ressuscitent :
Liberté !

Les survivants de l'Histoire,
les témoins des Âges bleus
renaissent dans leur jeunesse :
Liberté !

L'homme rit dans la rizière ;
l'Aïeul au pied du Couchant ;
la femme au bord des fontaines :
Liberté !

L'épi fauché se redresse.
L'herbe morte reverdit.
La grange dans l'abondance :
Liberté !

L'enfant siffle sur les sentes.
Le zébu le long des champs.
La génisse sur la digue :
Liberté !

Jacques Rabemananjara, *Antsa,*
© Présence Africaine, Paris, 1948

COMPRÉHENSION ET LANGUE

1 – Retrouvez les grands mouvements de ce passage et appréciez comment le poète en ménage la progression.
2 – Quel est le rôle et l'effet du vers 60 ?
3 – Quelle est la figure de style privilégiée des strophes 2 à 4 (v. 4 à 18) ? Retrouvez d'autres exemples dans le poème.
4 – Quelles sont les images qui évoquent l'univers malgache, à partir de la strophe 15 (v. 55 jusqu'à la fin) ?
5 – Quels événements de l'histoire malgache rappellent les strophes 13 et 14 (v. 47 à 54) ?
6 – Qu'attend le poète de la Liberté, d'après les trois dernières strophes ?
7 – Étudiez le rythme du poème.

ACTIVITÉS DIVERSES, EXPRESSION ÉCRITE

1 – Constituez un corpus de poèmes sur le thème de la Liberté.
2 – Proposez, dans un petit essai, une définition de la Liberté.

1. Oiseau de proie de Madagascar.

Jacques Rabemananjara a composé pour le théâtre, malheureusement sans vraiment rencontrer les metteurs en scène qui auraient donné vie à ses pièces. Dans *les Dieux malgaches* (1947), il évoque (en alexandrins !) la fin tragique de Radama II. *Agapes des dieux* (1962), qui reprend la légende des amants suicidés du lac Tritriva (près d'Antsirabé), développe une mise en accusation des dieux, que l'on retrouve aussi dans *les Boutriers de l'aurore* (1957). Cette dernière pièce raconte l'arrivée à la baie d'Antongil, dans un passé très reculé, de premiers immigrants venus sur leurs boutres aux voiles en trapèze des bords lointains de l'océan Indien. C'est l'occasion de célébrer leur union avec l'île neuve dont ils découvrent peu à peu le mystère.

« À la chasse aux Dieux »

La princesse Ananda, fille du guide spirituel des boutriers, est devenue l'épouse de Kashgar, leur commandeur. Cependant, elle se sent attirée par le prince Anjali, qui, lui, est autochtone. Anjali disparaît lors d'un cyclone. Ananda reste prostrée : elle a perdu la raison ; même la naissance de son fils, Nélumbo, ne la ramène pas à la vie consciente. Mais dans la dernière scène, un miracle se produit.

LE PRINCE KASHGAR, *doucement, d'une voix étrange.* – Non, elle n'est pas morte. Je crois, une simple syncope. Elle était assise au bout de la jetée. Elle contemple la baie, à nouveau fascinée comme au soir du premier jour. Mon Dieu ! me suis-je écrié. Est-ce possible ? Yoko[1] la reconnaît de loin : aussitôt, il court, il émet son petit grognement familier comme quand autrefois la Princesse lui donnait des tapes amicales sur le dos. Et Ananda se retourne, père. Ô ma joie ! Elle l'appelle : « Yoko ! Yoko ! » Je m'avance vers elle. Elle se redresse, flottant une seconde. Une pierre se détache sous son pied et l'entraîne incontinent dans les eaux… Mais je veux croire que ce n'est rien. Le cœur bat, le pouls n'est pas trop affolé… C'est la violence du choc, l'écartement brusque du rideau.

Un silence anxieux. Tout le monde a les yeux sur la princesse étendue dans le lit. Les femmes surtout pleurent. Des soupirs, des sanglots étouffés.

NÉLUMBO, *nerveux.* – Je le parie, Grand-père, c'est encore un coup des Dieux. Les méchants ! Où sont les Dieux ? Je veux qu'ils me rendent Maman ! Je veux qu'ils me rendent l'esprit de Maman. Où sont les Dieux ?

Chacun regarde l'enfant, mais ne l'interrompt pas. Il court de tous les côtés. Il secoue de ses petites mains, tantôt le bras d'un boutrier, tantôt celui d'un autre :

C'est-il toi, les Dieux ? Non ? C'est toi, alors ? Non ? Toi peut-être ? Non ? Où sont-ils, les Dieux ? Où sont-ils les…

LE PRINCE KASHGAR. – Nélumbo, veux-tu te taire ?

NÉLUMBO, *résolu.* – Non, papa, je ne veux pas me taire : auparavant il faut que les Dieux me le rendent, l'esprit de Maman ! Où sont les Dieux ? Yoko ! Yoko ! à la chasse aux Dieux comme à la chasse aux fourmis ! Yoko ! Yoko !

À ce nom, la princesse rouvre les yeux : sur sa figure, d'abord un étonnement comme si des êtres nouveaux lui frappaient la vue pour la première fois. Elle promène son regard d'un visage à l'autre. Elle referme ses yeux une seconde. Un silence pathétique de l'assistance : on entend les respirations. Ananda rouvre les yeux. Alors elle fixe son mari et lui sourit :

LA PRINCESSE ANANDA, *doucement, d'une voix d'étoile.* – Kashgar ! Mon Kashgar !

1. Petit chien d'Anjali.

Le prince Kashgar *tombe à genoux, lui baisant les mains.* – Ananda ! Mon amour ! Mon amour !

La princesse Ananda, *lui caressant la tête encore comme en rêve.* – Où donc étais-je ? D'où rentrons-nous aujourd'hui ? De quelle promenade ? L'Épouse revient de loin, de loin, du bord du monde. Là-bas, c'est la nuit, le plein minuit. Mais ici, il n'est pas tard sur le royaume de la terre. L'ombre ne franchit pas encore le rouleau de nattes neuves rangées au coin mystique des ancêtres…

Elle se lève, se dirige vers la fenêtre qu'elle ouvre toute grande comme à la fin du 1er tableau du 2e acte, la scène avec Anjali. Elle contemple le ciel, la baie.

Le soleil nous fixe encore de son œil jaune d'or. Non, il n'est pas tard dans le royaume de la terre. Le ciel est bleu. La mer est bleue. Et la baie est toujours la même. Et voici le toit du prince Kashgar, la maison de la vie. Et voilà le Mangabé où fleurit l'orchidée, où le jambrose embaume : le miel y est d'ivresse et d'essence de rêve. Maintenant, tout m'apparaît. Je me rappelle ! Je me rappelle ! *(Fermant les yeux.)* Il m'a dit : « Je ne pourrirai pas avec les vers, grouillant de pus et de boue et d'immondices. Je m'en retourne, quand vient l'heure, au grand giron de l'origine, à la force primordiale, me dissoudre dans le pur élément de la Genèse : l'eau. »

Elle rouvre les yeux et à Kashgar. – Je me rappelle encore et toi, tu m'as dit, Bien-Aimé : « Pour sûr, nous aurons des enfants et le premier né d'abord. Ce sera un garçon. Il sera beau ! » *(Au Voyant.)* Ah, Père, vous êtes là ! Papa ! Papa ! Je me rappelle aussi, vous m'avez dit : « Un lien nouveau s'établit de ton sein au sein de la terre… Le pacte de sang de la femme-mère et de la terre-mère, toutes deux sources de vie ! »

Le voyant *l'embrasse.* – Ma fille, voici ton fils : Nélumbo.

La princesse Ananda, *après une légère hésitation, puis avec passion.* – C'est lui ! Mon enfant !

Nélumbo, *lui sautant au cou.* – Maman ! Maman ! Que j'entende enfin ta voix, à toi !

La princesse Ananda, *le couvrant de caresses et de baisers.* – Le beau garçon ! Mon beau garçon ! Mon pompon rouge corail, mon col bleu de mer, ma perle blanche, ma perle verte, ma perle noire ! Mon lotus d'au pied du rocher ! Nélumbo des lagons ! Prince des lacs ! Gloire royale des étangs ! Nymphéa à fleur de lune, à feuilles mouvantes d'ailes de sarcelle ! Nélumbo ! Mon Nélumbo !

Voix de femmes dans la foule, *cris de joie.* – Miracle ! Miracle !

D'autres voix, *plus fortes.* – Guérie ! La Princesse est guérie ! La Princesse est guérie ! Vive le totem des Boutriers !

Les boutriers, *dans une tempête d'enthousiasme.* – La Princesse est guérie ! La Princesse est guérie ! Liesse sur la terre ! Liesse dans le ciel ! Liesse dans les cœurs ! La bonne nouvelle ! La Princesse est guérie ! Guérie ! Guérie !

Jacques Rabemananjara, *les Boutriers de l'aurore*,
© Présence Africiane, Paris, 1957

Compréhension et langue

1 – Quelle est la fonction du monologue du prince Kashgar (l. 1 à 12) ? Comment le suspense est-il ménagé dans cette tirade ?
2 – Comment l'émotion est-elle entretenue au long de cette scène ? Précisez à ce propos le rôle des dialogues et de la mise en scène.
3 – Dans quelle mesure la présence et les interventions de Nélumbo contribuent-elles à l'intérêt dramatique ?
4 – Retrouvez les grands mouvements du monologue où la princesse Ananda se remémore le drame (l. 48 à 63).
5 – Quelles dimensions revêtent l'île et les personnages dans ce monologue ?
6 – Appréciez les qualités dramatiques de cette scène de dénouement.

Activités diverses, expression écrite

1 – Imaginez que vous êtes un metteur en scène et que vous donnez des instructions aux acteurs pour le ton, les mimiques et les gestes qu'ils doivent adopter pour chaque tirade. Rédigez vos remarques en marge du texte.
2 – *Activités de groupe :* Organisez la mise en scène de cette scène et jouez-la en classe.

Flavien Ranaivo, né en 1914 à Arivonimamo, a été profondément marqué par la culture malgache ancestrale, qui a bercé son enfance. Son œuvre poétique, relativement brève, est rassemblée en quelques plaquettes : *l'Ombre et le Vent* (1947) ; *Mes chansons de toujours* (1955) ; *le Retour au bercail* (1962) ; *Hain-teny* (1975). Il y pratique une subtile transposition en français des ressorts essentiels de la poésie malgache traditionnelle : accumulation des images ; multiplication des parallélismes ; ellipses et effets de rupture. La thématique amoureuse s'y associe avec un sentiment de nostalgie profonde.

Vulgaire chanson d'amant

Sous la surface française du poème, on peut reconnaître les structures et les jeux d'images du hain-teny *merina traditionnel.*

Ne m'aimez pas, ma parente,
comme votre ombre
car l'ombre au soir s'évanouit
et je dois vous garder
jusqu'au chant du coq ;
ni comme le piment
qui donne chaud au ventre
car ne pourrais alors
en prendre à ma faim ;
ni comme l'oreiller
car on serait ensemble aux heures du sommeil
mais on ne se verrait guère le jour ;
ni comme le riz
car sitôt avalé vous n'y penseriez plus ;
ni comme les douces paroles
car elles s'évaporent ;
ni comme le miel,
bien doux mais trop commun.
Aimez-moi comme un beau rêve,
votre vie la nuit,
mon espoir le jour ;
comme une pièce d'argent,
sur terre ne m'en sépare,
et pour le grand voyage
fidèle compagne ;
comme la calebasse,
intacte sert à puiser l'eau,
en morceaux, chevalets pour valiha[1].

Flavien Ranaivo, *l'Ombre et le Vent*, 1947

1. Le valiha est l'instrument de musique par excellence de Madagascar. Il était fait traditionnellement d'un gros bambou, dont l'écorce était soulevée, découpée et tendue sur des chevalets, c'est-à-dire des supports, pour former des sortes de cordes touchées comme celles d'une guitare.

Compréhension et langue

1 – Retrouvez les deux grands mouvements de ce poème. Quels sont les indices syntaxiques et sémantiques qui marquent la rupture ?
2 – Quelles sont les figures de style utilisées dans ce poème ?
3 – Quelles sont les comparaisons évoquant des traits culturels typiques de Madagascar ?

Activités diverses, expression écrite

À partir de ce texte, dégagez quelques traits caractéristiques du *hain-teny.*

Regrets

Ce poème joue des tonalités douces-amères chères à Flavien Ranaivo.

Six routes
partent du pied de l'arbre-voyageur :
la première conduit au village-de-l'oubli,
la seconde est un cul-de-sac,
la troisième n'est pas la bonne,
la quatrième a vu passer la chère-aimée
mais n'a pas gardé la trace de ses pas,
la cinquième
est pour celui que mord le regret,
et la dernière…
je ne sais si praticable.

Flavien Ranaivo, *Mes chansons de toujours,* 1955

COMPRÉHENSION ET LANGUE

Regrets

1 – À quel voyage le poème fait-il allusion ?

2 – Commentez l'usage des traits d'union dans le poème.

Le zébu

1 – Quels sont, d'après le poème, les traits distinctifs du zébu ? Comment le poète introduit-il une variété dans l'énumération ?

2 – Plusieurs vers suggèrent un mouvement qui ne s'achève pas. Lesquels ? Cette impression vous semble-t-elle bien convenir pour évoquer le zébu ?

3 – Donnez des exemples de vers où l'ordre ou l'emploi des mots semblent peu habituels. Quel est l'effet obtenu ?

Le zébu

On pourra comparer cette évocation de l'animal presque emblématique de la culture malgache à celle proposée par Jean-Joseph Rabearivelo (cf. p. 25).

Sans cesse bougent ses lèvres
mais elles n'enflent ni ne s'usent ;
ses dents sont deux belles rangées de coraux ;
ses cornes forment cercle
qui jamais ne se ferme ;
ses yeux : deux perles immenses qui brillent dans la nuit ;
sa bosse est mont d'abondance ;
sa queue fouette l'air
mais n'est que chasse-mouches à demi ;
son corps est coffre bien rempli
que supportent quatre tiges desséchées.

Flavien Ranaivo, *le Retour au bercail,* 1962

MADAGASCAR

Esther Nirina (pseudonyme d'Esther Rabemananjara), née en 1932, a longtemps vécu en France, où elle a travaillé pendant vingt ans à la bibliothèque municipale d'Orléans. Elle s'est réinstallée à Madagascar en 1990. Elle a publié plusieurs recueils de poèmes en français : *Silencieuse Respiration* (1975) ; *Simple Voyelle* (1980) ; *Lente Spirale* (1990), dans lesquels elle tente de capter les mouvements subtils de la sensibilité et le mystère des choses.

XXe siècle

« Quand le temps était… » – « Flamme mouvante… »

Ces deux poèmes énigmatiques invitent à méditer notre vocation à vivre dans le temps.

« Quand le temps était… »

Quand le temps était
Dans une bougie
Je l'ai cueilli
Sur nappe bleue

Cette fois
Comme mémoire
Sans souvenir
Mais miroir

Par son vocable
Le nénuphar ramasse
Tout l'étang

Œil
Clair-obscur
Dans mes mains.

* * *

« Flamme mouvante… »

Flamme mouvante
D'une bougie presque
Consumée

Seule enfant

Du temps
Qui jamais
Ne sera.

Esther Nirina, *Lente Spirale,* Antananarivo, 1990

Compréhension et langue

1 – Étudiez le rythme et les sonorités dans ces deux poèmes.
2 – Quel décor évoquent, d'après vous, les vers 1 à 4 du premier poème ?
3 – Quels mots et expressions relèvent, dans le premier poème, de l'univers de la parole ?
4 – Proposez un autre titre à chaque poème et justifiez votre réponse.

Activités diverses, expression écrite

Activités de groupe : Organisez un concours de déclamation à partir de ces poèmes et justifiez votre choix.

Thomas Rahandraha a fait une longue carrière à la faculté des sciences de l'université de Tananarive. Il a été révélé comme poète dans la grande anthologie de poésie du monde noir préparée par Léon Damas en 1966 pour la revue *Présence africaine :* il y avait publié un poème tout animé du souffle de la négritude (« Le Poète »), qu'il a repris et développé sous un nouveau titre (« Appel ») en 1990.

Compréhension et langue

1 – Faites l'analyse syntaxique de ce poème. Quel est le verbe qui en est le noyau ?
2 – Quel est le destinataire de cet *Appel* ? Quelle doit être, selon l'auteur, sa fonction essentielle ?
3 – Expliquez le vers 2. Quelle est la figure de style que vous y reconnaissez ?
4 – Étudiez le rythme du poème. Quel est l'effet produit ?

Activités diverses, expression écrite

Étudiez les effets de parallélisme et de variation. Sur ce modèle, composez un texte adressé à un interlocuteur de votre choix.

Appel

Voici le début de ce poème qui magnifie la fonction militante du poète.

Toi que les dieux ont élu
pour que ruissellent de chants nos sources
et vibrent de sève nos forêts
pour qu'arides ou herbeuses
nos montagnes soient montagnes
pour que terre soit la terre
ferveur nos souffles
fidélité nos cœurs
hommes nos hommes

du plus profond de ton âme
du plus tumultueux de ton sang
du plus clair de tes rêves
du plus orageux de tes désirs
du plus intense de tes incantations
ah ! jaillir la puissance de ta foi
le cri de leur dignité

tu parleras

pour la femme et l'enfant

tu parleras
pour la femme et l'enfant qu'elle porte
pour la femme et l'enfant qui naît
pour la femme et l'enfant qu'elle nourrit
pour la femme et l'enfant qui sans savoir le dire
attendent ton approche
pour la femme et l'enfant qui quêtent
tout au long du jour
ton sens de l'humain
tu parleras
[…]
ton être est parole qui réconcilie avec la vie
parole

Thomas Rahandraha, « Appel », 1990

Lucien Xavier Michel Andrianarahinjaka, né en 1929, a d'abord été professeur de malgache à l'université avant d'embrasser une carrière politique qui l'a conduit, en 1975, à la présidence de l'Assemblée nationale. Il a publié de nombreux poèmes dans des revues, notamment dans la *Nouvelle Somme de poésie du monde noir* rassemblée par *Présence africaine* en 1966. Le titre de son recueil *Terre promise* (1988) s'accorde au ton inspiré et presque mystique de sa poésie.

XXᵉ siècle

« Ce matin nous avons faim »

Ces strophes sont extraites du début d'un long poème, « Chant pour un printemps », publié pour la première fois par Présence africaine *en 1966.*

Ce matin nous avons faim de collines déclives[1] et de vergers enclos,
vallons ravis aux étoiles où rôdent nos ombres
en secrète maraude, inconnues des gardiens,
pour venir écouter battre dans les bourgeons en fleur
le cœur ardent de tous les fruits futurs.
Ce matin nous avons faim d'un printemps tranquille
dans l'ombre d'un paradis-jardin.
Toute la faim de notre vie demeurée inassouvie.

Conquérir toute l'étendue visible au bonheur
d'être enfin rendus à nous-mêmes,
et dans cette quête éperdue d'un domaine encore dispersé,
reconnaître chaque tournant pour y retrouver
le clair reflet de notre visage remodelé aux formes suprêmes du Bonheur.

Me voici de nouveau debout
tremblant d'émoi comme au tout premier jour,
au seuil de ce même paysage
qui m'avait jadis révélé les fastes du Printemps.
Paysage inondé de clarté que j'ai revu tant de fois au détour de ma [mémoire.
Parterre au jardin de l'extase où n'a cessé mon cœur de se rendre
à la rencontre de tous les printemps futurs.

Ainsi amarré au centre de l'émerveillement,
je m'étonne d'avoir été si loin sur le chemin de l'angoisse.
Un ciel bleu par-dessus les collines,
dans mon cœur l'appel d'une grande saison dédiée à la joie de vivre.

Lucien Xavier Michel Andrianarahinjaka,
« Chant pour un printemps », in *Terre promise*,
© Présence Africaine, Paris, 1966.

Compréhension et langue

1 – Quelles sont les composantes essentielles du printemps que ce poème met en valeur ?
2 – Analysez le sentiment de la nature qu'exalte ce passage.
3 – Comment définiriez-vous la « faim » qu'évoque le poème ?
4 – Pourquoi le poème passe-t-il de l'emploi du pronom « nous » (v. 1 à 13) à celui du pronom « je » (v. 14 à 25) ?
5 – Expliquez « Ainsi amarré au centre de l'émerveillement » (v. 21).

1. *En pente.*

PELANDROVA

DREO

Pelandrova Dreo reste un auteur mystérieux. Elle serait née en 1927, à Ekonka, dans le sud de Madagascar, et se serait installée en France en 1961. Elle a publié en 1975 un étrange roman, *Pelandrova,* qui semble en grande partie inspiré de souvenirs personnels. On y découvre, à la fin de l'époque coloniale, la région natale de la romancière, l'Androy, soumise au choc de la modernité, mais préservant les croyances et les coutumes populaires et se réfugiant dans la pratique des vieux rites et dans le recours à la sorcellerie.

« Le discours de bienvenue »

L'Androy est régulièrement victime de catastrophes naturelles : sécheresse, cyclones, invasions de sauterelles...

Peu de temps après ces calamités, nous eûmes la visite des autorités : le chef du canton, la barbiche pointue, leader de la population antandroy, fit le discours de bienvenue en langage fleuri de l'Androy :

« Monsieur le haut-commissaire, nous sommes très touchés de la visite que vous avez bien voulu faire à notre pays déshérité. Nous n'avons que le spectacle de nos terres désolées, de nos cactus et le flot des agavés à vous offrir. Tout nous manque : la subsistance, car une nuée de sauterelles s'est abattue sur nos terres ; l'eau, car les puits ne sont pas encore très nombreux.

Le sens étymologique de notre village s'avère injustifié. Nul n'ignore qu'Ambovombé signifie : nombreux puits.

La famine sévit sur la population avec une rigueur exceptionnelle. Les bœufs ont crevé en masse. Nos parents ont émigré. Je ne veux pas prolonger plus longtemps nos doléances.

Nous savons avec quelle sollicitude vous vous occupez du peuple malgache et concevons le but de votre voyage : à la fois, celui de nous rassurer et de subvenir à nos besoins vitaux. Vous êtes le soleil qui illuminez la nature, le sourire qui éclaire nos glèbes, l'arbre dont l'ombre rafraîchit, le bâton magique qui a la faculté de remplir les puits taris...

En un mot, vous incarnez la prospérité, source de joie et de paix. Vos prédécesseurs ont déjà fait beaucoup pour notre pays. Les belles routes carrossables, les maisons en pierre destinées aux fonctionnaires sont des résultats positifs.

Aussi, au nom de mes compatriotes, je vous demande une amélioration constante de notre bien-être, une subsistance continue, une mutuelle collaboration en vue de l'extension de la fructification de notre sol.

À nos yeux, vous êtes l'enchanteur qui métamorphosez la moindre chose au moindre regard et à la moindre parole.

Nous vous souhaitons la bienvenue.

Vive le haut-commissaire ! Vive le chef de la circonscription autonome ! »

Pelandrova Dreo, *Pelandrova,* 1975,

COMPRÉHENSION ET LANGUE

1 – Retrouvez les grandes périodes de ce discours et appréciez la stratégie du plan.
2 – À travers les métaphores fleuries de l'orateur, quelle est la qualité du haut-commissaire qui est soulignée avec insistance ? Pourquoi ?
3 – Expliquez la métaphore de la ligne 19.

ACTIVITÉS DIVERSES, EXPRESSION ÉCRITE

1 – Rédigez un bref compte rendu (destiné à la presse) de ce discours.
2 – Imaginez le discours que le haut-commissaire apporte en réponse à celui-ci.

MADAGASCAR

CHARLOTTE-ARRISOA

Charlotte-Arrisoa Rafenomanjato, née en 1936, sage-femme de profession, a composé une œuvre abondante, comprenant aussi bien des romans, des nouvelles que des poèmes ou des pièces de théâtre. Écrit en 1985, *le Pétale écarlate* a été publié en 1990 à Madagascar. C'est un roman qui a retenu l'attention par sa parenté avec la tradition populaire du roman de langue malgache : la romancière y joue sur le conflit de la tradition et de la modernité.

« Le destin de votre enfant »

Le Pétale écarlate *situe son intrigue au début des années 1960. Vero, fille de Ralambo et Rangita, très fiers de leur ascendance aristocratique et très respectueux des anciennes traditions, a épousé Rajao, qui appartient à la petite noblesse et qui, par sa profession de comptable, est très ouvert au monde moderne. Vero attend son premier enfant.*

Plus tard, Ralambo entra accompagné de Razery. Rajao détailla anxieusement l'accoucheuse. De cette femme allaient dépendre la vie de sa femme et celle de son fils. La paysanne les salua sans tendre la main.

« *Tsara va, Tompoko*[1]. Je vous prie de me laisser avec madame Vero et sa mère », dit-elle d'une voix ferme.

Elle était petite et malingre, pourtant une autorité calme se lisait sur son visage.

« Ne puis-je rester ? demanda Rajao. Je serais trop inquiet si je m'éloignais d'elle.

– Vous me gêneriez, refusa Razery.

– Ne sois pas ridicule, fit Ralambo. Notre place n'est pas ici. »

Le mari de Vero dut s'incliner. Il embrassa sa femme et suivit son beau-père. Dans le couloir, un homme était accroupi sur une natte, face au mur. Il lisait attentivement un petit livre à la lueur d'une bougie. Des grains et des perles multicolores étaient éparpillés devant lui. Il ne leva pas les yeux à l'approche des deux hommes.

« Qui est-ce ? », demanda Rajao intrigué.

Ralambo attira son gendre un peu plus loin.

« C'est Rekaja, le *mpanandro*[2] du village. Je l'ai prié de prédire le destin de votre enfant. Il demandera également la bénédiction des ancêtres.

– Je n'en vois pas la nécessité, dit le jeune homme d'une voix contrariée. Pourquoi ne m'avez-vous pas demandé mon avis ? Ne pouviez-vous laisser naître notre fils comme celui de tout le monde ?

– De quelle race es-tu donc pour repousser ainsi nos coutumes ? s'indigna le vieil homme. Sache que cet enfant perpétuera la lignée de notre famille. C'est un rite auquel nous nous sommes toujours pliés. »

Le *mpanandro* déposa le livre, sortit un miroir de sa poche et l'adossa contre le mur. Il ferma les yeux en marmonnant des paroles inintelligibles. Rajao s'approcha de lui et le regarda curieusement.

« Je vois, dit l'homme à voix haute, je vois l'*Alakaosy*[3] sur l'enfant. Ce signe astral puissant et maudit étendra son pouvoir sur le nouveau-né. Qu'il naisse avant minuit pour échapper à son emprise.

– En êtes-vous sûr ? s'écria le père de Vero.

– Pourquoi m'avez-vous appelé si vous doutez de mes paroles ?

– Ce que vous affirmez est grave.

– L'esprit m'indique le futur, je ne suis que sa bouche. Vous l'offensez avec vos questions. Mon père m'a transmis sa science. Il était venu bien avant moi dans cette maison. Vous n'ignorez pas la puissance et la malédiction de l'*Alakaosy*. Il mettra en péril votre famille, vos proches et notre village. Seul l'esprit nous aidera à le vaincre.

– Mais de quel esprit parlez-vous ? demanda Rajao abasourdi.

– Celui qui habite en moi. »

Rajao écoutait ces paroles d'un autre âge. Certes, il connaissait les us et coutumes de son pays mais, pour lui, tout cela appartenait au passé. Pourquoi son beau-père a-t-il fait venir cet homme en un moment si angoissant ?

« Écoutez, dit-il en essayant de garder son calme, nous vous sommes reconnaissants de vous être dérangé. Je vous prie d'accepter cette modeste somme en guise de remerciement. »

Le *mpanandro* le fixa avec des yeux durs.

« Est-ce la vue de mes loques qui vous permet de me traiter ainsi ? Je les préfère à vos habits. La malédiction de l'*Alakaos*y se moque de votre argent, il lui faut du sang… nous devons effectuer sans tarder les sacrifices rituels d'animaux.

– Vous êtes fou !

– La folie serait de permettre à cet enfant de vous tuer… de nous tuer tous !

– Vous parlez de mon fils !

– Du fils de l'*Alakaosy*… il naîtra à minuit, il vivra de notre mort.

– Assez !… Je ne veux plus vous écouter.

– Rajao ! s'écria Ralambo.

– Ne l'avez-vous pas entendu ?… Avec ses grains, ses perles et son miroir, il ose prédire je ne sais quoi sur le bébé !… il parle de…

– Rajao !

– … d'un esprit qui serait en lui… et même de sang et de sacrifice ! C'est un dément ! Dites-lui de partir.

– Tu es ici chez moi, je t'ordonne de te modérer.

– Dans ce cas, nous ne viendrons plus dans votre maison. Vous ne reverrez plus ni Vero, ni notre enfant, ni moi.

– C'est inutile, vos insultes ont porté leurs fruits : aucun de vous ne survivra à l'*Alakaosy,* prédit Rekaja. Vous mourrez tous. »

Charlotte-Arrisoa Rafenomanjato, *le Pétale écarlate,* 1990

Un sacrifice.

Compréhension et langue

1 – Quels sont les traits qui apparentent l'accoucheuse et le *mpanandro ?*

2 – Quels sentiments multiples animent Rajao au fil du texte ? Justifiez votre réponse.

3 – Comment la tension dramatique est-elle ménagée dans le dernier dialogue (l. 52 à 72) ?

4 – Lors de ses affrontements avec l'accoucheuse, son beau-père et le *mpanandro,* comment nous apparaît Rajao ?

Activités diverses, expression écrite

Débat : Dans le conflit qui oppose Rajao et son beau-père, quel parti prenez-vous ?

1. Salutation traditionnelle adressée aux nobles (on peut traduire : « Allez-vous bien, Seigneur ? »).

2. Personne versée dans l'astrologie et possédant un don de voyance. On la consulte pour savoir si les événements vont être favorables.

3. L'un des douze signes du zodiaque malgache, favorable, mais chargé d'une force si puissante qu'elle peut se révéler néfaste. Les enfants nés sous ce signe sont promis à un destin éclatant, mais qui s'accomplira au détriment de leurs proches. Autrefois, les parents sacrifiaient de tels enfants ou les exposaient devant la porte d'une étable : si ceux-ci n'étaient pas piétinés par les zébus, ils perdaient leur pouvoir de nuire à leurs parents et pouvaient donc vivre.

Michèle Rakotoson, née en 1948, a redonné vie à la littérature malgache en langue française en publiant des nouvelles, des romans (*Dadabe,* 1984 ; *le Bain des reliques,* 1988), des pièces de théâtre (*Un jour ma mémoire,* 1991 ; *la Maison morte,* 1991) qui s'accordent à l'expérience douloureuse de la génération ayant vécu les espoirs de la révolution de 1972 et les échecs des nouveaux pouvoirs. Son écriture se fait obsessionnelle pour dire les blocages et les désarrois d'êtres entraînés dans le naufrage de leur pays, mais elle sait aussi faire partager les élans et les désirs d'une sensibilité toute féminine.

« Les dieux étaient sur la plage »

Le Bain des reliques *emmène ses lecteurs à la suite d'une équipe de la télévision malgache partie filmer un vieux rite du Moyen-Ouest (on peut y reconnaître le* fitampoha *des Sakalava, cérémonie en l'honneur des mânes des anciens rois). Ranja, le réalisateur, et Rija, son technicien, portent des regards très différents sur la cérémonie. Ranja se laisse prendre dans une sorte de dérive psychologique, qui fera de lui, à la fin du roman, comme une victime offerte en sacrifice aux reliques royales.*

Il marchait sans trop regarder autour de lui, attentif au crissement du sable sous ses pas. Le sol devenait plus meuble, plus souple aussi, pour les pieds, qui avançaient difficilement. Et c'est cette difficulté, peut-être, qui lui fit prendre conscience de l'atmosphère qui avait changé. Andilana n'avait plus rien à voir avec la plage qu'il avait vue la veille, c'était maintenant un endroit habité, il y avait de la lumière dans les cahutes, des femmes avaient accroché des rideaux, les marmites étaient installées. Et les voix d'enfants en faisaient un village. Et pourtant, il sentait une autre obscurité, une pesanteur dans l'air. Qui rendait irréels les gestes, les mots, les cris qu'il devinait, entendait ou sentait autour de lui.

Et c'est alors qu'il vit, ombre blanche dans un coin, isolée, la toile blanche qui protégeait les reliques.

Elle avait été dressée à l'écart, dans un endroit sans lumière. Et elle trônait, quasiment invisible, accompagnant sa marche, voile plutôt que forme, dans un coin de son œil.

Les reliques étaient déjà déposées. Les dieux étaient sur la plage, la cérémonie allait bientôt commencer.

Elle débuta rapidement. Par un chant de femmes, qui ne laissa guère à Ranja le temps de s'installer. Dans un abri, autour des possédées, les femmes aux pagnes multicolores étaient arrivées avec leurs rires, leurs sourires, leurs enfants, leurs douleurs et leurs joies. Et elles chantaient, se balançant en cadence, assises à même le sol :

Réveille-toi, Andriambahoaka[1], réveille-toi, disaient-elles.
Réveille-toi, Seigneur du Milieu !
Ta voix s'éteint dans leurs oreilles, ton amour s'efface dans leur [souvenir.
Réveille-toi, Andriambahoaka, toi le Maître du Peuple.
Par le feu, ils veulent te blesser, par le fer, ils veulent t'enlever.
Par le fer, ils veulent nous tuer.
Réveille-toi, Andriambahoaka.

Et elles chantaient en riant, serrées les unes à côté des autres, tandis que les hommes les regardaient, en silence en face d'elles.

Nous allons jeter les tabous,
Nous allons jeter les tabous à l'est, pour sauver les enfants,

Nous allons jeter les tabous au nord, pour sauver les bœufs,
Nous allons jeter les tabous au sud, pour sauver les biens,
Nous allons les jeter à l'ouest, là où on jette les mauvais sorts,
Nous allons jeter les tabous.

Et les voix se faisaient plus sûres, plus éclatantes.

Réalisaient-elles la portée de leurs paroles, ces femmes qui chantaient ? Réalisaient-elles la douleur étouffée pendant l'année ? Les espoirs, la foi ? On avait fait d'elles des chrétiennes ou des musulmanes et elles chantaient leurs dieux, Andriambahoaka et non Zanahary ou Andriamanitra[2]. On voulait leur faire chanter les rois et elles se chantaient elles, femmes qui ne voulaient plus des tabous et des interdits.

« Toute l'année nous nous taisons, nous respectons nos pères, nos frères, nos fils, les autorités, avaient-elles dit à Ranja pendant les repérages, pendant la cérémonie nous sommes déesses, maîtres enfin. »

Et, pendant qu'elles chantaient, un conteur prit la parole comme en écho :

« Les fils du roi étaient tous là, dit-il, les fils de ceux qui en ont plusieurs et de ceux qui en ont peu. »

Et il y avait aussi le Seigneur du Centre de la Terre, avec sa femme, la Femme Unique, fille du Ciel, sa Femme qui était enceinte depuis dix ans, d'un fils qui ne voulait pas de la Terre. Ils étaient venus autour du Roi du Centre, pour sauver le royaume et sauver le territoire.

Et eux qui regardaient, étaient-ils fils de roi ?

Les tambourins se mirent de la partie, et aussi les luths et les clavecins à pied, tandis que le conteur racontait la généalogie. Et les hommes autour de lui se réveillèrent, ponctuant ses paroles d'un « *Marina izany !* Ce n'est que trop vrai ! », point d'orgue plutôt qu'acquiescement.

Les chants, la musique, les danses augmentèrent d'intensité. Alors Ranja se laissa aller à son cœur, qui se mit à battre, à l'excitation qu'il sentit dans ses doigts, ses pieds, son corps. Il se laissa aussi aller à chanter et danser.

« Du calme, mon vieux, du calme. »

Rija avait l'air goguenard et complice, l'excitation de son aîné l'amusait. Et le rendait un peu jaloux peut-être aussi. Lui restait froid et méticuleux, à la recherche des images dont il ferait son film. Car ce film allait être le sien, beaucoup plus que celui de Ranja. Celui-ci s'égarait dans ses états d'âme, il ne pouvait être observateur calme et créer quelque chose.

« Je pense que, pour ce soir, j'ai filmé l'essentiel. »

Il aurait voulu continuer, parler des difficultés qu'ils auraient pour le montage, prévoir les aléas, raccrocher l'attention de Ranja, qu'il sentait absent. Mais celui-ci regardait comme fasciné une jeune femme en face d'eux et manifestement ne l'écoutait pas.

Michèle Rakotoson, *le Bain des reliques*,
Paris, Karthala, 1988
ISBN 2.86537.218.9

Compréhension et langue

1 – Retrouvez les grands mouvements de ce passage.

2 – Comment l'auteur suggère-t-il l'aura de mystère enveloppant le lieu du culte (l. 1 à 15) ?

3 – Grâce à quels procédés le récit de la cérémonie (l. 18 à 60) en communique-t-il le pouvoir d'envoûtement ?

4 – Que laisse présager la brève scène où Rija et Ranja se retrouvent face à face (l. 61 à 76) ?

Activités diverses, expression écrite

1 – À partir de ce passage, rédigez un bref compte rendu de la cérémonie, qui sera, au choix, l'objet d'une lettre destinée à un ami ou d'un compte rendu de presse.

2 – Constituez un dossier sur une cérémonie rituelle de votre pays : circonstances où se célèbre le rite, déroulement de la cérémonie, symbolique du mythe.

1. Andriambahoaka, « le Souverain du Milieu », est le titre porté par de très anciens rois.
2. Andriamanitra et Zanahary sont des noms usuels pour désigner Dieu.

« Une envie de crier »

Ce passage se situe au début de la nouvelle Lépreux, *qui a révélé le talent de Jean-Luc Raharimanana.*

Un soupir, la poitrine se soulève, s'abaisse. Le dos s'appuie contre l'arbre. La tête retombe en arrière, les cheveux crépus contre les écorces.

Les paupières se ferment. Des couleurs, des images, des scènes...

Savane. Nuit. Courir.

Les étoiles sont belles dans le ciel : les chiennes ! Nu le soir, une nudité qui donne froid. Nu par ce vent qui rase le sol, nu parce qu'il n'y a pas d'ombres qui le voilent dans ce ciel trop clair.

Courir et marcher. Marcher puis courir. Un pas devant l'autre ; un pas, un autre... des pas, des pas : piétiner, piétiner, abîmer, détruire, le contrecoup de la vie formée.

On dirait que toute la terre est savane.

Ne plus retourner dans ce camp de pourris, de décomposés : lépreux !

S'en aller loin. Ailleurs... vers cet ailleurs qui miroite au bout de l'horizon. Ah ! voici venir le damné, l'être qui n'a ni parents ni ami ni âge ni sexe : lépreux !

Courir ! Vas-y, fuis, lépreux de malheur, cours ! Tendre les muscles des jambes. Se foutre des cailloux qui raclent les plantes des pieds. Au contraire s'en réjouir, en jouir de ce mal, mal si passager.

N'avoir plus mal depuis longtemps ! Ne plus... Oh ! ne plus retourner dans ce camp de pourris, de décomposés. Camp où tant de souffrances deviennent compactes en une seule indifférence. L'indifférence : seule issue d'une chair qui se décompose.

On dirait, on dirait que toute la terre est savane, un frémissement d'herbes perpétuel...

Silence.

Une envie de crier.

Yeho ! mais le silence est un espace impalpable. Crier, crier, crier... Se prouver que l'on peut recréer du tumulte au milieu de ce désert tranquille. Tumulte, temps où s'aiment homme et nature. S'aimer dans un corps à corps passionné. Tout s'épanouit dans le tumulte, dans la souffrance... en vue d'une mort. Pas dans cette indifférence, dans cette insensibilité, ô mon cœur glacé ! un roc !

Courir ! Vouloir ressentir, vouloir vivre !

Des petites lumières là-bas. La ville, une ville, une vie. Ho ! voici venir le maudit, eh ! La lèpre, ça se soigne, ça se soigne sauf dans un tel pays.

Des voitures... elles foncent dans la nuit : classique ! Voitures qui pétaradent qui pètent du gaz. L'asphalte est un long serpent plat que l'on écrase. Ombres filantes. Les voitures. Un froid descend. Une passante

Jean-Luc Raharimanana, né en 1967, a fait des études de lettres. Il a déjà beaucoup écrit : des nouvelles, des pièces de théâtre, des poèmes. Il a été lauréat de plusieurs concours internationaux : premier prix du XIIe concours de la meilleure nouvelle de langue française pour *Lépreux*, deuxième prix du concours théâtral de R.F.I., en 1990, pour *le Prophète et le Président*. Dans ses *Poèmes crématoires* comme dans ses nouvelles, il pratique une écriture de recherche, haletante et douloureuse.

souffle dans ses mains. Surtout ne pas rencontrer son regard ! Lui tourner le dos, baisser la tête, laisser cette mare là au coin du trottoir, se mirer dans les yeux… une boîte de conserve vide… deux pieds qui s'en vont. Elle est passée ! L'avenue est belle. Les jacarandas s'alignent dans la brise légère.

Soif ! Peur d'avaler la salive. Elle a comme un goût amer.

Quelques bouts de papiers poussés par le vent s'arrêtent aux pieds d'un banc public. Un réverbère calque par terre une ombre immense. Une ombre qui marche tête courbée : une ombre si lointaine… Une fine bruine tombe : les pleurs du ciel ! Quelqu'un crie : un ivrogne ! Il y a toujours un ivrogne dans les nuits. Un miaulement : un chat dans ses amours. Un gueulement : l'ivrogne. Pourquoi cette absence de peur ? L'ivrogne va tuer, l'ivrogne va étrangler, griffer ces chairs crevassées, faire péter la peau de cette poitrine. Pourquoi ? Pourquoi ?… Pourquoi ce vide devant les autres ?

Jean-Luc Raharimanana, *Lépreux,*
© Hatier, Paris, 1992

Compréhension et langue

1 – Comment le lecteur fait-il connaissance avec le héros ? Quel est l'intérêt de ce mode de présentation ?

2 – Comment la rétrospective (§ 2 et 3) est-elle annoncée dans le premier paragraphe ?

3 – Quels sentiments trahit la réflexion : « Les étoiles sont belles dans le ciel : les chiennes ! » (l. 5) ?

4 – Montrez à quel point tous les sens du héros sont en éveil lors de sa déambulation à travers la ville (l. 37 à 54), et précisez les sentiments multiples qui l'animent au gré de cette découverte.

5 – Quelles remarques peut-on faire sur la syntaxe et le rythme du récit dans ce passage ?

Activités diverses, expression écrite

Récrivez les deux derniers paragraphes (l. 37 à 54) en adoptant le « point de vue » d'un narrateur qui observerait le héros et qui tenterait de rendre compte de ses faits et gestes ainsi que de ses sentiments.

Le Volcan et le Grand Brûlé.

LA RÉUNION

« Que notre peau soit
Noire jaune ou blanche
Nos veines profondes portent
des vols d'oiseaux
Des bambous et des fougères »

Gilbert Aubry, *Rivages d'alizé,* 1971

Littérature de la Réunion

Pendant longtemps, les écrivains réunionnais se sont révélés dans l'exil. Bertin et Parny, Leconte de Lisle et Léon Dierx écrivent et publient à Paris, ne gardant avec l'île natale souvent qu'une relation dans l'imaginaire. Même Marius-Ary Leblond, qui soulignent leur naissance réunionnaise pour attester leur vocation à être les propagandistes de la « littérature coloniale », écrivent sur les bords de la Seine, en adoptant le point de vue de la métropole coloniale. Jean Albany, dans les années 1950, inaugure un mouvement littéraire de retour vers le pays natal, qui depuis n'a fait que s'amplifier. La littérature réunionnaise est aujourd'hui profondément insérée dans la recherche d'une identité propre à l'île.

Les poètes de l'île Bourbon

Bertin et Parny, qui font carrière en France comme officiers et qui, par le succès de leurs poèmes élégiaques, contribuent à imposer à Paris, dans les dernières années du XVIIIe siècle, une mode créole, ne peuvent guère être considérés comme les fondateurs d'une littérature réunionnaise. Leur île natale, tient vraiment trop peu de place dans leur œuvre. Cependant, les *Chansons madécasses* (1787) de Parny constituent un texte très original, inventant, sans prononcer le mot, le genre du « poème en prose » et donnant un ton très véhément à quelques protestations contre la conquête coloniale.

Tout au long du XIXe siècle, des jeunes gens de bonne famille vont étudier en France, où ils se laissent parfois gagner par la nostalgie : il arrive alors qu'ils deviennent poètes pour tenter de revenir par l'écriture vers l'île perdue. C'est ce qui s'est passé pour Auguste Lacaussade, Charles Leconte de Lisle, Léon Dierx... Lacaussade, qui avait souffert comme métis de l'exclusion raciale, Leconte de Lisle, qui avait découvert avec horreur les pratiques esclavagistes, ont tous deux ardemment milité, avant 1848, en faveur de l'abolition. Le premier publie *les Salaziennes* (1839), recueil dont le titre dit la volonté de chanter les paysages insulaires. Le second évoque l'île dans un certain nombre de poèmes, rassemblés par le thème commun de la naissance douloureuse, de la nostalgie du paradis insulaire et maternel.

Eugène Dayot n'avait quitté Bourbon que pour Madagascar, où il devait contracter la lèpre. Dans quelques poèmes émouvants et vite célèbres, il dit l'horreur de la mort qui le ronge. Il a laissé inachevé un projet romanesque : *Bourbon pittoresque,* qui devait raconter l'histoire de l'île au XVIIIe siècle, quand on faisait la chasse aux esclaves marrons. Les anthologies poétiques de la Réunion conservent la trace de nombreux versificateurs, parmi lesquels se détachent quelques talents (citons par exemple, les poèmes déjà modernes de Georges-François).

Les romanciers de la Réunion

Le premier roman dû à la plume d'un auteur réunionnais s'intitule *les Marrons* et paraît à Paris en 1844. Il est l'œuvre de Louis Timagène Houat, qui a été proscrit de la Réunion pour avoir milité en faveur de l'abolition de l'esclavage. La qualité littéraire en est sans doute limitée, mais il est significatif qu'il ouvre la littérature romanesque de l'île par une invitation à réfléchir sur les conséquences de l'esclavage et du préjugé de couleur. Les quelques romans publiés à la Réunion au XIXe siècle (celui de Dayot, qui paraît d'abord en feuilleton dans la presse de Saint-Paul, en 1848, ou le *Léonard* de François Saint-Amand, en 1863) s'inscrivent dans des préoccupations analogues.

Victorine Monniot, réunionnaise d'adoption, publie en 1858 le *Journal de Marguerite,* roman édifiant pour jeunes lectrices se préparant à la première communion, dont l'action se déroule en partie à la Réunion : c'est un immense succès de librairie (des dizaines de rééditions ou retirages).

Aux romans publiés en volume, il faudrait ajouter les textes de fiction qui paraissent dans les journaux de l'île, et peut-être les étranges rêveries de l'érudit Jules Hermann, qui donnent naissance à la mythologie littéraire de la Lémurie.

Dans le premier tiers du XXe siècle, deux Réunionnais installés à Paris, Georges Athénas et Aimé Merlo, deux cousins qui écrivent en collaboration sous le pseudonyme de Marius-Ary Leblond, deviennent les défenseurs et théoriciens de la littérature coloniale. Ils obtiennent le prix Goncourt en 1909 pour *En France,* qui raconte la découverte du Quartier latin par de jeunes étudiants réunionnais. En une dizaine de romans et recueils de nouvelles, souvent centrés sur leur île natale, ils brossent un tableau pittoresque de la vie coloniale.

Le « réalisme colonial » de Marius-Ary Leblond se prolonge dans les nouvelles pittoresques de Thérèse Troude ou de Suzanne Bar-Nil. Plus originale, Marguerite-Hélène Mahé, dans *Sortilèges créoles, Eudora ou l'Île enchantée* (1952), fait partager le trouble de ses personnages en quête de vérité sur leurs ancêtres.

Plusieurs romans parus à la fin des années 70 (*les Muselés,* d'Anne Cheynet ; *Quartier Trois Lettres,* d'Axel Gauvin ; *la Terre Bardzour Granmoune,* d'Agnès Gueneau) revendiquent la qualité de « romans réunionnais » : les héros en sont des démunis et des déshérités, qui habituellement ne peuvent pas parler et à qui les romanciers donnent enfin la parole pour dénoncer des conditions de vie inacceptables.

D'autres auteurs (Firmin Lacpatia, Jean-François Samlong) préfèrent situer l'intrigue de leurs romans dans le passé de l'île, pour nous aider à comprendre comment ce passé déchiré a enfanté les complexités du présent. Les récits historiques de Daniel Vaxelaire, vifs et précis (*Chasseur de Noirs,* 1982 ; *les Mutins de la liberté,* 1986), témoignent de son plaisir de raconter de belles histoires.

Les romans plus récents d'Axel Gauvin, de Jean-François Samlong ou de Jean Lods (né en France, mais qui a passé son enfance dans l'île) ont en commun de revenir aux problèmes de l'identité douloureuse : leurs personnages ont beaucoup de mal à se situer dans leurs généalogies ou dans les cloisonnements insulaires.

Avec *Faims d'enfance* (1987) et *l'Aimé* (1990), Axel Gauvin continue à jouer d'une écriture savamment inventée à la jonction du français et du créole. S'il se plaît à faire goûter le plaisir des créolismes, il suggère aussi les dérapages et les conflits nés de l'entrelacement des langues. Les romans de Jean Lods (*la Morte Saison,* 1980 ; *le Bleu des vitraux,* 1987) composent l'image volontiers hallucinée d'une Réunion surgie de souvenirs d'enfance. Dans *la Nuit cyclone* (1992) de Jean-François Samlong, le destin des personnages est marqué par une violence et une folie qui apparaissent comme une fatalité réunionnaise.

Modernités poétiques

Dans les années 50, Jean Albany, installé à Paris depuis longtemps, entreprend de revenir vers son île natale à travers les poèmes qu'il édite lui-même. Comme il donne dans ses textes parfois mis en musique de plus en plus de place au créole, il touche un public plus vaste dans son île. En rompant avec la versification réglée, il marque une ouverture vers une modernité poétique.

C'est Jean Albany qui forge le mot de « créolie » ; il désigne pour lui le paysage mental qui le rattache à son île et l'art de vivre qu'il en a hérité. Ce mot va devenir un signe de ralliement et un emblème pour un groupe de poètes rassemblés autour de l'évêque-poète Gilbert Aubry, qui lance en 1978 son *Hymne à la créolie :* pour celui-ci, la créolie, « dans la recherche et le respect des racines propres aux divers groupes, c'est l'ensemble qui prend les cultures des quatre horizons pour en faire son trésor et son partage quotidien ». La poésie de Gilbert Aubry (*Rivages d'alizé,* 1970), sensible et indignée pour dénoncer le malheur réunionnais, délivre le message œcuménique de la créolie. Des anthologies annuelles, rassemblées par Gilbert Aubry et Jean-François Samlong sous le titre *Créolie,* ont donné de larges panoramas de la poésie réunionnaise s'inscrivant dans cette mouvance. Jean-Henri Azéma a rejoint, depuis son long exil argentin, cette créolie poétique pour chanter sa nostalgie de l'île (*Olographe,* 1988) et ses colères à l'évocation des temps horribles de l'esclavage (*le Pétrolier couleur antaque,* 1982).

D'autres poètes se sont tenus plus ou moins à l'écart de la créolie, dont ils contestaient l'apolitisme de principe. Plus militants, ils revendiquent aussi une place plus importante pour la langue créole dans l'épanouissement d'une culture réunionnaise neuve. Alain Lorraine donne en 1975 un recueil au titre résonnant comme un mot d'ordre : *Tienbo le rein.* Dédié « aux z'enfants la misère de ce pays qui naît », ce volume trouve un ton véhément et caressant, sans doute accordé au rythme du *maloya,* ce vieux chant de révolte des esclaves. Boris Gamaleya a peu à peu été reconnu comme le poète majeur de la modernité réunionnaise. Son recueil *Vali pour une reine morte* (1973), publié alors qu'il était astreint à l'exil en Europe, entrecroise les voix de trois personnages, hautement symboliques de l'histoire de l'île : Cimendef, l'esclave marron, toujours en fuite de cime en cime ; Mussard, le chasseur de marrons ; Rahariane, au nom vaguement malgache, à la fois femme et île. Le poème se fait célébration de l'île, rêverie sur sa naissance prodigieuse et sur son histoire. Boris Gamaleya forge sa langue poétique dans la rencontre de mots et d'images empruntés à toutes les cultures composant la mosaïque de l'île. Son poème devient un étrange kaléidoscope verbal, à l'image du magma volcanique qui gronde dans les profondeurs insulaires.

Le fait majeur des années 70 et 80 a sans doute été la prise en compte de plus en plus affirmée du fait créole, manifestée par des publications nombreuses, notamment par l'anthologie préparée par Alain Armand et Gérard Chopinet, *la Littérature réunionnaise d'expression créole* (1984).

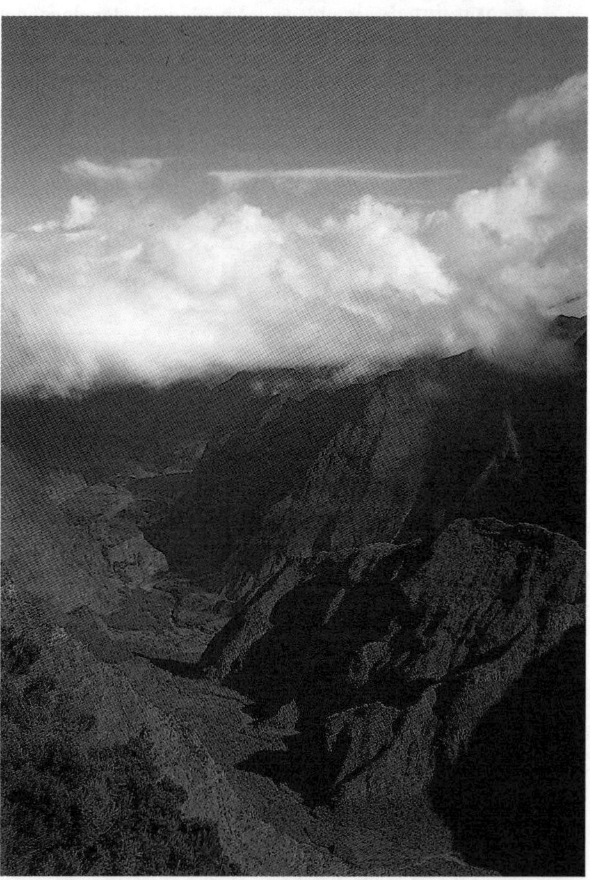

La rivière des Remparts.

FRANCE
LA RÉUNION

ÉVARISTE PARNY

« Quel est le roi de cette terre ? »

Évariste Parny (1753-1814), ancien officier de la garde de Louis XV et capitaine de dragons, a été reçu à ce titre dans l'intimité de Louis XVI et de Marie-Antoinette. Ses *Poésies érotiques* (1778), qui chantent ses amours malheureuses pour une toute jeune fille qu'il avait rencontrée lors d'un séjour dans son île natale et qu'il ne put épouser, ont séduit le public de la fin du XVIIIe siècle par leur ton élégiaque et vaguement exotique. Ses *Chansons madécasses* (1787) sont parmi les premiers poèmes en prose publiés en français. Il a été longtemps célèbre pour la virulence anticléricale de son poème *la Guerre des dieux* (1799).

Les Chansons madécasses *(ce titre reprend l'ancien mot qui désignait les habitants de Madagascar) sont présentées par Parny comme des traductions du malgache. En fait, ce sont des textes très neufs, inventant une nouvelle forme littéraire (qu'on appellera plus tard le « poème en prose »), et qui ne s'appuient sur aucune connaissance directe de la Grande Île. Parny puise dans ses lectures des voyageurs et peut-être dans des récits entendus à Bourbon pour composer des évocations de Madagascar conformes aux aspirations exotiques du XVIIIe siècle. La « Chanson première » du recueil montre l'accueil du voyageur blanc dans un village malgache.*

Quel est le roi de cette terre ? – Ampanani. – Où est-il ? – Dans la case royale. – Conduis-moi devant lui. – Viens-tu la main ouverte ? – Oui, je viens en ami. – Tu peux entrer.

Salut au chef Ampanani. – Homme blanc, je te rends ton salut, et je te prépare un bon accueil. – Que cherches-tu ? – Je viens visiter cette terre. – Tes pas et tes regards sont libres. Mais l'ombre descend, l'heure du souper approche. Esclaves, posez une natte sur la terre, et couvrez-la des larges feuilles du bananier. Apportez du riz, du lait, et des fruits mûris sur l'arbre. Avance, Nélahé ; que la plus belle de mes filles serve cet étranger. Et vous, ses jeunes sœurs, égayez le souper par vos danses et vos chansons.

Évariste Parny, *Chansons madécasses,* 1787

COMPRÉHENSION ET LANGUE

1 – Qui sont les interlocuteurs dont le texte rapporte les paroles ? Comment peut-on les identifier ?
2 – Comment vous imaginez-vous la scène évoquée ?
3 – Comment le Blanc est-il ici accueilli ? Cet épisode présage-t-il les conquêtes coloniales ?
4 – Pourquoi le texte se contente-t-il de livrer un dialogue sans le moindre commentaire ? Quel est l'effet obtenu ?
5 – Quelle est la forme littéraire employée ?

ACTIVITÉS DIVERSES, EXPRESSION ÉCRITE

1 – Recherchez dans une encyclopédie les caractéristiques d'une « chanson ». Quelles sont celles que vous trouvez, ou ne trouvez pas, dans ce texte ?
2 – Sur le modèle du texte, rédigez un bref dialogue qui, sans indications scéniques, permette de faire imaginer un événement précis.

FRANCE
LA RÉUNION
ANTOINE DE

Antoine de Bertin (1752-1790) était le fils d'un riche colon de l'île Bourbon, gouverneur du quartier de Sainte-Suzanne. Envoyé en France à l'âge de neuf ans, il devint officier de cavalerie, attaché au service du comte d'Artois, frère de Louis XVI. Il publia en 1780, sous le titre *les Amours,* un recueil de trois livres de poésies formant comme un roman en vers de sa vie amoureuse. Deux poèmes consacrés à l'île natale témoignent de la fidélité gardée à ses origines créoles.

COMPRÉHENSION ET LANGUE

1 – Qu'est-ce qu'une élégie ?
2 – Quel est le thème de ce poème ? Correspond-il au titre ?
3 – Quels souvenirs Bertin évoque-t-il ? Sont-ils caractéristiques d'une époque ? Laquelle ?

XVIIIe siècle

« Né dans ces beaux climats »

La XXe élégie du Livre III des Amours *évoque, non sans emphase ni périphrases recherchées, l'île Bourbon, lieu de naissance du poète, maintenant exilé en France.*

Je n'ai plus, désormais étranger dans la France,
De retraite où chanter ni d'asile où mourir.

Ô tristesse ! Ô regrets ! Ô jours de mon enfance !
Hélas ! un sort plus doux m'était alors promis.
Né dans ces beaux climats et sous les cieux amis
Qu'au sein des mers de l'Inde embrase le tropique,
Élevé dans l'orgueil du luxe asiatique,
La pourpre, le satin, ces cotons précieux
Que lave aux bords du Gange un peuple industrieux,
Cet émail si brillant que la Chine colore,
Ces tapis dont la Perse est plus jalouse encore,
Sous mes pieds étendus, insultés[1] dans mes jeux,
De leur richesse à peine avaient frappé mes yeux.

Je croissais, jeune roi de ces rives fécondes :
Le roseau savoureux[2], fragile amant des ondes,
Le manguier parfumé, le dattier nourrissant,
L'arbre heureux où mûrit le café rougissant,
Des cocotiers enfin la race antique et fière,
Montrant au-dessus d'eux sa tête tout entière,
Comme autant de sujets attentifs à mes goûts,
Me portaient à l'envi les tributs les plus doux.
Pour moi d'épais troupeaux blanchissaient les campagnes :
Mille chevreaux erraient suspendus aux montagnes ;
Et l'Océan, au loin se perdant sous les cieux,
Semblait offrir encor, pour amuser mes yeux,
Dans leur cours différent cent barques passagères
Qu'emportaient ou la rame ou les voiles légères.

Que fallait-il de plus ? Dociles à ma voix,
Cent esclaves choisis entouraient ma jeunesse ;
Et mon père, éprouvé par trente ans de sagesse,
Au créole orgueilleux dictant de justes lois,
Chargé de maintenir l'autorité des rois[3],
Semblait dans ces beaux lieux égaler leur richesse.
Tout s'est évanoui. Trésors, gloire, splendeur,
Tout a fui, tel qu'un songe à l'aspect de l'aurore,
Ou qu'un brouillard léger qui dans l'air s'évapore...

Antoine de Bertin, *les Amours,* III, élégie XX, 1780

1. Frappés, maltraités.
2. La canne à sucre.
3. Le père du poète a exercé un « commandement » officiel à Bourbon, de 1763 à 1767.

EUGÈNE

Eugène Dayot (1810-1852), natif de Saint-Paul, a contracté la lèpre lors d'un séjour à Madagascar. Il évoque dans un poème, « Le Mutilé », cette terrible maladie qui devait le défigurer et l'emporter prématurément. Fondateur du journal *le Créole*, puis du *Courrier de Saint-Paul*, il y a publié en feuilletons le début d'une œuvre ambitieuse, restée inachevée, *Bourbon pittoresque*, qui voulait être l'épopée de la Réunion et de la rivalité de deux peuplements parallèles, celui des Blancs du littoral et celui des esclaves marrons dans les Hauts.

XIXe siècle

« Le Noir est libre au fond de sa montagne »

Au chapitre XII de Bourbon pittoresque, *le dernier que Dayot put rédiger avant de mourir, sur les cinquante qu'il avait projetés, le romancier évoque la rencontre solennelle des chefs des bandes d'esclaves marrons, réfugiés sur les hauteurs de l'île Bourbon.*

À peine Pyram, qui marchait à la tête du groupe épais qui s'avançait, accompagné du Sakalave Samson et de Mafat, *le sorcier des eaux puantes,* fut-il à une demi-portée de flèche de l'arbre où était assis Diampare, que celui-ci se leva avec une nonchalante dignité, s'appuya d'une main sur sa massue, posa l'autre sur la ceinture qui serrait à sa taille son vêtement de peau, et leva la tête pour faire à ses visiteurs le compliment de la bienvenue.

Les chanteurs qui précédaient le cortège formèrent un cercle autour des chefs. Les instruments sauvages éclatèrent à la fois ; les tambours que les Noirs battaient avec fureur, les calebasses pleines de petits grains secs, les bobres[1], enfin tout l'attirail de ces symphonies barbares accompagna à la fois l'hymne guerrier composé pour la circonstance par un des bardes de la troupe. La voix du chanteur psalmodia seule sur un ton triste et lent chaque strophe de la chanson, et toutes les voix répétèrent en chœur le refrain, dont les instruments accompagnèrent avec frénésie les paroles patriotiques.

Telle était cette chanson, qu'il ne nous est possible que de traduire et dont nous désespérons de reproduire jamais l'effet sauvage et poétique comme la nature qui en répétait les échos :

– Quand le Blanc s'avance dans la forêt comme un tigre qui cherche sa proie, les chefs des hommes noirs doivent se concerter pour arrêter dans leur course ces hommes au visage blême ;
– Le Blanc est pâle comme les hyangs[2] de nos nuits ;
– Comme ces esprits du mal, il erre dans les grands bois ;
– C'est la mort qui le précède et l'esclavage qui le suit ;
– La guerre !... La guerre alors !...

– L'oiseau est libre à travers l'espace ;
– Le Noir est libre au fond de sa montagne ;
– Pourquoi le Blanc veut-il le faire esclave ?...
– Pourquoi le marque-t-il à l'épaule avec des fers brûlants ?...
– Que le Blanc soit bravé !...
– Que la mort soit pour lui !...
– La liberté pour nous !...
– Malheur à tous les Blancs !...

– Le chef de l'îlette aux Sakalaves vient visiter le grand roi Diampare.
– Samson, le guerrier intrépide, lance la flèche et la sagaie aussi loin que l'œil peut atteindre le but ;...

– Et jamais sa flèche, jamais sa sagaie n'a désobéi à son bras droit ;

– Diampare a le bras puissant : il a dompté sur la grande terre les animaux féroces des savanes et des forêts...

– Il écrasera les Blancs, ces autres tigres cruels, qui sont déjà sans courage et seront bientôt sans force, quand passera devant leurs yeux la plume rouge qui domine le front des chefs de la montagne.

– L'oiseau est libre à travers l'espace ;
– Le Noir est libre au fond de sa montagne ;
– Pourquoi le Blanc veut-il le faire esclave ?...
– Pourquoi le marque-t-il à l'épaule avec des fers brûlants ?...
– Que le Blanc soit bravé !...
– Que la mort soit pour lui !...
– La liberté pour nous !...
– Malheur à tous les Blancs !...

– Bientôt dans la forêt les chiens des Blancs vont hurler sur nos traces...

– Leurs armes vont reluire au soleil, leur tonnerre va réveiller nos échos...

– Mais nos chefs qui sont forts, mais nos chefs qui sont braves, feront siffler la flèche...

– Et leur tonnerre va se taire, comme le tonnerre du ciel que le Zannaar[3] *envoie s'éteindre dans l'eau froide des ravins...*

– L'oiseau est libre à travers l'espace ;
– Le Noir est libre au fond de sa montagne ;
– Pourquoi le Blanc veut-il le faire esclave ?...
– Pourquoi le marque-t-il à l'épaule avec des fers brûlants ?...
– Que le Blanc soit bravé !...
– Que la mort soit pour lui !...
– La liberté pour nous !...
– Malheur à tous les Blancs !...

– Quand la flèche de nos chefs aura fait taire dans la forêt le tonnerre des hommes blancs ;...

– C'est que ces Blancs seront sans vie ; c'est que leurs corps maudits seront couchés sur la bruyère des sentiers...

– Alors les chiens errants viendront à la curée !...

– Nous les verrons traîner les entrailles sanglantes de ces cadavres livides sur l'herbe sauvage qui pousse au bord des précipices !

– Et le Noir sera content, car le Zannaar l'aura voulu !

– L'oiseau est libre à travers l'espace ;
– Le Noir est libre au fond de sa montagne ;
– Pourquoi le Blanc veut-il le faire esclave ?...
– Pourquoi le marque-t-il à l'épaule avec des fers brûlants ?...
– Que le Blanc soit bravé !...
– Que la mort soit pour lui !...
– La liberté pour nous !...
– Malheur à tous les Blancs !...

Eugène Dayot, *Bourbon pittoresque*, 1852

COMPRÉHENSION ET LANGUE

1 – Qu'apprend-on sur les esclaves marrons dans ce passage ? Comment leurs chefs sont-ils décrits ?
2 – Quel est leur mode d'expression pour revendiquer la liberté ?
3 – Cherchez dans un dictionnaire le sens précis du mot *barde* (l. 13). Est-il approprié au contexte réunionnais ? Quel est l'effet produit ?
4 – Expliquez : « les paroles patriotiques » (l. 16).
5 – Qu'est-ce qui peut produire « l'effet sauvage et poétique » (l. 18) de la chanson ? Pourquoi le narrateur doit-il la traduire ?
6 – À quoi reconnaît-on qu'il s'agit bien d'une chanson ?
7 – Quelle image la chanson donne-t-elle du Blanc ?

ACTIVITÉS DIVERSES, EXPRESSION ÉCRITE

1 – Dans quelles conditions l'esclavage a-t-il commencé ? En quelle année a-t-il été aboli dans les îles de l'océan Indien ?
2 – Connaissez-vous d'autres œuvres littéraires de l'océan Indien qui traitent de la période de l'esclavage ? Lesquelles ?

1. Instrument de musique formé d'un arc sur lequel est fixé une calebasse servant de caisse de résonance.
2. Diables.
3. Dieu (mot d'origine malgache).

FRANCE
LA RÉUNION

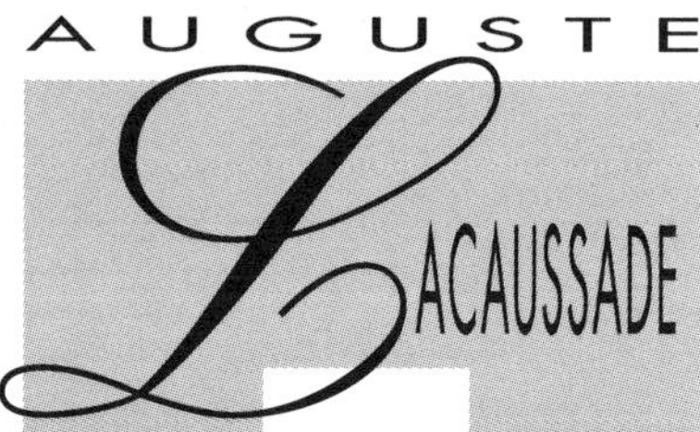

Auguste Lacaussade (1815-1897), fils d'un avocat originaire de Bordeaux et d'une jeune métisse (à une époque où « il n'était pas permis à un Blanc d'épouser une mulâtresse »), se définit lui-même comme un « légitime bâtard sans titre au nom d'un père ». Son œuvre porte la trace de cette naissance en marge et développe d'éloquentes protestations contre l'esclavage et ses conséquences. Installé en France, il publie en 1839 le recueil poétique des *Salaziennes,* où il évoque l'île natale. Il a été le traducteur d'Ossian, le secrétaire du critique Sainte-Beuve, le collaborateur de grandes revues parisiennes. La publication en 1852 de ses *Poèmes et paysages,* en même temps que les *Poèmes antiques* de Leconte de Lisle, manifeste la sourde rivalité qui l'oppose à celui-ci.

XIXe siècle

« Je sais dans l'Océan une île où la nature... »

La XXIVe Salazienne, dédiée à un ami écossais de Lacaussade, commence par une dénonciation du mal universel qu'est l'esclavage (« puisqu'en tous lieux, hélas ! l'homme porte des chaînes »). Mais le poète espère pouvoir l'oublier en se réfugiant dans les solitudes de son île natale.

Je sais dans l'Océan une île où la nature
Peut au moins dérouler une page encor pure.
Le soleil est son père, et ce roi des climats,
Illuminant d'amour la splendide créole,
De son front couronné d'une immense auréole
    Écarta les sombres frimas.

C'est une île au ciel riche, à l'air tiède, où la femme
A des yeux de colombe et des baisers de flamme ;
Où le cœur s'abandonne aux penchants les plus doux,
Où la vague en mourant vient chanter sur les grèves,
Où la terre a des fleurs, où la vierge a des rêves
    Dont l'ange au ciel même est jaloux.

Là, comme ailleurs, hélas ! règne la servitude.
Mais au sein des forêts cherchant la solitude,
Nous fuirons sur les monts un tableau douloureux ;
Et les nuages blancs qui montent du rivage
Déploieront sous nos pieds pour cacher l'esclavage
    Leur voile errant et vaporeux.

Nous verrons la cascade, à la bouche écumante,
Épancher dans les airs une eau blanche et fumante ;
Sous d'antiques palmiers nous irons nous asseoir ;
Ils verseront sur nous l'ombre de leurs feuillages,
Où les sylphes[1] des bois et les oiseaux sauvages
    Dorment bercés des vents du soir.

Sur les flancs du Salaze élevons nos chaumières.
La nature pour nous de sublimes mystères
Peuplera les rochers, les torrents et les bois ;
Et ce vaste piton que l'ouragan assiège,
Au ciel portant sa tête et ses siècles de neige,
    Abritera nos humbles toits.

Auguste Lacaussade, *les Salaziennes,* 1839

1. *Génies de l'air (dans la mythologie gauloise et germanique).*

COMPRÉHENSION ET LANGUE

1 – Quelle représentation de l'île apparaît dans ce poème ?
2 – Ce texte vous paraît-il caractéristique d'une époque ?
3 – Que pensez-vous de la résolution du poète d'oublier l'esclavage en se réfugiant dans les solitudes de l'île ? Est-ce une attitude réaliste ? Pourquoi ?

Charles Marie Leconte de Lisle (1818-1894), envoyé en France pour étudier, milite pour l'abolition de l'esclavage et écrit dans des journaux de tendance socialiste. Déçu par la tournure prise par la révolution de 1848, il se consacre à son œuvre poétique (*Poèmes antiques,* 1852 ; *Poèmes barbares,* 1862 ; *Poèmes tragiques,* 1884 ; *Derniers Poèmes,* 1895). Reconnu comme le chef de file du mouvement parnassien, développant son pessimisme hautain dans des vers somptueusement plastiques, il a donné à beaucoup de ses poèmes une imagerie sensuelle et colorée, empruntée aux souvenirs de l'île natale.

L'aigu bruissement...

Publié d'abord dans la Revue des Deux Mondes *d'octobre 1888, ce poème exalte la nature sacralisée de l'île natale.*

L'aigu bruissement des ruches naturelles,
Parmi les tamarins et les manguiers épais,
Se mêlait, tournoyant dans l'air subtil et frais,
À la vibration lente des bambous grêles
Où le matin joyeux dardait l'or de ses rais.

Le vent léger du large, en longues nappes roses
Dont la houle indécise avivait la couleur,
Remuait les maïs et les cannes en fleur,
Et caressait au vol, des vétivers aux roses,
L'oiseau bleu de la Vierge[1] et l'oiselet siffleur.

L'eau vive qui filtrait sous les mousses profondes,
À l'ombre des safrans sauvages et des lys,
Tintait dans les bassins d'un bleu céleste emplis,
Et les ramiers chanteurs et les colombes blondes
Pour y boire ployaient leurs beaux cols assouplis.

La mer calme, d'argent et d'azur irisée,
D'un murmure amoureux saluait le soleil ;
Les taureaux d'Antongil[2], au sortir du sommeil,
Haussant leurs mufles noirs humides de rosée,
Mugissaient doucement vers l'Orient vermeil.

Tout n'était que lumière, amour, joie, harmonie ;
Et moi, bien qu'ébloui de ce monde charmant,
J'avais au fond du cœur comme un gémissement,
Un douloureux soupir, une plainte infinie,
Très lointaine et très vague et triste amèrement.

C'est que devant ta grâce et ta beauté, Nature !
Enfant qui n'avait rien souffert ni deviné,
Je sentais croître en moi l'homme prédestiné,
Et je pleurais, saisi de l'angoisse future,
Épouvanté de vivre, hélas ! et d'être né.

Charles Marie Leconte de Lisle, ***Derniers Poèmes,*** **1895**

COMPRÉHENSION ET LANGUE

1 – Comment se caractérise le style des Parnassiens ?
2 – À partir de ce texte, essayez de déterminer en quoi Leconte de Lisle appartient à ce mouvement.
3 – Faites l'étude thématique et stylistique de ce poème.

1. Désignation réunionnaise d'une sorte de gobe-mouches.
2. Baie sur la côte est de Madagascar.

FRANCE
LA RÉUNION

XIXe siècle

Les filaos

Léon Dierx (1838-1912), exilé à Paris comme Leconte de Lisle, a été le plus fidèle disciple de son compatriote. Sa poésie, rassemblée en quelques recueils (*Poèmes et Poésies*, 1864 ; *les Lèvres closes*, 1867 ; *les Amants*, 1879 ; *Poèmes posthumes*, 1912), lui a attiré une flatteuse renommée : à la mort de Mallarmé, on l'a sacré « prince des poètes ». Sensible au mystère des choses, aux correspondances entre la nature et l'homme, il sait suggérer l'impalpable envers du monde.

Voici le début d'un long poème, dédié à Théodore de Banville, dans lequel le poète se met à l'écoute de la grande voix mystérieuse de la Nature.

Là-bas, au flanc d'un mont couronné par la brume,
Entre deux noirs ravins roulant leurs frais échos,
Sous l'ondulation de l'air chaud qui s'allume
Règne un bois toujours vert de sombres filaos.
Pareil au bruit lointain de la mer sur les sables,
Là-bas, dressant d'un jet ses troncs roides et roux,
Cette étrange forêt aux couleurs ineffables
Pousse un gémissement lugubre, immense et doux.
Là-bas, bien loin d'ici, dans l'épaisseur de l'ombre,
Et tous pris d'un frisson extatique, à jamais,
Ces filaos songeurs croisent leurs nefs sans nombre,
Et dardent vers le ciel leurs flexibles sommets.
Le vent frémit sans cesse à travers leurs branchages,
Et prolonge en glissant sur leurs cheveux froissés,
Pareil au bruit lointain de la mer sur les plages,
Un chant grave et houleux dans les taillis bercés.
Des profondeurs du bois, des rampes sur la plaine,
Du matin jusqu'au soir, sans relâche, on entend
Sous la ramure frêle une sonore haleine
Qui naît, accourt, s'emplit, se déroule et s'étend
Sourde ou retentissante, et d'arcade en arcade
Va se perdre aux confins noyés de brouillards froids,
Comme le bruit lointain de la mer dans la rade
S'allonge sous les nuits pleines de longs effrois.
Et derrière les fûts pointant leurs grêles branches
Au rebord de la gorge où pendent les mouffias[1],
Par place, on aperçoit, semés de taches blanches,
Sous les nappes de feu qui pétillent en bas,
Les champs jaunes et verts descendus aux rivages,
Puis l'Océan qui brille et monte vers le ciel.
Nulle rumeur humaine à ces hauteurs sauvages
N'arrive. Et ce soupir, ce murmure immortel,
Pareil au bruit lointain de la mer sur les côtes,
Épand seul le respect et l'horreur à la fois
Dans l'air religieux des solitudes hautes. [...]

Léon Dierx, *les Lèvres closes*, 1867

COMPRÉHENSION ET LANGUE

1 – Relevez les principales figures de rhétorique.
2 – Comment sont représentés les filaos et la Nature dans ce poème ? Relevez les images qui vous paraissent les plus frappantes.
3 – Quels sont les éléments classiques de la versification dans ce poème ?

1. Arbres (raphias originaires de Madagascar).

XXe siècle

PIERRE-CLAUDE GEORGES-FRANÇOIS

Pierre-Claude Georges-François (1869-1933) a fait carrière dans l'administration coloniale, en Afrique et à Madagascar. Alors qu'il est en poste au Soudan (aujourd'hui Mali), il compose des poèmes évoquant ses séjours exotiques (*l'Âme errante*, recueil publié en 1933). Il rassemble dans *Poèmes d'Outre-Mer* (1931) des évocations nostalgiques de l'île natale, dont la versification élégamment libérée souligne l'humour délicat.

C'est très vieux

Ce poème évoque le retour du poète vieilli vers l'île natale et la maison familiale.

C'est très vieux, c'est très ancien, ce sont des choses
très douces : la maison blanche au bout de l'allée
avec les souvenirs de l'enfance en allée
sous les palmiers, le long des grands hibiscus roses.

Les mousses ont mordu le bardeau des toitures :
la fenêtre est ouverte, et je sais quelqu'un là,
qui jadis, d'une voix reconnue, m'appela
de loin, lorsque le soir épaissit les verdures.

On n'a pas relevé les rideaux sur la rampe ;
la pierre s'est fêlée aux marches du perron,
et c'est vers le passé que nous nous en irons,
comme jadis, à l'heure où s'allument les lampes.

Je marcherai très doucement, en étranger
à ces lieux, qui ne veut se faire reconnaître
de celle qui rêvait souvent à la fenêtre
quand le vent de la mer entrait sous le verger.

Me feront-ils encor l'accueil de leurs paroles ?
Combien de jours, combien d'années depuis cela !
Les vieux parents conversaient sous la véranda,
avec l'inflexion calme des voix créoles.

Ils parlaient de choses intimes en famille,
assis en cercle dans leurs fauteuils de rotin,
et des proches hangars aux madriers disjoints
s'échappaient des odeurs de sucre et de vanille.

Aujourd'hui, la maison peut-être est sans lumière,
l'eau qui chantait ne coule plus dans le bassin.
On n'entend ni les voix, ni l'aboiement du chien,
et les chauves-souris sortent dans la gouttière.

Et c'est très vieux, c'est très lointain : ce sont des choses
qu'on a perdues ; la maison au bout de l'allée,
avec les souvenirs de l'enfance en allée
par la route du soir sous les hibiscus roses.

Pierre-Claude Georges-François, *Poèmes d'Outre-Mer,* 1931

COMPRÉHENSION ET LANGUE

1 – Étudiez l'emploi des temps dans le poème.
2 – Expliquez : « et c'est vers le passé que nous nous en irons » (v. 11).
3 – Relevez les termes qui s'inscrivent dans le champ sémantique du « passé ».
4 – Quels souvenirs le poète a-t-il gardés de son enfance ?
5 – Comment le poète exprime-t-il sa nostalgie ?
6 – Étudiez la versification. Quel est le type de vers utilisé ? Quels sont les vers qui ne sont pas conformes au modèle classique ? Quel est l'effet produit ?

FRANCE
LA RÉUNION

LOUIS TIMAGÈNE

HOUAT

Louis Timagène Houat (1809 - 1880 ?) fut expulsé de la Réunion vers la France en 1838, à cause de son engagement en faveur de l'abolition de l'esclavage. En 1844, il fait paraître à Paris un roman, *les Marrons,* qui dénonce vivement le préjugé de couleur. Il s'agit en fait du premier roman publié par un auteur réunionnais. Houat s'est ensuite consacré à la pratique de la médecine et n'est jamais retourné dans l'île natale.

XIXe siècle

« Deux monstres sacrilèges »

Frême, un jeune Noir de Bourbon, a épousé une jeune Blanche, Marie, qu'il a sauvée de l'incendie de la maison familiale et qui s'est alors retrouvée orpheline et ruinée. Les deux jeunes gens vivent dans une maison isolée de Saint-Paul.

Placée au bord du bel étang qui traverse la commune dans presque toute sa longueur, cette habitation jouissait d'une position avantageuse et riante.

La vue y était enchantée par un site agréable et pittoresque autant que par la riche fécondité du sol.

Ici, c'était des rizières, séjour adoré des cailles, étendant leurs larges bandes gazonneuses et vertes le long des joncs de la nappe d'eau limpide. Là, des treilles de raisins de tous pays, des arbres à fruits de mille espèces différentes, offrant à l'œil la bienfaisante prodigalité du climat ; alors que, dominant le tableau général, s'élançaient, de place en place, d'énormes cocotiers, qui balançaient leurs cimes verdoyantes dans le ciel, comme de vastes parasols s'élevant pour abriter de la trop grande chaleur du jour.

Et, au sein de cette charmante nature, Marie s'amusait, tout en s'occupant des soins du ménage, à cultiver un petit jardin de fleurs et de légumes, à élever des oiseaux aquatiques, des oies, des canards et des poules d'eau, qui s'en allaient le jour vivre à l'étang, et le soir revenaient d'eux-mêmes au logis.

Frême était, lui, toute la journée employé dehors et tirait bon parti de son état ; il travaillait à la construction d'un navire, chez les frères Baptiste, excellents charpentiers de marine, établis au bord de la mer ; après l'heure du travail, arrivant à la maison, il aidait encore Marie dans ses douces occupations domestiques, et le ciel était béni de leur amour et de leur bonheur. Heureux, s'ils avaient pu toujours être cachés au reste des hommes !

Mais l'union de Frême et de Marie ne pouvait guère rester longtemps secrète. – Bientôt le bruit courut dans tout le pays qu'un nègre, qui de plus était esclave, avait épousé une fille blanche.

La qualification d'esclave donnée à Frême était fausse, car, étant de l'atelier colonial, il ne pouvait être considéré comme tel, d'après même les lois et les ordonnances abolitives de la traite.

N'importe, les esprits s'en émurent, le fléau des colonies, le terrible préjugé de couleur et de caste s'en fit un aliment, un *extra* de colère, et l'ouragan commença.

Habitué dès son enfance à rencontrer à chaque pas la sottise, la morgue et toutes ces façons blessantes du privilégié d'outre-mer, Frême crut, tout d'abord, ne devoir pas s'arrêter à certaine médisance et propos dissonants qui venaient de temps à autre bourdonner à son oreille et dont son mariage était l'objet. Il les reçut sans répondre et n'en parla même pas à Marie.

Mais on ne resta pas à des paroles, à des épigrammes, à des injures plus on moins violentes.

Il fut attaqué, frappé en chemin, et, comme avec sa souplesse et sa force il eut dans un instant terrassé les agresseurs, la vengeance s'en mêla et l'irritation n'en devint que plus grande.

On se mettait à plusieurs dans un coin ; et, quand il passait, on fondait sur lui à l'improviste ; on l'assaillait d'injures et de projectiles. On en assaillait aussi sa modeste demeure, où l'on venait en bande et presque tous les soirs, crier, vociférer, faire des dégâts et du tapage. – Il faut tuer, criait-on, il faut brûler vifs ces deux monstres sacrilèges ! – Et l'on tenta à plusieurs reprises de mettre le feu à la maison. La police elle-même, loin de sévir contre les persécuteurs, semblait, au contraire, les encourager ; et Marie ne vivait plus, elle était dans des craintes continuelles. – Oh ! mon ami, disait-elle, nous ne pouvons plus rester ici. Ta vie est en danger et la mienne aussi !... Quittons ce lieu, bien vite, et fuyons, fuyons dans les bois, où nous serons du moins plus tranquilles ! – Frême hésitait, par égard même pour Marie. Mais il ne pouvait plus sortir ; on menaçait la vie de l'un et de l'autre. Enfin, les excès devinrent tels que, n'y pouvant plus tenir, ils durent prendre en commun le parti d'aller vivre ailleurs, loin de la présence et des préjugés des Blancs. Alors, une nuit, fuyant la persécution, abandonnant tout ce qu'ils avaient, ils quittèrent tristement leur petite habitation du bord de l'étang ; Marie, comme un enfant, était portée par Frême ; ils gagnèrent ainsi le sommet de la montagne.

Louis Timagène Houat, *les Marrons,* 1844

COMPRÉHENSION ET LANGUE

1 – Comparez le début et la fin du texte. Que remarquez-vous ?

2 – Quelle impression donne l'évocation de l'habitation de Frême et de Marie et la description des occupations de la jeune femme ?

3 – En quoi les deux héros sont-ils victimes des préjugés raciaux ?

4 – Que sont « les ordonnances abolitives de la traite » (l. 31) ?

5 – Expliquez l'expression « deux monstres sacrilèges » (l. 50).

ACTIVITÉS DIVERSES, EXPRESSION ÉCRITE

1 – Imaginez une suite à cet extrait.

2 – Connaissez-vous d'autres romans qui ont traité du thème du préjugé racial ?

Illustration de l'édition originale des *Marrons.*

FRANCE
LA RÉUNION

MARIUS-ARY LEBLOND

Le pseudonyme Marius-Ary Leblond désigne deux cousins, Georges Athénas (1877-1953) et Aimé Merlo (1880-1958), auteurs d'une œuvre abondante écrite en collaboration, qui les a consacrés comme les champions de la « littérature coloniale » (qu'ils opposent aux facilités du pittoresque exotique). Le prix Goncourt a couronné en 1909 leur évocation de la découverte de la vie parisienne par des étudiants réunionnais *(En France)*. La part la plus intéressante de leur production, malgré les stéréotypes très datés qu'elle véhicule, reste leur série de « romans des races », qui analysent la complexité des relations ethniques à la Réunion (*le Zézère*, 1903 ; *le Miracle de la race*, 1914 ; *Ulysse, Cafre*, 1924).

XXe siècle

« L'Oreille du pays »

Ulysse, Cafre *raconte la quête d'Ulysse, domestique noir, à la recherche du fils qu'il a naguère renié. Pour le retrouver, il parcourt une sorte d'itinéraire initiatique, à travers toutes les formes de la sorcellerie réunionnaise.*

Sous le nuage qui zébrait la moitié du ciel, le pays demeurait sombre. On ne distinguait sur la côte, ni église, ni mairie, ni gendarmerie ; sur le flanc de la montagne, pas une sucrerie. À pic, l'île jaillissait des vagues comme un grand volcan d'ombre.

C'était un clair-de-lune noir.

« Ma mère ! La Line là n'a pas fini d'être enceinte : son ventre grossit à vue d'œil ! »

À mesure qu'elle approchait, sa clarté fascinait. Tous les vivants n'avaient d'yeux que pour elle. Comme si on avait oublié le soleil, ensemble on se sentait saisi par ce large mystère qui éblouissait... Tandis que le corps restait sur terre, l'esprit, aspiré, habitait dans l'astre.

« Vous autres, qui me dira ce qu'on voit, ce soir dans la Line ?

– Chien au bord de la mer qui pleure après son maître... ?

– Pas ça !

– Femme malgache abandonnée qui chante sur son violon... ?

– Pas ça !

– Le grand sorcier des nuits, le bras en l'air, jette des sorts sur la terre ?

– ... Y brûle !...

– C'est la Sainte-Vierge. Elle tient l'Enfant Jésus sur ses genoux et lui apprend à lire dans l'Alphabet.

– Ah ça même ! »

Là-haut, sur le plateau, à mille mètres au-dessus de l'océan, autour d'un boucan[1] maladivement éclairé, une masse de monde noir se tenait tapie.

Il y avait la pauvre madame Fidéline. Toute son économie en billets de banque, elle l'avait enterrée dans une boîte, sous sa case. La rivière avait débordé, le papier était pourri, le comptoir le refusait parce qu'on ne distinguait plus les numéros... Quel « voyant » pourrait encore les lire ?

Mais perte de sou n'est rien à côté de tourment de fou :

Il y avait la malheureuse madame Phrodite qui, toutes les nuits, était réveillée par la voix de son défunt. Ni le prêtre, ni les hommes, ni les chiens, n'avaient pu faire retrouver son corps au fond du gouffre. Chaque minuit sonnant, cet homme-là venait tirer son pied et lui réclamait son cercueil. Comment ne pas en perdre la raison ?

Mais mal de démence n'est rien à côté de mal de méfiance :

Il y avait madame Zacharie, le parfait modèle des blanchisseuses ; de plus en plus clair, elle devinait que son sort était réglé : un mari, devenu ivrogne, avait juré de l'empoisonner. Qu'est-ce donc qu'elle devait lui faire avaler pour lui enlever l'envie de boire ?

Mais chagrin de ménage n'est rien à côté de supplices de l'âge :

Il y avait là Pa Célestin, vieux marchand de bonbons, qui s'était marié en « quatre-lits » : de nouveau veuf, il ne réussissait plus, cette fois, à trouver une femme « pour dormir dans son dos ». Il était prêt à verser gros… pour quel *gri-gri* d'amour ?

Mais peine de veuvage n'est rien à côté de peine de mariage :

Il y avait là Zina la désespérée, que la jalousie martyrisait. Son homme courait après toutes les femmes excepté la sienne. Elle avait payé « les yeux de la tête » le breuvage qui rattache un mari au lit de sa légitime. Parce que la liqueur d'un jour à l'autre avait séché, elle était venue pour un « renouvellement de sept ans ».

Mais douleur d'épouse n'est rien à côté de langueur de vierge :

Il y avait là mam'zelle Elvire, qui allait atteindre la quarantaine ; malgré les neuvaines, la communion toutes les semaines, son corps montait en graines. Comment mettre enfin le grappin sur un homme qui la conduirait à l'autel ?

Mais dépit de cœur n'est rien à côté de blessure d'honneur :

Il y avait là, sanglotant dans son coin, cette brave madame Jean-Bart qui, sa vie durant, n'avait trimé que pour élever son fils. Une jeune fille « papangue[2] » avait tourné sa tête, il avait commis « une faute en écriture ». Si celui qu'elle devait implorer n'inventait pas quelque chose pour rendre faible le cœur du Tribunal, son garçon descendait dans la prison, elle, dans le déshonneur !

Combien de mamans, visage serré sous le châle noir, étaient venues pour leurs enfants !

Toutes les calamités qu'on ne confie pas aux maîtres parce qu'on en a la honte et parce qu'ils en riraient peut-être, qu'on ne confesse pas non plus aux prêtres parce qu'on a pudeur et peur du Bon Dieu, mais surtout parce que souvent les prêtres sont des Blancs de France qui ne comprennent pas les affaires des Noirs, ce qu'on n'ose pas avouer au grand jour et qu'on dit plus facilement la nuit, les femmes montent le raconter à « l'Oreille du pays » : Sorcier !

Beaucoup d'hommes aussi ; mais ils craignaient tellement de laisser deviner sur leur figure ce qu'ils venaient demander, que chacun s'asseyait loin l'un de l'autre, tête baissée.

Et toute cette cour de suppliants tenait en mains un cadeau : coupon de toile, pièce de drap, marmites, pioches, haches, toutes sortes de marchandises. Les plus pauvres avaient porté leur dernier argent.

Par moments, du boucan clignotant sortait une visiteuse.

De l'intérieur, une voix brutale demandait :

« À qui le tour ?…

N'attendez pas le jour !… »

Une autre forme en deuil se glissait, vite, comme au confessionnal.

Cependant la Lune resplendissante arrosait les bois. Pas un panache de bambou, une flèche de filao, un caféier ne bougeait. Douce comme la mousse, toute la nuit se laissait enchanter par l'immobilité. De temps à autre, seulement, au loin, sur les habitations, des chiens, parce que la Lune devenait trop énorme, se mettaient à hurler… Puis la terre, ainsi que soulagée, remontait vers le silence de l'Astre.

Marius-Ary Leblond, *Ulysse, Cafre*, 1924, droits réservés

Compréhension et langue

1 – Dégagez le plan de cet extrait.

2 – Expliquez : « C'était un clair-de-lune noir » (l. 5).

3 – Quelles correspondances y a-t-il entre les images déchiffrées dans la Lune (l. 12 à 22) et la suite du texte ?

4 – Comment le texte introduit-il les différents consultants du sorcier (l. 26 à 63) ? Quels sont les différents malheurs successivement évoqués ?

5 – Comment expliquez-vous le surnom donné au sorcier : « l'Oreille du pays » (l. 72) ?

6 – Relevez les emprunts au langage parlé. Comment se justifie leur emploi dans le texte ?

Activités diverses, expression écrite

1 – Connaissez-vous d'autres petites formules décrivant les dessins que l'on croit voir dans la Lune ? De quel genre littéraire peut-on les rapprocher ?

2 – Quel est, selon vous, l'attitude que le texte invite à prendre à l'égard de la sorcellerie ? Qu'en pensez-vous ?

1. Cabane.
2. Oiseau de proie.

Du « roman colonial » au « roman réunionnais »

De Bernardin de Saint-Pierre à Pierre Loti, de Victor Segalen à Claude Levi-Strauss, le courant exotique qui traverse la littérature de langue française s'est manifesté tantôt par la curiosité amusée pour des paysages lointains, pour des hommes et des civilisations étrangères, dont on cherche à rendre le pittoresque, par l'attention portée à des détails ou à des décors, tantôt par le saisissement révélatoire de découvrir l'étrangeté absolue de l'autre. L'exotisme pittoresque s'est souvent vu reprocher de rester à la surface, de porter sur les mondes différents un regard extérieur, incapable donc de saisir l'essence des choses ou l'intimité des êtres.

La « littérature coloniale » (l'expression est tout à fait usuelle à partir des années 20 et 30 du XXe siècle et désigne une expression littéraire reconnue par la critique) se définit, contre l'exotisme superficiel, comme la volonté de lier une pratique littéraire à l'expansion de la colonisation. La littérature moderne des anciennes colonies, soucieuse de récupérer une identité aliénée, s'est forgée en réaction contre cette « littérature coloniale ». Cela est bien évident pour le mouvement de la négritude antillaise ou africaine.

L'évolution du genre romanesque à la Réunion comme aussi à Maurice doit se comprendre en relation avec la fortune de la « littérature coloniale ».

Marius-Ary Leblond, théoriciens du « roman colonial »

Les Réunionnais Marius-Ary Leblond sont très vite devenus les figures de proue de la « littérature coloniale ». La revue qu'ils animent à Paris (qui s'intitule d'abord *la Grande France,* puis *la Vie*) apparaît comme l'organe majeur du mouvement. Ils publient eux-mêmes une dizaine de romans aux sujets coloniaux, inspirés de leur expérience réunionnaise ou de leurs séjours en Algérie. Surtout, ils donnent en 1926 un bref manifeste dont le titre développé résume le programme : *Après l'exotisme de Loti, le roman colonial.*

Pour les Leblond, la littérature coloniale se doit d'être la littérature de l'installation dans un pays nouveau, qu'elle légitime en montrant l'enracinement dans une identité neuve. Elle s'oppose donc à tout ce qui reste extérieur dans l'exotisme d'un Loti, qui leur semble l'exemple même du voyageur pressé, se contentant de rapporter du bout du monde des décors pittoresques pour des intrigues qui sont toujours identiques : un Européen rencontre un pays étranger en la personne d'une femme avec qui se nouent d'éphémères amours. Le roman colonial prend un parti inverse, en adoptant le point de vue intérieur de la colonie : « Dans le roman colonial, nos camarades et nous entendons révéler l'*intimité* des *races* et des *âmes* de colons ou d'indigènes. » Le roman colonial vise ainsi à faire reconnaître une existence propre de la colonie, qui n'est plus un simple appendice du bout du monde.

Cela peut expliquer l'ambivalence des lectures que l'on peut aujourd'hui proposer des romans des Leblond. D'un côté, ils sont sensibles à la pluralité culturelle du monde et ils cherchent à manifester l'authenticité d'humanités différentes : « Nous concevons [le roman colonial] comme un trait d'union, un trait d'amour entre les humanités qui s'ignorent mais qui souvent se pressentent et s'attirent. » Mais, par ailleurs, ils sont incapables de remettre en question un seul instant le dogme de la supériorité absolue de la civilisation européenne. L'idée moderne du « relativisme culturel » leur reste totalement étrangère : leurs romans s'empêtrent dans les pires stéréotypes raciaux.

Le « roman réunionnais »

Quand, dans les années 1970, se manifeste une nouvelle vitalité de la littérature réunionnaise, plusieurs romans se parent, en sous-titre, de la mention « roman réunionnais » tels que *les Muselés* (1977) d'Anne Cheynet ou de *Quartier Trois Lettres* (1980) d'Axel Gauvin. Il est clair que, par cette définition, les auteurs entendent se situer par rapport à leur île, en devenir des témoins, voire des porte-parole : leur point de vue rejoindrait alors celui des Leblond. Mais ils se séparent radicalement de la « littérature coloniale » dans la mesure où celle-ci pensait la colonie comme un prolongement ou un miroir inversé de la métropole, tandis qu'eux ne connaissent pas d'autre lieu pour enraciner le texte romanesque que l'île natale. Ils se font tout proches des déshérités à qui ils donnent enfin la parole (ces « muselés » d'Anne Cheynet !), alors que les Leblond conservaient toujours une distance paternaliste pour décrire leurs personnages.

Encore plus significatif est le traitement de la langue. Les Leblond introduisaient dans leur français académique des créolismes souriants, des citations savoureuses. Un Axel Gauvin fait des dérapages, des interférences linguistiques entre créole et français, le principe même de sa langue d'écriture : la langue n'est plus un objet considéré de haut, avec la condescendance amusée du témoin extérieur, mais un instrument problématique par lequel on tente de se frayer une identité.

MARGUERITE-HÉLÈNE

Marguerite-Hélène Mahé, née à la Réunion, n'a publié qu'un seul roman, *Sortilèges créoles,* paru d'abord dans la *Revue des Deux Mondes,* en 1952, puis repris sous le titre *Eudora ou l'Île enchantée* chez l'éditeur Bellenand en 1955, avant d'être publié en version intégrale par les soins de l'université de la Réunion en 1985. Placé sous l'invocation de Gérard de Nerval, ce roman joue sur la superposition de deux destins et de deux époques : Eudora, revenant au domaine de Mahavel, au début du XXe siècle, se projette sur le souvenir de son aïeule, Sylvie de Kérouët, qui y vivait à la fin du XVIIIe siècle.

COMPRÉHENSION ET LANGUE

1 – Quelles sont les différentes étapes de ce texte ?
2 – Qu'est-ce qui déclenche l'impression du souvenir ?
3 – Comme le narrateur, avez-vous déjà éprouvé une impression de réminiscence ou de déjà-vu ? Expliquez les circonstances de ce type de souvenirs. Quels sentiments avez-vous alors ressentis ?

XXe siècle

« Ce jardin, j'y suis déjà venue »

François guide son amie Eudora vers « un verger abandonné depuis qu'il n'y a plus d'esclaves pour le surveiller ». Les deux jeunes gens arrivent devant « le tombeau du Giroflier ».

Tout en parlant, François écarta le lierre qui recouvrait les pierres de taille, les gratta de la pointe de son canif :

« Regarde la date :

JANVIER 1772

Il a été déraciné par un cyclone, paraît-il. Pauvre giroflier ! Il n'a pas eu le sort de son frère, mort de vieillesse au Bras-Mussard, près de Saint-Benoît, dans le jardin de Joseph Hubert[1].

– 1772... Sylvie de Kérouët... 1772 », répéta Eudora.

Cette date fulgura sur sa mémoire et la rendit loquace :

« Ce jardin, j'y suis déjà venue, dit-elle, affirmative.

– Tu étais si petite encore, Eudora ! C'est impossible que tu t'en souviennes…

– Papa me parlait souvent de Mahavel... C'est peut-être à cause de cela… »

En cet instant, ressurgirent en sa mémoire toutes les choses qu'il lui avait dites.

… Ce verger deux fois centenaire, elle en connaissait les espèces… les noms de ces arbres étranges... Les syllabes en sonnaient, jadis, à ses oreilles, avec des couleurs éclatantes et des douceurs de miel.

Sous ses lèvres d'enfant, les mots s'ouvrirent comme des fleurs :

« Araucaria, takamaka... »

François dit en écho :

« Grévillea, jacaranda, jamerosade... »

Elle avait rêvé d'un Jardin Enchanté et le voilà qui s'animait... Un murmure lui répondait dont elle entendit le langage. Les arbres disaient les pays lointains d'où ils étaient venus : Chine, Calicut, Brésil, Arabie Heureuse ; les grands vaisseaux qui les avaient transportés : *Triton, Atalante, Argonaute, Vierge-de-Grâce...*

« Ah ! se dit Eudora, combien d'aïeuls ont-ils passé sous leurs ombrages ? »

Ses pas suivaient leurs pas. Elle retrouvait la douceur du sol, la chanson du vent, l'odeur de ces bois.

Elle n'allait pas à la découverte de Mahavel. Elle en reprenait possession.

Marguerite-Hélène Mahé, *Sortilèges créoles,* 1952

1. Agronome et botaniste célèbre de la Réunion.

XXe siècle

« J'ai envie de vomir »

Anne Cheynet est née en 1938 à Saint-Denis de la Réunion. Elle milite au début des années 70 pour la cause de l'autonomie réunionnaise et publie des poèmes de révolte, en français et en créole (*Matanans et langoutis*, 1972). Son roman *les Muselés* (1977), présenté comme « traduit du créole », porte un regard sans complaisance sur la société réunionnaise. Il met en scène ceux qu'elle appelle les déshérités, « muselés par l'alcoolisme, l'analphabétisme, la misère, une religiosité opprimante ».

Christian Toussaint, le héros des Muselés, *raconte son éducation réunionnaise dans les années 60 : la misère familiale, la médiocrité scolaire, le travail sous-payé ou le chômage, la sexualité honteuse, mais aussi l'amorce d'une pris de conscience politique.*

Maman s'est assoupie assise sur une chaise de paille devant la cas Le soleil mange l'ombre à mesure et il lui chauffe déjà les jambes sou sa jupe noire. Mais elle ne semble pas le sentir. La bouche ouverte, el dort. Elle a bu tout à l'heure un quart entier de rhum.

Nous ne pouvons garder un sou. Dès qu'on vend un paquet d brèdes[1] elle dépense l'argent pour le rhum. Je suis obligé d'enterre quelques pièces pour acheter un peu de riz.

Je suis tracassé. Le jardin, qui n'a pas été arrosé pendant deu semaines où j'ai été malade, est complètement sec. Les plantes son mortes et la pluie ne semble pas vouloir venir du ciel pour les ressusci ter. Je m'éreinte à charroyer l'eau et le soleil sèche tout avant même qu la terre ait eu le temps de boire un peu.

Il me faut du travail. Cela ne peut continuer ainsi. J'ai demandé Colbert de m'en chercher. Mais il n'y a pas d'embauche dans son entre prise. On licencie au contraire en masse. Pas d'embauche sur les chan tiers. Il n'y a rien.

Le soleil de quatre heures cogne encore très fort sur la tôle, sur le jar din, partout. Maman, en dormant, sue à grosses gouttes. Elle a le cou e le front luisants. Une mouche s'est posée sur sa lèvre…

J'ai envie de vomir, de partir, de hurler, de faire je ne sais quo Demain il n'y a pas de réunion[2]. Georges n'est plus là. Il a été déplac par son administration. Colbert prétend que c'est parce qu'il était dange reux, que les jeunes de Saint-Paul commençaient à trop l'écouter. Et pui on avait peur de lui parce qu'il voulait faire une enquête sur la mor d'Yves[3].

Mademoiselle Selly n'a jamais voulu porter plainte, ni le vieu Nazan témoigner. Yves est enterré dans le petit cimetière de Sain Gilles. L'autre jour je suis allé voir sa tombe. La terre était encore tout molle. Un gros frangipanier juste au-dessus y semait des fleurs comm des étoiles blanches et parfumées. À part ça, il n'y a même pas une croix

Le groupe de jeunes se reformera-t-il ? De toute façon nous somme tous très surveillés par la loi. Ils ont peur de toute propagande vu qu'il a bientôt d'autres élections.

Pour moi, je n'ai plus le temps de m'occuper de politique, je suis toujours à charroyer de l'eau. Et quand je ne suis pas à la corvée d'eau, je vais partout dans les maisons pour trouver une place. J'essaie de me placer comme jardinier. C'est difficile.

Anne Cheynet, *les Muselés*,
© L'Harmattan, 1977

1. Feuilles de diverses plantes, cuisinées pour accompagner le riz (mot d'origine créole).
2. Des sympathisants du Front de la jeunesse autonomiste réunionnaise.
3. Mort mystérieuse, qui semble mettre en cause les méthodes policières.

COMPRÉHENSION ET LANGUE

1 – À quelle personne ce texte est-il rédigé ?
2 – Quels sont les personnages en présence ?
3 – Quel est le rôle social de chacun d'eux ?
4 – Comment le lecteur prend-il connaissance des sentiments du narrateur ?
5 – Quelles sont les principales préoccupations de celui-ci ?
6 – Qu'est-ce qui caractérise le style de l'auteur ?
7 – Quelle situation Anne Cheynet entend-elle dénoncer ?

ACTIVITÉS DIVERSES, EXPRESSION ÉCRITE

À votre tour, à la manière d'Anne Cheynet, et sans oublier l'importance du milieu ambiant, rédigez une scène qui dépeindra la détresse de personnages déshérités.

FRANCE
LA RÉUNION

« Tonton Calixte »

Axel Gauvin, né en 1944, est venu à la littérature par une « défense et illustration de la langue créole » (*Du créole opprimé au créole libéré*, 1977). Ses romans en français (*Quartier Trois Lettres*, 1980 ; *Faims d'enfance*, 1987 ; *l'Aimé*, 1990) lui ont peu à peu acquis un large public. Ils recréent, avec précision mais sans didactisme, l'atmosphère de la vie réunionnaise dans les années 1950. Sa langue romanesque doit beaucoup au chatoiement et à la fantaisie du créole qui lui donne sa couleur originale.

Margrite a recueilli Aimé (dit Ptit-mé), son petit-fils, dont les parents sont morts. Elle évoque pour lui les souvenirs de sa propre enfance, à Vincendo, quand sa famille, les Bellon, était riche et florissante.

– Écoute-moi bien, Ptit-mé Hoarau : monsieur Antoine-Joseph Bellon, propriétaire de l'établissement qui brasse les cannes de Saint-Philippe à Petite-Île, tirait le nid de guêpes à la fumée de cigarette !... « *Kap*[1] *! À nous la bonne friture !...* » Il y a toujours eu un petit grain de folie dans la famille ! Comment veux-tu que « les autres » n'en aient pas profité ! En moins de deux encore ! Ils sont venus avec leurs Craven-bouts-dorés, ils ont soufflé leur boucane[2] sur le « nid » Bellon, et... « *Kap !* », à eux les bons moulins à cannes, les immenses carreaux de terre autour !...

« ... En parlant de folie, Tonton Calixte l'avait au degré au-dessus, la folie. Les guêpes, lui, il les endormait à sa vieille odeur de chiens et de sueur mélangés. Il faut dire qu'il ne se lavait pas souvent, 'Ton Calixte. Jamais probablement. Du moins à Vincendo, parce qu'il avait bien changé sur ses vieux jours. Ma Grand-mère à moi, sa mère donc, disait qu'il attendait – il avait fait la guerre de 1870 – l'occasion de revoler au secours de l'empereur pour se laver de nouveau à la neige fondue. Et puis il dormait avec ses chiens !

« Avec les intérêts de sa part d'héritage (il ne savait même pas que cela rapporterait des intérêts !), 'Ton Calixte, tout près de la Grande Maison (Antoine-Joseph, mon père, l'aîné de la famille, lui en avait bien entendu donné l'autorisation), s'était fait construire une espèce de cuisine, une sorte de calbanon[3] plutôt. Chose extraordinaire (mais, dès que tu pourras marcher, je t'en montrerai l'exacte réplique dans notre propre cuisine), quand tu ouvrais la porte de ce calbanon, à part quelques peaux de lièvre, vieilles vestes et vieux pantalons pendus aux poutres, son fusil – quand il n'était pas à la chasse –, chose extraordinaire, tu trouvais, en plein milieu du sol en terre battue, une grosse pierre ronde et lisse, une sorte de crâne chauve immense – mille fois la tête à Grand-père Gaétan !

« 'Ton Calixte disait que cette pierre était sa véritable maison. Que le toit dessus n'était là que pour lui cacher les étoiles dont la lueur l'empêchait de dormir ! En tout cas, c'était sur cette pierre qu'il s'asseyait pour, assiette dans le creux de la main, manger ce que Manman – 'Ton Calixte refusait de venir à table avec nous – m'envoyait lui porter au repas du soir. Du soir seulement, car dès Véli, l'étoile Quatre-Heures, jusqu'à la tombée du jour, lui et sa meute étaient introuvables.

« C'était autour de ce crâne chauve, à même le sol, qu'ils dormaient tous ensemble, oncle et chiens. Mais je vais te confier quelque chose – tu ne le répéteras à personne, promis ! : moi aussi j'en étais, et plus d'une fois encore ! Dès qu'on m'avait mise au lit, dès qu'on avait éteint la lampe à pétrole, je débasculais[4] ma porte en silence, sortais pieds nus, courais silencieusement sur les grandes dalles de l'allée bordée de pluies d'or et d'immenses fougères cornes de cerf, et j'allais gratter à l'unique battant du calbanon. Les chiens me recevaient en poussant des petits cris de joie, et l'oncle un grognement de malvenue. Mais au fond de lui, il était fier et heureux, Tonton Calixte. Il allait me chercher une sézi de vakoi[5], qu'il déroulait contre la pierre, et je m'endormais collée contre elle, la tête posée sur les pieds cornés de l'oncle, qu'aucune chaussure ne mettait jamais au bloc, avec, en guise de couverture, ses chiens, ses chiennes, toute sa meute de roquets.

« Personne n'en a jamais rien su, sauf Louisette, la lingère. Mais comme elle m'aimait bien…

« Pour en revenir aux guêpes, à distance raisonnable du nid, 'Ton Calixte posait son fusil à plat sur le sol. Avec ses ongles, il se raclait aux aisselles toute l'odeur possible de vieille sueur, de transpiration rancie, se l'étendait sur le visage, s'en frictionnait les bras, les cheveux. Puis il avançait, calmement. Elles s'écartaient devant lui, les malheureuses guêpes. Il leur volait case et enfants, et elles ne disaient rien, hébétées qu'elles étaient par ces relents que j'étais seule à supporter. Et lui aussi, *kap !* – il ne disait pas *kap !* il ne disait d'ailleurs pas grand-chose à cette époque-là – mais, *kap !* d'un geste rapide et précis, il t'arrachait le guêpier.

« 'Ton Calixte, laissant le tourbillon jaune dans la broussaille à la recherche du nid perdu, s'asseyait sur ses talons à côté de son fusil. Il défaisait pièce après pièce la construction de papier mâché ; il mangeait crues les larves qu'elle contenait, du moins si celles-ci n'étaient qu'en rouleau…[6]. Les nymphes, il trouvait qu'elles ressemblaient trop à la Vierge Marie, ce qui l'obligeait à faire le signe de croix avant de les sortir de leurs alvéoles, à ne pas les manger, mais ne l'empêchait pas de les lancer à ses chiens.

Axel Gauvin, *l'Aimé*,

COMPRÉHENSION ET LANGUE

1 – Quelles sont les différentes étapes du texte ?
2 – À quoi voit-on que le récit est oral, adressé par la narratrice à son petit-fils ?
3 – Que nous apprend le texte sur Tonton Calixte ?
4 – Quelle est la métaphore qui est développée dans le premier paragraphe ?
5 – Le texte use d'une langue où apparaissent des mots ou des expressions créoles. Donnez-en des exemples. Quel est, à votre avis, l'effet produit ?
6 – Ce récit vous paraît-il situé à une époque précise ? Justifiez votre réponse à partir du texte.
7 – « 'Ton Calixte disait que cette pierre était sa véritable maison » (l. 29). Qu'en pensez-vous ?

ACTIVITÉS DIVERSES, EXPRESSION ÉCRITE

Connaissez-vous d'autres écrivains qui inventent, comme Axel Gauvin, une langue littéraire mêlant au français des emprunts à d'autres langues ou dialectes ? Ces tentatives ont-elles été bien accueillies ? Quels arguments peut-on donner lorsqu'on est pour ou contre ?

1. Onomatopée indiquant la saisie brusque de quelque chose.
2. Fumée.
3. Créolisme pour « cabanon ». Le mot désigne, à la Réunion, le logement des travailleurs agricoles.
4. Ouvrais en faisant pivoter la barre de fermeture (créolisme).
5. Natte de feuilles tressées.
6. Encore sous forme d'asticots.

« Tu veux voir le Bondieu ? »

Le destin d'Alexina, la narratrice de la Nuit cyclone, *se noue au matin d'un dimanche de juillet, sur le chemin de la messe en compagnie de son père, Pa Rémon.*

Le soleil avait grimpé dans le ciel, et le miroir de l'étang reflétait le mauve fané des fleurs de canne. Pa Rémon voulait ôter les savates de boue qui lui collaient aux pieds. Il me demanda de tenir son chapeau, retroussa son pantalon kaki avant de descendre par un petit sentier jusqu'à une roche plate. Je crois qu'il voulait surtout laver son angoisse, se débarrasser de ses mauvaises pensées avant de se présenter cœur propre devant le curé Célestin. J'avais compris son manège, et me contentai de sourire.

Il me revint cinq minutes après, le visage ruisselant. On aurait dit qu'il venait de pleurer l'eau de l'étang, tant son regard était aussi neuf qu'un ciel après la pluie.

À ma grande surprise, il me demanda :

« Tu veux voir le Bondieu, Alexina ? »

Je haussai les épaules, ne sachant que répondre. Il poursuivit sur un ton convaincu :

« Tu vois, je pourrais te le montrer le Bondieu. Pas un Bondieu galet la mer, pas un Bondieu cœur bois de fer qui aime l'argent des pauvres bougres. Non ! un Bondieu vivant qui aime la vie. Bondieu-là, il écoute le pas d'un Cafre qui laisse une trace sur la terre. Il écoute la parolie d'un Noir débraillé, qui marche cœur léger sur la main.

– Il est où ce Bondieu ?

– Il est là ! », me répondit-il, en regardant autour de lui.

D'un geste de la main, il me montra le vert mouvant des sonjes[1] dans l'eau, le blanc des nénuphars, le mauve effilé des fleurs de canne ; plus loin, les panaches des bambous qui accrochaient des éclats de soleil. Puis il tourna la tête dans la direction opposée afin de me faire découvrir la cheminée de La Cafrine qui bougeait derrière les feuilles des cocotiers, et le ciel paille-en-queue[2] qui blessait mes yeux.

De nouveau son regard se posa sur les fleurs des nénuphars dont la blancheur le fascinait.

« Tout ça appartient au maître, lui dis-je. Le maître, c'est le Bondieu ?

– Le maître, c'est rien sans nous. On a peur de lui parce qu'on n'est pas plus futés que l'âne de Julien-le-fou. Il n'est pas le Bondieu. Toi, Alexina, tu iras à l'école. Tu apprendras ce qu'on ne sait pas. C'est comme ça qu'on n'aura plus peur ni du maître, ni du diable, ni du Bondieu. »

Pa Rémon remit son chapeau la roue-l'auto[3], m'aida ensuite à traverser le pont de bois en me tendant la main. Tête baissée, je ne remarquai pas que sous le chapeau me guettait un air de folie : c'était décidé, ce dernier dimanche du mois de juillet ne nous verrait pas à l'église priant

Jean-François Samlong, né en 1949, lié au mouvement de la « Créolie », a publié des poèmes, des romans, des essais de critique littéraire et des anthologies des poètes et des romanciers réunionnais. Sa grande connaissance de la culture réunionnaise nourrit ses romans (*Terre arrachée*, 1982 ; *Madame Desbassayns*, 1985 ; *Pour les bravos de l'empire*, 1987 ; *Zoura, femme bon Dieu*, 1988 ; *la Nuit cyclone*, 1992), qui composent un tableau historique saisissant et suggestif de la culture réunionnaise. Son écriture évolue vers une prise en compte plus marquée de l'imaginaire et de la langue créoles.

Jésus cloué sur sa croix, en revanche on vivrait sa passion dans le froissement des cannes, dans le vol des oiseaux béliers, dans le jeu des enfants qui chassaient le caméléon endormi sur les branches des corbeilles d'or. Assis sur un rayon de soleil, on regarderait le temps passer jusqu'au moment où la cloche annoncerait la fin de la grand-messe.

Jean-François Samlong, *la Nuit cyclone,*
© Grasset, 1992

COMPRÉHENSION ET LANGUE

1 – Distinguez les différentes étapes de ce texte ; donnez un titre à chacune d'elles.
2 – Qui raconte l'histoire ? Distinguez récit, dialogue et description.
3 – Comment peut-on se représenter Pa Rémon d'après ce texte ?
4 – Qu'est-ce que le « Bondieu » pour Pa Rémon ?
5 – Pourquoi Pa Rémon renonce-t-il à se rendre à la messe ?
6 – Quel est, d'après les lignes 33 à 36, l'intérêt qu'il y a à aller à l'école ?
7 – Trouve-t-on le mot « parolie » (l. 19) dans le dictionnaire ? Comment le comprenez-vous ?
8 – Expliquez la dernière phrase.

1. Du malgache sonjo, *nom du « taro » dans les Mascareignes.*
2. Oiseau des Mascareignes à longue queue blanche.
3. Ainsi appelé à cause de sa forme.

FRANCE
LA RÉUNION

DANIEL VAXELAIRE

Daniel Vaxelaire, né en Lorraine en 1948, est un Réunionnais d'adoption : travaillant dans l'île comme journaliste, il s'est peu à peu intégré au monde créole et a puisé dans l'histoire des îles la matière de romans historiques où il donne libre cours à son plaisir de raconter des histoires (*Chasseur de Noirs*, 1982 ; *l'Affranchi*, 1983 ; *les Mutins de la liberté*, 1986 ; *les Chasseurs d'épices*, 1990 ; *Grand-Port*, 1992).

XXe *siècle*

« Quand tu seras libre »

L'Affranchi *évoque l'épisode historique de l'émancipation des esclaves en 1848 : Sarda-Garriga, envoyé à la Réunion par le gouvernement de la République, vient de faire enregistrer le décret prévoyant la fin de l'esclavage.*

Ce fut comme si on avait donné un coup de pied dans une fourmilière. Et nos terres, qui les cultivera ? Et la canne de cette année, qui la rentrera ? Et cette indemnité dont personne ne parle ? Et les fusils qui devraient nous défendre ? Mais le vacarme fut de courte durée, et les colons, affolés, se recroquevillèrent dans l'attente de l'orage : il était trop tard, maintenant, pour se lamenter.

Dans les camps de Noirs, l'ambiance était tout autre. Fallait-il s'extasier, chanter sa délivrance ? Les vieux, dans leur grande majorité, instruits par le passé, prônaient une expectative muette ; il serait bien temps de rire demain, quand les chaînes tomberaient. La prudence conseillait de travailler et d'obéir comme auparavant : qui pouvait certifier que tout cela n'était pas une astuce de Blancs ?

Les jeunes et les instruits étaient moins patients. Dans des journaux déchirés, sur les affiches placardées aux murs, par les bruits qui s'infiltraient dans les habitations les plus isolées, ils découvraient la certitude de la délivrance proche. Alors s'ouvrait grande la porte de tous les rêves.

« Que feras-tu quand tu seras libre ?

– J'achèterai un peu de terre pour y planter des cannes. Et quand j'aurai de l'argent, j'achèterai deux Noirs », répondait l'autre, qui n'avait rien compris.

Au reste, qui comprenait ? Tous étaient en proie aux incertitudes qu'avaient connues Étienne et Sidonie, dix-sept ans plus tôt[1]. Mais ceux-là les vivaient tous ensemble, dérivaient en bloc, sans point de repère, vers le même but.

Comment imaginer ce monde futur où plus personne ne serait esclave ?

« Nous serons citoyens, comme les Blancs et les libres, expliquaient certains.

– Avec des grandes cases, avec des terres ?

– Non, libres sans rien, comme ça même.

– Alors qu'est-ce qui changeait ?

– Tout : nous serons libres. »

Ils avaient bien du mal à concevoir cette société où tous seraient en haut et personne en bas. Ce n'était pas comme un affranchissement, comme la récompense exceptionnelle accordée par un bon maître à un bon esclave. C'était l'émancipation de tous, un cadeau brutal tombé du ciel.

Daniel Vaxelaire, *l'Affranchi*,

COMPRÉHENSION ET LANGUE

1 – À quel groupe social est attribué le point de vue exprimé dans le premier paragraphe ?
2 – Expliquez : « Les vieux [...] prônaient une expectative muette » (l. 8-9).
3 – Quelle est l'attitude des « jeunes » et des « instruits » parmi les Noirs ?
4 – Pourquoi l'abolition de l'esclavage est-elle si difficile à imaginer ?

1. Ils avaient alors été affranchis par leur maître.

Jean Lods, né en France en 1938, a passé toute son enfance à la Réunion. Il a exercé son métier d'ingénieur à Paris, mais il est revenu à la Réunion de son enfance par l'écriture romanesque (*la Morte Saison,* 1980 ; *le Bleu des vitraux,* 1987 ; *Sven,* 1991) et les lecteurs réunionnais ont généralement adopté cette œuvre où se déploient passions et fantasmes insulaires.

COMPRÉHENSION ET LANGUE

1 – À quoi tient l'étrangeté de la première phrase ?
2 – Peut-on séparer, dans le texte, un plan de la « réalité » et un plan de l'« imaginaire » ? Qu'est-ce qui, selon vous, s'est passé, « ce matin-là » ?
3 – L'évocation des « sonjes de la rive » (l. 10) a-t-elle seulement une fonction descriptive ?
4 – Quel rapport peut-on établir entre la description de l'aube dans le troisième paragraphe et la découverte de la noyée (l. 12).

XXe siècle

« Une morte dans l'étang »

Cette page d'ouverture de la Morte Saison, *très étrange, s'éclaire quand le lecteur comprend que le narrateur revit son enfance où il s'amusait à mêler réalité et fiction empruntée aux romans d'aventure qui le passionnaient.*

Ce matin-là comme tous les autres il y avait une morte dans l'étang.

Ma fenêtre était au premier étage. Je me suspendis par les mains au rebord et me laissai descendre lentement le long du mur. Puis je sautai sur le sol et courus vers l'étang à travers la prairie.

L'herbe était blanche de rosée. Le soleil commençait à galonner la crête des montagnes qui ceinturaient le cirque. Un duvet de brume flottait au-dessus du sol. Arrivé sur la berge, je me retournai vers la maison : je savais que la vieille bonne était déjà dans la cuisine, mais la porte en était fermée. J'avais dix minutes devant moi.

Je montai sur le radeau accoté aux sonjes[1] de la rive. Une ride molle se détacha, taillant l'eau empoussiérée de brume. Je donnai de la perche jusqu'au milieu de l'étang, là où flottait la noyée dans sa robe étale, le visage affleurant à peine, voilé par les vapeurs qui s'évanouissaient en montant vers les lourds panaches fumeux que les bambous géants inclinaient au-dessus de l'eau.

Je saisis la morte par sa longue chevelure blonde qui traînait derrière elle comme une plante d'eau. Je l'amenai contre le radeau et je la tirai sur les troncs en la prenant aux aisselles. Ses paupières fermées avaient la pâleur de la lune. Prisonnier dans le filet des mèches trempées, un minuscule poisson rouge battait frénétiquement de la queue contre un tronc, avec un bruit haché semblable à celui des ailes d'un papillon contre une vitre.

Je repris la perche et gagnai la rive opposée, celle que les immenses bambous recouvraient de leur ombre froide. Les longozes[2] de la berge se couchèrent en crissant sous la poussée du radeau qui vint s'échouer avec un lent balancement. Je sautai dans l'eau qui m'arrivait aux mollets à cet endroit-là, et je tirai la noyée jusque sur le lit de feuilles sèches qui tapissaient le sol entre les cierges sombres des bambous géants dont les mèches lointaines et vertes, allumées par le soleil naissant, frissonnaient dans le ciel. Debout aux pieds de la morte je traçai dans l'air un signe de croix, puis je l'ensevelis sous une litière de feuilles lancées à pleines mains. Quand elle eut disparu je regagnai la maison en courant. J'entrai par la cuisine où la vieille bonne me demanda si j'avais attrapé quelque chose.

« Non, dis-je, il n'y avait pas d'anguille. »

Jean Lods, *la Morte Saison,*

1. Nom régional (d'origine malgache) d'une variété de taro.
2. Plante ornementale.

Jean Albany (1917-1984) a gardé très vivaces, dans son long exil parisien, le souvenir et l'amour de son île de naissance. Au fil des recueils dont il a été lui-même l'éditeur (*Zamal*, 1951 ; *Miel vert*, 1966 ; *Bal indigo*, 1976 ; *Amour oiseau fou*, 1985, etc.), il a fait de la poésie, de plus en plus marquée par sa passion pour la langue créole, un sûr moyen de revenir au pays natal. En rompant avec l'académisme longtemps de rigueur dans l'île, il a été l'initiateur de la modernité littéraire réunionnaise.

L'île

Ce poème rêve la prodigieuse genèse de l'île natale.

Au commencement Dieu rêva le monde
Puis il eut le désir
D'une île paradis
La mer était unie saphir
Diamant de Golconde[1]
Rose au jardin de Saadi[2]
Dieu voulut une île verte comme un pic
Verte comme un grain d'anis
Et fit surgir d'un coup un cratère à pic
Crachant la lave et le feu à la ronde
Avec un géant souffle de geyser
Vagues en trombe
Laves au tombeau
Flammes en rouleaux
Ciel contre enfer
Puis ce fut l'apaisement
Les cendres l'écume
Le silence étrangement
La terre enclume
Le flot marteau
Puis vint l'aurore irréelle rivière
D'ombres et de lumières
Les oiseaux migrateurs y passèrent et chantèrent
Et voici nostalgique un chant à leurs petits
« J'ai gazouillé en des pays de neige et de froideur
Et j'ai frôlé cette île un jour brisé de peur
La pluie les éclairs mouchetaient mon plumage automnal
De la couleur du soufre et des laves rougeâtres
Et j'ai repris mon vol vers les forêts d'albâtre
Les océans gelés les fleuves abolis
À jamais fasciné par le mirage austral
– Je vins un jour m'abattre
Me siffla un courlis
Parmi les mornes éboulis
Avec le vent porteur de graines de fataque
Avec le vent porteur d'ailettes de sycomore
J'ai tournoyé dans l'air opaque
Sur l'eau rose aux madrépores
Aux crêtes de cratères éteints et corrodés
Et j'ai vu le lichen et la mousse
J'ai tournoyé sur les remparts plus secs
Et j'ai vu des oiseaux inconnus
Autres pattes autres plumes autres becs
Cingler rêvant d'un îlot vert vers d'autres nues ».

Jean Albany, *Zamal*, 1951

1. *Ville de l'Inde, dont les trésors étaient légendaires.*
2. *Célèbre poète persan du XIIIe siècle, qui a écrit* le Jardin des roses.

Bal

Ne conservant que des traces de la versification classique, ce poème est très représentatif de la manière de Jean Albany.

La ville est sa danseuse et bruit le vent
Sous les palmistes secs.
Les Noirs s'en vont rêvant
Soûlés au rhum des coups-de-sec
Vers le port vers les quais
Où le cri des fouquets[1]
Balise leurs détours.

L'ombre tremble alentour…

Au bal ils ont chanté,
Dansant des maloyas[2] et la vague a porté
Leurs cris dans les remous de ses courants rebelles.
Le ciel a tournoyé comme une immense ombelle.

Alors la nuit n'est plus qu'efflorescence verte,
Tacite de parfums à l'infini des lacs.
Au lever du soleil couleur de jamalacs[3]
Les pitons seront bleus dans la brume entrouverte.

Jean Albany, « Poèmes », in *Action poétique*, n° 107-108, 2e trimestre 1987, Puteaux

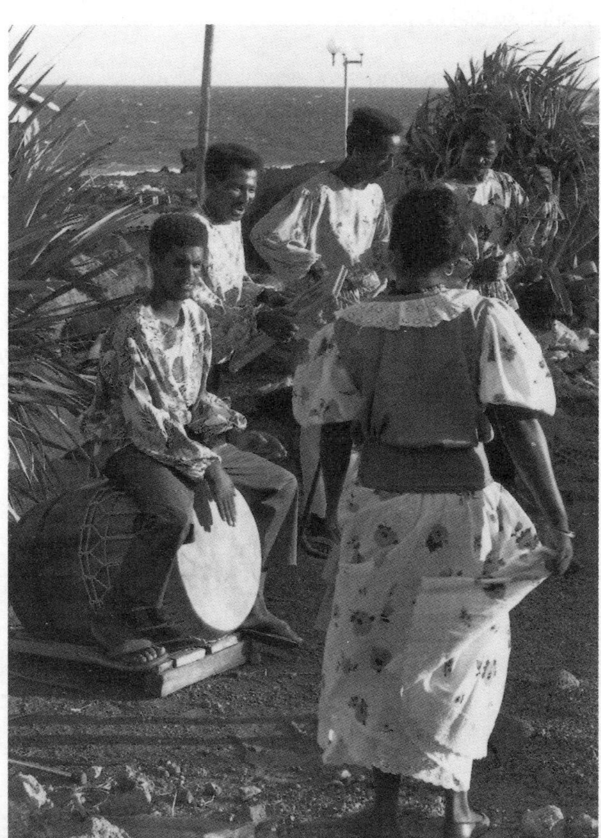

Compréhension et langue

L'île

1 – Comment ce poème est-il construit ?
2 – Autour de quel(s) thème(s) dominant(s) les images s'organisent-elles ?
3 – Que ressentez-vous à la lecture de ce poème ?
4 – Retrouvez chez d'autres auteurs l'évocation d'une « île paradis ».

Bal

1 – Étudiez la versification de ce texte. Comment est-il composé ?
2 – Dégagez le thème général de ce poème.
3 – Relevez les termes caractéristiques des coutumes des Noirs. Quelle est l'origine du maloya ?

Activités diverses, expression écrite

Connaissez-vous d'autres écrivains qui ont rêvé, comme Jean Albany, sur la naissance de leur île natale ? Quels sont les points de convergence et les différences ?

***1.** Oiseaux de mer.*
***2.** Chants et danses typiquement réunionnais.*
***3.** Fruits, de couleur vermeille, de l'arbre portant le même nom.*

FRANCE
LA RÉUNION

ALAIN
LORRAINE

Alain Lorraine, né en 1946, journaliste et poète, a milité en faveur de l'autonomie de la Réunion. Son premier recueil, *Tienbo le rein,* suivi de *Beaux Visages cafrines sous la lampe* (1975), dédié « aux z'enfants la misère de ce pays qui naît », donnait l'exemple d'une poésie de colère et d'espoir. Son second recueil, *Sur le black,* a été publié en 1990.

XXe siècle

Village natal

Le martèlement des répétitions et des allitérations donne sa force à ce poème de combat.

Village natal
Visage métal
brillant de fer au soleil midi qui fait mal
Les rails du train de sucre
Haleine de vapeur épuisée
Contre les cannes farouches
Déjà trop loin de mes mains
Un village perdu
Largué au bas de ma vie
Une seule fumée native de ses maisons fermées
Un seul enfant par jour
au jeu de l'oiseau-malheur
Face aux matins rebelles
Ce village rencontré
        éloigné
        insaisi
        interdit
mal-lové autour des passants de pluie
mal-aimé au beau fixe de l'alcool
Village non-fini
Pas d'oubli rouillé sur le macadam
Un seul enfant sur les pas blessés de la solitude
et dans sa tête brûlante toujours la même tourmente
                                        la même souffrance
                                        la même violence
Village natal
Visage métal explosé enfin

Alain Lorraine, ***Tienbo le rein,*** **suivi de**
Beaux Visages cafrines sous la lampe,

COMPRÉHENSION ET LANGUE

1 – Donnez en quelques mots le thème principal de ce poème.
2 – Comparez les vers 1-2 et 26-27. Que peut-on en conclure ?
3 – Étudiez les jeux de parallélisme et de symétrie.
4 – À travers quelles images le village est-il évoqué ?
5 – Relevez les termes qui permettent d'associer le poète et son village. Quel(s) est(sont) le(s) sentiment(s) exprimé(s) ?

GILBERT AUBRY

« L'âme de ton île »

La poésie de Gilbert Aubry est directe, indignée, sensible. Elle parle de l'île natale en refusant tous les mensonges exotiques. Elle sait dénoncer la misère, dire la souffrance, indiquer le chemin de l'espoir, comme dans cet extrait qui compose la fin du long poème « Peuple corallien ».

Écoute…
Écoute dans l'Alizé
L'appel de l'ancive[1]
D'une barque à l'autre relié.
Quand d'un piton à l'autre
La campagne répond à la mer
Ton peuple cherche son âme !

À travers les champs de cannes
À travers le géranium et le
[vétiver
Les paysans de chez nous
Ne s'y trompent pas.
Ils s'habillent de cette force
Qui colle à la terre
Et la soulève en récoltes
[nourricières
Pour une civilisation à venir
Qu'ils espèrent tranquille et forte
Comme autrefois la prière
À l'angélus du matin.

Aux temps de duresse
Et des cages de béton,
Sois donc partisan de l'homme
Et de l'Homme libre !
Sois donc partisan d'un peuple
Et d'un Peuple libre !
Écoute… écoute encore l'Alizé
Clamer que ton île a une âme…

Une âme
Baignée par le vent du grand large
Qui t'emporte plus haut
Que les vallées et les collines
Là où la profondeur de la paix
N'a de nom que le berceau du
[silence.
Avant la genèse des mondes,
Avant les astres dans le ciel
Et le sable au rivage de la mer
Tu y trouveras
L'âme de ton île et de son peuple
Au cœur d'un Peuple
Engendré de Parole Éternelle.
Les morts ressuscités y bondissent
[de joie
Et la poussière de nos chemins
Scintille en rosée lumineuse
Car aujourd'hui se lèvent
Des fils de lumière
Hommes libres et forts
De certitude immortelle !

Quand l'Alizé souffle de son sud
[invisible
Entends-tu au loin cette rumeur
[océane ?
Écoute ce frémissement du terroir
Qui se dresse en montagnes
Pour clamer aux oreilles des sourds
Que notre île a une âme !

Gilbert Aubry,
***Rivages d'alizé*, 1971**

Gilbert Aubry, né en 1942 à Saint-Louis, ordonné prêtre en 1970, nommé évêque de la Réunion en 1976, a choisi d'approfondir son enracinement dans son île natale. Rédacteur en chef de la *Croix du Sud*, hebdomadaire catholique (1971-1976), éditeur de plusieurs anthologies de poésie réunionnaise, il a publié un recueil de poèmes, *Rivages d'alizé* (1971), qui a plusieurs fois été réédité. Son « Hymne à la Créolie » (1978) popularise la thématique de l'identité culturelle créole. Il a rassemblé ses textes d'action dans *Pour Dieu et pour l'Homme… réunionnais* (1988) et ses poèmes dans *Poétique mascarine* (1989).

1. Gros coquillage percé d'un trou et utilisé comme trompe d'appel.

JEAN-HENRI

Jean-Henri Azéma, né en 1913, appartient à une famille de vieille souche réunionnaise. Contraint à l'exil en Argentine en 1945 pour son activité pendant la Seconde Guerre mondiale, il découvre en Amérique latine la réalité de l'oppression sociale et des luttes de libération nationale des peuples naguère colonisés. À partir de 1978, il revient à plusieurs reprises dans son île natale. Sa poésie (*Olographe*, 1978 ; *D'azur à perpétuité*, 1979 ; *le Pétrolier couleur antaque*, 1982 ; *le Dodo vavangueur*, 1983 ; *Au soleil des dodos*, 1990) fait le bilan de sa vie et de ses retournements. Elle est surtout le moyen de retrouver le chemin d'une fidélité au pays natal et à sa langue et d'approfondir sa découverte de la solidarité avec les victimes de l'ordre esclavagiste.

XXe siècle

Zacavouelles vaza-bé

Remontant dans ses souvenirs, le poète retrouve l'image de sa maison natale et les expressions créoles qui ont accompagné son enfance.

Il y a si longtemps que je suis né
Des pierres dans mes yeux regardent le feu
natal en remontant les fleuves arqués des bambous
La case où je suis né ruisselle d'aurores vermoulues
et les bardeaux du toit carapacent d'écailles les années vécues
Il me suffirait de pousser le barreau La vie dans son vatévient
l'a fané les mauves voilettes tourterelles des tôboses[1]
Rue Saint-Joseph 139 Les marchands de glaces et de sorbets
verts ou le crieur de la nuit apaisent-ils toujours
les terreurs granmère Kalle[2] des zacavouelles vaza-bé[3]

Jean-Marie Azéma, *le Dodo vavangueur*, 1983

1. Femmes de compagnie d'un certain âge. Font office de duègnes.
2. La fée Carabosse des petits Réunionnais.
3. Terme familier qu'utilisent les mères et les nénaines pour désigner un enfant turbulent. Vaza-bé est un mot malgache qui signifie patron, maître, gros Blanc (Albany, P'tit glossaire*).*

La Réunion au début du siècle : Saint-Philippe.

« *Dessous les lignes de flottaison* »

Un long poème, « Le grand passage à l'ombre du chabouc », dans le recueil le Pétrolier couleur antaque, *juxtapose abruptement des extraits de journaux de bord des bateaux négriers et la méditation lyrique du poète sur l'horreur de l'esclavage.*

Journal de bord

Un capitaine revenant de Zanzibar en 1808 écrit « l'eau embarquant de toutes parts... je me suis vu contraint de condamner les panneaux... le lendemain... j'ai été frappé d'étonnement en voyant tous les noirs accumulés les uns sur les autres et baignés de leur sang. Il a été vérifié que 131 noirs appartenant à l'armement et 35 de port permis ont été victimes de ce fatal événement ». En 1774, le prix courant d'un nègre adulte était de 240 pesos forts ; en 1780 un nègre qualifié se cotisait 300 pesos forts ; les jeunes nègres et négresses 280 au prix le plus bas.

« 31 de octobre 1767 Acheté une femme noire pour deux fusils de traite, 100 livres de poudre, 1 bouteille d'eau de vie. »

oh vous n'entendez-vous pas dessous les lignes de flottaison
cogner pieds et poings la séga des lignages au calvaire de la mer
des pans de mémoire s'effondrent aux frontières des moraines[1]
nul ne veut se souvenir des cicatrices infligées à la Terre
du temps de sa jeunesse des Dogons[2] et des Peuls[2] bleutés
Afrique Afrique un remords récessif[3] rebute les vieilles fêlures
comme si un Dieu en moi et à jamais banni
jusqu'en l'île dinarbine[4] ravivait l'inventaire de la Traite
pour me charger de chaînes aux chamarres[5] d'archipels
que de Grandes Pluies Hautaines anticipent au prélude des galets

Nous les connaissons tous ces victimaires[6] de la mer et leurs verroteries
sous les vanilliers d'indélébiles sillages attestent le litige
et échange interlope en rade des Comptoirs où siègent les Compradores[7]
des itinéraires margouillent[8] sur les vieux parchemins et les lettres patentes
côte-ouest côte-est un même bruit de pas se répercute sur le buccin[9] des vents
chevaux échevelés les vagues par escadrons escortent les Zumacas
l'Afrique est un bob[10] blessé jetant des litanies en pâture aux poissons
cogne cogne le bob cogne cogne la mer aux étambots[11]
sur les reins de l'Homme Noir s'encordent des goémons plus visqueux que vipères
– seule parfois une lame plus douce enserre les chevilles de l'esclave nubile de bracelets d'argent

Jean-Henri Azéma, *le Pétrolier couleur antaque*, 1982

Compréhension et langue

Zacavouelles vaza-bé

1 – Proposez une ponctuation pour le poème.

2 – Quel vous semble être le point de départ du poème ?

3 – Quels sont les souvenirs marquants que le poète garde de son enfance ?

4 – Quels sont les mots et les tournures qui portent des marques créoles ? Pourquoi le poète les emploie-t-il ?

« Dessous les lignes de flottaison »

1 – Caractérisez le ton du « Journal de bord ». Quel effet peut-il produire sur le lecteur ?

2 – Proposez une ponctuation pour la partie versifiée du poème.

3 – À qui s'adresse le poète dans cette partie versifiée ?

4 – Relevez les termes qui appartiennent au champ sémantique de la mémoire. Pourquoi sont-ils nombreux ?

5 – Par quels termes et images l'esclavage est-il évoqué ?

6 – Expliquez : « la séga des lignages » (l. 12) ; « au calvaire de la mer » (l. 12) ; « l'Afrique est un bob blessé » (27).

7 – Expliquez le dernier vers du poème. Quel est l'effet produit ?

1. Accumulation de débris de roches entraînés par les glaciers.
2. Peuples d'Afrique de l'Ouest.
3. Latent (qui produit un effet à retardement).
4. Un des noms anciens de la Réunion.
5. Néologisme, du verbe « chamarrer » (= orner de couleurs variées et vives).
6. Sacrificateur, qui frappait à mort les victimes.
7. Intermédiaires dans le commerce entre les compagnies coloniales et les indigènes.
8. D'un vieux verbe « margouiller », signifiant « salir ».
9. Coquillage servant de trompe.
10. Instrument de musique d'origine africaine ou malgache, sorte de violon.
11. Partie du navire soutenant le gouvernail.

Île Maurice : le Peter-Booth.

L'ÎLE MAURICE

« Nos aïeux venaient tous de quelque part ; nous avons pour mission de continuer leur exil dans un lieu devenu pays natal. »

Édouard J. Maunick,
Anthologie personnelle, 1989

Littérature mauricienne

Le *Voyage à l'île de France* (1773) et surtout *Paul et Virginie* (1788) de Bernardin de Saint-Pierre, ingénieur français ayant séjourné deux ans dans l'île, sont en général considérés comme les textes fondateurs de la littérature mauricienne. En fait, Bernardin gardait un regard encore extérieur, voire exotique sur l'île et ses habitants. La littérature mauricienne commence vraiment quand les Mauriciens réagissent aux images de leur île et d'eux-mêmes qu'on leur propose, pour les accepter, les intérioriser ou les rejeter plus ou moins violemment. Il est sans doute significatif que l'une des premières publications d'un Mauricien de naissance soit une *Réfutation du Voyage à l'île de France de Bernardin de Saint-Pierre* par Tomi Pitot, animateur de la société intellectuelle de la « Table Ovale ».

Littérateurs du XIXe siècle

L'imprimerie, introduite dans l'île en 1768, a d'abord permis l'impression des publications officielles de l'administration et de quelques gazettes et feuilles d'annonces. Les voyageurs de la fin du XVIIIe siècle déplorent le manque d'intérêt des habitants de l'île de France pour les choses de l'esprit : ce sont des hommes d'affaires, des commerçants, des aventuriers, qui souhaitent faire fortune rapidement. Cependant, la Révolution introduit le goût des débats et l'on voit se fonder des clubs et des sociétés littéraires. C'est d'abord la « Table Ovale », où l'on se réunit pour festoyer et déclamer poèmes et chansons ; la « Table Ovale » entretient des relations avec le célèbre « Caveau » animé à Paris par le

Pont de la Grande Rivière du Port Napoléon (Port Louis).

chansonnier Béranger, qui jouit alors d'un immense prestige. On peut citer aussi la « Société d'émulation intellectuelle » qui, tout au long du siècle, œuvrera pour la promotion des intellectuels de couleur.

Dès 1803 paraît, imprimé à Maurice, l'étonnant roman de Barthélemy de Froberville, *Sidner ou les Dangers de l'imagination,* inspiré de Rousseau et du *Werther* de Goethe, situé dans un décor hivernal très peu mauricien. Mais les littérateurs mauriciens du XIXe siècle délaissent le roman pour la poésie. Ils déclament leurs poèmes dans les cercles littéraires ou les publient dans les journaux et revues, qui se multiplient à partir de 1832. Cette production littéraire est très dépendante des modèles français : les chansons de Béranger, puis, quand le succès du romantisme s'affirme, les élégies lamartiniennes et les odes hugoliennes. Paradoxalement, cette littérature d'imitation est aussi une littérature de résistance, puisqu'elle permet à ces écrivains, tous issus de la communauté franco-mauricienne, de témoigner de la continuité culturelle française à Maurice. Écrire en français signifiait le refus d'abandonner un héritage culturel. Une œuvre connaît alors un étonnant succès (elle sera plusieurs fois rééditée), celle d'Hubert-Louis Lorquet, auteur d'un *Napoléon* (1823), vaste épopée en dix chants qui célèbre un héros *a priori* peu prisé par les nouvelles autorités britanniques : Lorquet est d'ailleurs révoqué de son poste de professeur au Collège royal.

Melchior Bourbon, Édouard Carié, Charles Castellan (qui publie à Paris où il est étudiant), Volsy Delafaye et beaucoup d'autres représentent l'abondante poésie mauricienne du XIXe siècle. François Chrestien mérite une mention spéciale pour avoir pratiqué un usage littéraire du créole dans ses *Essais d'un bobre africain* (1822).

À la fin du siècle, Léoville L'Homme, issu de la communauté créole, journaliste et versificateur aisé dans la ligne de Leconte de Lisle, souvent considéré comme le premier poète mauricien important, célèbre lui aussi l'héritage de la culture française. Sans doute Léoville L'Homme réagit-il ainsi à la crainte qu'inspire à ses contemporains franco-mauriciens et créoles le bouleversement de la démographie mauricienne à la suite de l'arrivée des nombreux travailleurs engagés indiens. Il se réfugie dans l'idéalisation d'une culture et d'une tradition.

Poètes et romanciers du pays (1900-1950)

Depuis le XIXe siècle, les périodiques mauriciens publient des contes, des nouvelles, des articles de « variétés littéraires », qui manifestent l'attention portée aux réalités insulaires, à son folklore, à la langue créole (dont on se plaît à célébrer la saveur, même si on la définit habituellement comme un « patois »). À partir de 1920, le « roman mauricien » (expression souvent revendiquée par les romanciers eux-mêmes), sans doute influencé par la vogue du « roman colonial » et par les Réunionnais Marius-Ary Leblond, vise à rendre compte des tensions internes et des métamorphoses d'une société multiraciale. Telle est l'ambition des romans et nouvelles de Savinien Mérédac (*Polyte,* 1926), d'Arthur Martial (*Au pays de Paul et Virginie,* 1928), de Clément Charoux (*Ameenah,* 1935), qui reflètent les complexes relations de classes et de races dans l'île Maurice. Les romanciers réussissent ainsi à mettre au jour (fût-ce sans le rechercher consciemment) les codes sociaux implicites, les règles d'exclusion raciale, les mécanismes de domination, les conduites d'aveuglement, les fascinations érotiques qui sous-tendent la société mauricienne. Au-delà des préjugés qu'ils continuent de véhiculer, ces romans sont de remarquables témoignages sur l'île Maurice de naguère.

Robert-Edward Hart domine de sa haute stature littéraire la première moitié du XXe siècle. Fidèle à son île natale (malgré la séduction qu'exerce sur lui le milieu littéraire parisien), influencé par la pensée indienne qu'il rencontre à travers le filtre mauricien, il célèbre dans sa poésie la mosaïque culturelle de l'île et les paysages de l'océan Indien (*Mer indienne,* 1925 ; *Poèmes védiques,* 1941 ; *Plénitudes,* 1948). Il se dégage peu à peu du vers français classique pour inventer une forme plus souple, plus libre, plus musicale. Dans le cycle romanesque de *Pierre Flandre* (1928-1936), qui se développe en mêlant différentes formes littéraires (roman, prose lyrique, poèmes), il évoque la quête de ce qu'il appelle le « royaume d'enfance » : il s'agit de retrouver un contact privilégié avec les grandes forces cosmiques, grâce à une ascèse spirituelle et surtout à l'extase procurée par la nature tropicale insulaire. Cette mystique de l'île s'articule sur une mythologie de la Lémurie qu'il a découverte dans l'œuvre prophétique du Réunionnais Jules Hermann.

La vie littéraire mauricienne reste très vivante pendant le demi-siècle, surtout à travers la publication de revues d'excellente qualité, comme *Mauritiana* (1908-1910), *l'Essor* (1916-1956) ou *Zodiaque* (1925-1926). Évenor Mamet, Edgar Janson, Selmour Ahnee (dit Stylet), Raymonde de Kervern... y ont publié poèmes, chroniques ou articles divers. Mais, malgré les scandales des poèmes en « vers libérés » d'Edwin Michel (*le Sang des rêves,* 1925) ou des poèmes « surréalistes » de Jean Érenne (*l'Ange aux pieds d'airain,* 1934), la littérature mauricienne reste sagement conformiste.

Modernités mauriciennes

L'œuvre de Malcolm de Chazal a marqué une rupture éclatante. Il a surpris l'avant-garde française par le caractère abrupt et prophétique de son écriture et on l'a vite présenté comme « un génie ». En fait, Malcolm de Chazal s'inscrivait dans la tradition des rêveries lémuriennes auxquelles il donnait la cohérence d'une grandiose mythologie poétique. Il a fondé sa démarche poético-philosophique sur le recours systématique à l'analogie et aux correspondances baudelairiennes : il montrait que tout, dans l'univers, est relié par des jeux de ressemblances que le poète sait révéler. C'est ce qui a fait le succès de *Sens plastique* (1947), recueil de centaines d'aphorismes souvent fulgurants. En 1951, *Petrusmok* a développé le mythe lémurien sous forme d'une révélation quasi religieuse : l'île Maurice y est présentée comme le berceau d'une humanité originelle, sculpteuse de montagnes. Ce « roman mythique » a désarçonné beaucoup de lecteurs. En 1974, *l'Homme et la Connaissance* a tenté de donner une vue théorique du système chazalien en élaborant « une physique expérimentale des sensations ». Mêlant les aperçus les plus vertigineux et les éclats de délires contrôlés, le personnage et l'œuvre de Chazal continuent de beaucoup troubler.

Ce qui a sans doute le plus marqué ses compatriotes, c'est sa célébration de l'île Maurice comme un « écrin » qui renfermerait « tout le mystère du monde ». Cette inspiration a été prolongée par l'œuvre de poètes de grande valeur : Raymond Chasle joue des distorsions typographiques pour suggérer la recherche de nouvelles associations, Jean-Georges Prosper célèbre les « apocalypses mauriciennes », Jean-Claude d'Avoine trouve un ton à la fois épique et mystique pour évoquer le mystère de la genèse de l'île.

Beaucoup de poètes ont cherché à magnifier la multiplicité culturelle mauricienne. C'est à la négritude que se réfère la poésie du créole Pierre Renaud, tandis que d'autres mettent en poèmes leurs origines indiennes ou chinoises. Avec Joseph Tsang Mang Kin et Hassam Wachill, la quête du poète s'apparente à une méditation philosophique : recherche de l'absolu dans la contemplation du monde et le jeu des mots.

Malcolm de Chazal.

Le roman de Marcel Cabon, *Namasté* (1965), a marqué une date importante : écrit par un créole, ce roman paysan contant les humbles événements d'un petit village prend en sympathie ses héros, d'origine indienne, et donc œuvre pour la reconnaissance d'une culture mauricienne plurielle, loin des exclusions du roman mauricien de naguère.

Marcelle Lagesse fait revivre avec nostalgie le passé et la société de l'île de France (*La diligence s'éloigne à l'aube,* 1959). André Masson nourrit ses romans d'une inquiétude métaphysique hallucinée (*Un temps pour mourir,* 1962). André Decotter évoque l'enrôlement de soldats mauriciens sous le drapeau britannique, pendant la Seconde Guerre mondiale (*Le jour n'en finit plus...,* 1951). Alix d'Unienville reste dans les limites du reportage en contant ses souvenirs d'hôtesse de l'air (*En vol,* 1949). Plus récemment une jeune romancière, Ananda Devi, a su explorer les profondeurs d'êtres déchirés, malmenés par des conditions de vie inacceptables (*Rue de la Poudrière,* 1989).

Mais ce sont des exilés qui ont donné les romans les plus profondément mauriciens : comme si l'exil avait avivé la profondeur de leur relation imaginaire avec l'île natale. Loys Masson, exilé définitif, n'est revenu au pays natal que par ses romans qui jouent sur des fantasmes de culpabilité, des rêves de libération inaboutis (*le Notaire des Noirs,* 1961). Marie-Thérèse Humbert (*À l'autre bout de moi,* 1979) dissèque les préjugés de la petite-bourgeoisie créole. Jean-Marie G. Le Clézio revendique son identité mauricienne (il est né en France, mais de parents de nationalité mauricienne) en retrouvant par le roman (*le Chercheur d'or,* 1985) le pays de ses ancêtres.

Une poétique de l'exil commande l'œuvre de plusieurs poètes de premier plan. Jean Fanchette, dont les recueils dispersés (*les Midis du sang,* 1955 ; *Identité provisoire,* 1965, etc.) ont été rassemblés en 1993 sous le titre *l'Île équinoxe,* dit la vanité de toute quête identitaire : le poète accepte son « identité provisoire », car il n'est jamais d'origine absolue, définitivement assignée. Édouard J. Maunick, chante les heureuses fécondités du métissage (*les Manèges de la mer,* 1964 ; *Ensoleillé vif,* 1976 ; *Paroles pour solder la mer,* 1988). Sa poésie, dont une belle *Anthologie personnelle* (1989) permet de prendre la mesure, joue sur une langue fortement travaillée dans son intimité par le rythme du créole, sur des images liées à quelques figures essentielles (le père ; l'île ; Neige, la femme aimée ; la mer...).

Longtemps réduite à un rôle folklorique, l'écriture en créole a permis de révéler le puissant talent du dramaturge Dev Virahsawmy (*Bef dâ disab,* 1980). Dans les années 80, tout un mouvement se dessine pour vivifier cette écriture créole.

Deux manifestes sur l'identité culturelle mauricienne

Le poète Raymond Chasle, pour ouvrir la revue *l'Étoile et la Clef* qu'il lançait en 1975, donnait, sous le titre « une option fondamentale », un vibrant plaidoyer en faveur de sa langue d'expression. Beaucoup d'écrivains mauriciens adhéreraient sans doute à cette proclamation :

« Enfant de corsaire, enfant d'esclave, descendant d'immigré, venu de trois continents, né sur une île de sang-mêlé et de sang-à-mêler, dépossédé de langue maternelle par ébranlement de sang et de langage, ayant grandi au sein de l'opprobre et de l'oppression de la langue créole aggravés par l'aliénation d'un enseignement bâtard qui condamnait ses véhicules, l'anglais et le français, à demeurer langues étrangères, longtemps confronté à un bilinguisme conflictuel et aux interdits d'une notion pseudo-charismatique de monopole linguistique exercé par une minorité, je postule aujourd'hui que la langue française demeure pour moi une option fondamentale. À force de patients sondages, d'interrogations laborieuses, d'incessantes oblitérations et de chemins mille fois recommencés, la langue française m'a permis de résoudre mes tensions intérieures et de transcender mes écartèlements. Langue de toutes les succulences et de toutes les résonances, elle est pour moi le support privilégié de la méditation, de la mémoire, de la connaissance et du combat. »

Édouard J. Maunick développe, en préface à son *Anthologie personnelle,* une méditation parallèle sur la fécondité du métissage culturel mauricien :

« Sans cesse, ce besoin de parler, à la fois notre vice et notre vertu : nous sommes nés loin, dans des pays exigus, en terre étroite ; nos villes sont souvent sœurs, nos villages se confondent [...]. Notre identité, forcément multiple, est davantage à entendre dans notre parler créole, qu'à lire, exprimée à travers des écritures aux alphabets pourtant fascinants. Plus peuple que race, nous additionnons nos fidélités à l'Orient, à l'Occident et à l'Afrique, pour fonder une symbiose, certes difficile, mais seule capable de nourrir notre quotidien plus sûrement que le plat de riz, la rougaille de poisson salé ou la fricassée de lentilles rouges. Nos aïeux venaient tous de quelque part ; nous avons pour mission de continuer leur exil dans un lieu devenu pays natal. »

La montagne du Rempart et les Trois Mamelles.

La Malabare

Dans Beaux Jours et jours d'orage, *Castellan a inséré un poème dédié à une jeune beauté mauricienne d'origine indienne, qu'il chante de manière encore très convenue. Les majuscules et le soulignement des termes exotiques restent bien maladroits. Mais cette « Malabare » semble annoncer la « Malabaraise » qui inspirera Baudelaire quelques années plus tard.*

Charles Castellan (1812-1851) est l'un des poètes mauriciens les plus représentatifs du début du XIXe siècle. Il a étudié le droit à Paris pour revenir s'installer à Maurice comme avocat, en 1837. Il a profité de son séjour parisien pour publier, chez Gosselin (éditeur, entre autres, de certains romans de Balzac), deux recueils de poèmes, *les Palmiers* (1834) et *Beaux Jours et jours d'orage* (1837), tout à fait dans le goût romantique et bien accueillis par la critique parisienne. Mais Castellan est encore loin d'avoir réussi à inventer la « poésie mauricienne » qu'il appelle de ses vœux dans sa préface des *Palmiers*.

À travers ta peau brune et fine
On voit ton âme étinceler ;
Sous tes tissus de mousseline
L'oiseau dans l'air pourrait voler.

[...]

Dans les flots de ta chevelure
Tous deux nous pourrions nous cacher,
De ta gorge cuivrée et pure
Le sang jaillirait au toucher.

La plume du Martin[1], l'ébène
N'est pas plus noir que ton sourcil,
Le regard qui t'a vue à peine
Ne peut oublier ton profil ;

Il rappelle ce beau cantique[2]
Qui laisse aux doigts comme une odeur
On le chérit sans qu'on s'explique
Le mystère de sa douceur.

C'est ainsi que derrière un voile
Se cache aux yeux avec pudeur
Une belle moitié d'étoile
Dont l'autre luit dans sa splendeur.

[...]

Il faut te voir quand sur ta natte
Goûtant un éternel loisir,
Sur mon long regard qui te flatte
Le tien se voile de désir.

Je me demande à quelle branche
Humide des larmes des cieux
Tu prends alors la perle blanche
Qui scintille au bord de tes yeux.

Le Sonze[3] qui couvre et tapisse
Les rives d'un ruisseau caché,
Moins que ton corps est propre et lisse,
Car moins souvent l'eau l'a touché.

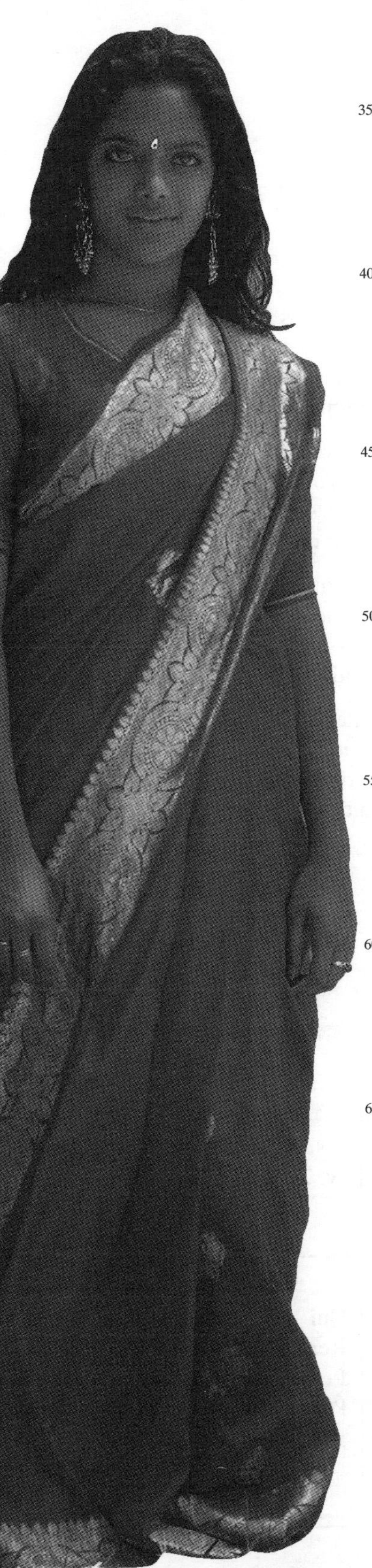

Le Letchis[4] dont la chair m'enivre,
Envierait la blancheur du riz
Qui bout dans la panelle[5] en cuivre
Où de tes mains tu te nourris.

Le Coco quand sa crème est tendre,
Tendre à se fondre sous les doigts ;
La Banane mûre à se fendre
Composent tes repas de choix.

Tu désires si peu de chose !
Je puis dans le creux de ma main
Tenir plus de feuilles de rose
Qu'il n'en faut pour lasser ta faim.

Mais le préjugé nous sépare ;
Allons ailleurs pour aimer mieux,
Ici, sous tes voiles s'égare
Plus d'un œil tendre et curieux.

Il est des forêts dans notre île
Où nous saurons trouver un nid ;
Pour moi, peu m'importe l'asile,
Ton pied s'y pose, il est béni.

Les fleurs et l'eau qui les arrose,
Les fruits sous nos pas y naîtront ;
Le Calfat[6] dont le bec est rose
Ira s'essuyer à ton front.

Là je te choisirai dans l'ombre
Un lit d'amour et de fraîcheur,
Là mes baisers seront sans nombre
Comme les désirs dans mon cœur.

Un soir...
Mais l'Indienne émue,
Pour rêver ce songe brillant
Sur sa natte blanche étendue,
Ferma les yeux en souriant.

Charles Castellan,
***Beaux Jours et jours d'orage,* 1837**

Compréhension et langue

1 – Quelle est la composition de ce poème ?
2 – Relevez, classez et étudiez le champ lexical de la nature.
3 – Comment le poète exprime-t-il son amour ?
4 – Expliquez la strophe 12 : « Mais le préjugé nous sépare... » en situant le poème dans le contexte de l'époque.

Activités diverses, expression écrite

1 – Que ressentez-vous à la lecture de ce poème ?
2 – Cherchez chez d'autres poètes (Baudelaire, Ronsard, par exemple) leur célébration de l'amour et comparez-la au poème de Castellan.

1. Oiseau très commun.
2. Le Cantique des cantiques, *dans la Bible, poème d'amour célébrant la beauté d'une femme noire.*
3. On dit aujourd'hui « sonje » (c'est une variété de taro).
4. Le mot est rare à l'époque et son orthographe n'est pas encore fixée.
5. Récipient d'origine indienne.
6. Oiseau ainsi appelé parce qu'il calfate (= rend étanche) son nid.

XIXe siècle

Les Salines

Ce poème célèbre le lieu de naissance de Léoville L'Homme : le quartier des Salines, à la périphérie est de Port-Louis.

Lieux chers à mon enfance, ô quartier des Salines,
J'ai parfois le regret de vous avoir quittés.
Il m'est doux de crier dans vos brises marines
Ce que j'ai su par vous de chastes voluptés.

Oui, je reviens souvent errer sur vos rivages.
Je ne puis oublier tant d'arbres pleins d'oiseaux,
Les vounes des marais hantés de chiens sauvages
Dont les abois roulaient dans la rumeur des eaux.

J'aime vos toits moussus et même vos ruines.
Vous m'appelez la nuit, je vous revois le jour,
Bords aimés où le flot laisse des mousselines,
Sables d'or qu'il roulait jusqu'à la vieille tour !

Océan, c'est ici que ma neuve prunelle
A vu bondir ta houle en orageux éclair,
Et que, sentant soudain en moi s'ouvrir une aile,
Mon rêve a pris l'essor dans ton grand souffle amer.

Léoville L'Homme,
***Poésies et poèmes,* 1926**

Léoville L'Homme (Port-Louis, 1857-Rose Hill, 1928), fils de journaliste et journaliste lui-même, a rassemblé en plusieurs recueils (*Pages en vers,* 1881 ; *Poèmes païens et bibliques,* 1887 ; *Poèmes épars,* 1921 ; *Poésies et poèmes,* 1926) une œuvre poétique abondante, fortement influencée par Leconte de Lisle et les modèles parnassiens. La fermeté de sa versification l'a imposé comme le poète mauricien majeur de la fin du XIXe siècle : il est le premier écrivain mauricien dont la réputation littéraire ait dépassé les limites de son île.

COMPRÉHENSION ET LANGUE

1 – Relevez les allitérations et les assonances. Quel(s) effet(s) produisent-elles ?
2 – Étudiez la versification de ce poème : rimes, découpages, longueur des vers.
3 – Donnez un titre à chaque quatrain.
4 – Le souvenir de ce lieu vous semble-t-il nostalgique ? Pourquoi ?
5 – Donnez la définition des mots « salines » (v. 1), « vounes » (v. 7).

ACTIVITÉS DIVERSES, EXPRESSION ÉCRITE

Qui étaient les Parnassiens ? Remarque-t-on l'influence de Leconte de Lisle dans ce poème ? Pourquoi ?

Vêpres d'oiseaux

Le poème « Vêpres d'oiseaux » évoque le retour des oiseaux, le soir, vers l'arbre qui les abrite. Le tableau pittoresque, jouant sur la double valeur du mot « vêpres » (« soirée » au sens ancien et « cérémonie liturgique de la fin d'après-midi » dans la religion catholique), glisse vers l'effusion mystique.

[...]

Les voraces martins regardent l'air brunir
Et songent qu'un bel arbre aux nombreuses racines,
Qui d'une épaisse nuit couvre l'eau des ravines,
Attend sous le secret de ses larges rameaux
Qu'ils y viennent goûter la douceur du repos.
Dès l'aube, ils ont quitté cet abri centenaire.
Loin, parmi les forêts, près du cap solitaire,
Ils ont, fins maraudeurs, cherché, trouvé, pillé.
Quels rameaux sous leur poids n'ont pas encor plié ?

[...]

[*Les martins regagnent l'arbre qui leur sert d'abri*]

Ils y sont. L'air frémit de leurs appels sonores.
On dirait que ce chœur sur la vallée épars
Vient du feuillage et non de leurs gosiers criards ;
Que soudain le grand arbre a rompu son silence
Pour clamer en leur nom un au revoir immense
À l'astre d'or sombré dans les palmes, là-bas ;
Et que cette rumeur faite de tant d'ébats
Et de cris, qu'on croirait de loin une prière,
C'est tous les bruits du jour, lassés de la lumière,
Qui montent largement aux abîmes du soir
Chercher la volupté de la mort dans du noir.

Léoville L'Homme, *Poèmes épars,* 1921

Compréhension et langue

1 – La versification est-elle la même que dans le poème précédent ?
2 – Quels sont les différents mouvements du texte ?
3 – Comment le poète présente-t-il les oiseaux et l'arbre ?
4 – Expliquez les vers 16-17. L'image vous semble-t-elle cohérente ?
5 – Comment comprenez-vous le dernier vers ?
6 – Relevez, dans la dernière partie du poème, les termes qui justifient la double valeur du titre.

Savinien Mérédac (pseudonyme d'Auguste Esnouf, 1880-1939), ingénieur de formation, travaillant pour l'industrie sucrière, s'est très tôt fait connaître pour son talent de conteur et de romancier. Son sens de l'observation réaliste, son goût pour la satire parfois appuyée, son intérêt passionné pour la saveur de la langue créole (à laquelle il a consacré de nombreuses chroniques dans la presse) le font exceller dans la description de la vie des petites gens (*Polyte,* 1926 ; *Pauvres Bougres,* 1930 ; *Des histoires,* 1932). Son œuvre, parfois marquée par les préjugés de son temps, est un précieux témoignage sur la vie mauricienne du début du siècle.

XXe siècle

« Mauvais coup de soleil »

Voici un extrait d'une nouvelle, « Coup de soleil », publiée en 1939 dans les Cahiers mauriciens. *Partab, adolescent employé comme domestique dans une famille aisée, a accompagné ses maîtres à la mer. Mais il s'est trop exposé au soleil et il se sent mal.*

L'infirmier vint, reconnut un simple mais mauvais coup de soleil. Sur son conseil, Madame entoura la tête de Partab de chiffons imbibés d'eau sédative. On ne le piquerait pas. Demain, de grand matin, il « boirait » une dose de sel. Il faudrait ensuite faire attention, ne pas sortir au soleil sans chapeau… On ne lui ferait pas de piqûres. Cela, il l'avait bien compris et c'était une grande inquiétude enlevée de son esprit.

Il saisissait aussi vaguement que c'était le soleil, le coupable. Oui, il sentait bien que le soleil était entré dans son crâne avec un gros bâton et qu'il tapait à droite et à gauche contre les os, qui ne réussissaient pas à se casser.

Cette odeur fade des linges autour de sa tête, ça l'écœurait ; mais l'eau séchait tout de suite comme le riz sèche dans une marmite surchauffée ; seulement tout était renversé, car le feu brûlait en dedans de cette pauvre marmite qu'était sa tête.

Robert, le pêcheur, vint sur le tard. Il regarda les compresses froides, haussa les épaules. Un coup de soleil, ce n'est pas comme ça que ça « se tire ». Il faudrait attendre midi, le lendemain.

Attendre… Mais est-ce que la tête de Partab résistera jusqu'à demain, midi ?

[…]

Est-ce qu'il a dormi ?

Il ne sait pas. Il ne sait plus ce que c'est que dormir.

Est-ce que ce ballottement, ce roulis sur des vagues d'encre, et puis ces engloutissements au creux de grands tourbillons de lumière, – une lumière qui retombe en pluie, qui pénètre vos os, qui brûle tout sur son chemin –, est-ce que tout ça, c'est du sommeil ?

Partab croit qu'il a fait nuit dans sa case et que maintenant le jour y est entré. Il n'est pas bien sûr. C'est peut-être un mauvais rêve. Mais il sait que son sang est du feu, et que ce feu-là lui court partout, frappe à la paroi mince de ses tempes et veut tout démolir.

Robert est debout près du lit, le regarde ; du moins, il croit qu'il y a quelqu'un là, et que c'est Robert…

Qu'est-ce qu'il tient dans sa main ? *Un pauban*[1] plein d'eau. Pourquoi ?

Robert l'appelle, le fait lever, le conduit dans la cour où le soleil est en révolte ; tout est embrasé, l'herbe, les filaos, les pieds de masson[2], tout, tout va prendre feu, sûrement ; Robert aussi, tout à l'heure, va flamber et Partab avec lui.

Mais Partab est sans force. Il ne résiste pas. Une main lui enlève les compresses de Madame, une autre lui pose sur la tête quelque chose de frais : le *pauban,* sans doute, avec son eau – oui, son eau, la seule chose qui paraissait ne pas devoir éclater en flammes.

Dans les oreilles de Partab, ce n'est plus qu'un roulement de vagues sur les brisants, ponctué par de grands coups de tambour, un tambour lointain, peau tendue devant le feu et frappée à tous bras.

Un mal terrible lui défonce toujours la tête ; mais c'est un mal raisonnable, humain, que l'on comprend, au moins !

La nuit va tomber bientôt. Il a conscience de s'être assoupi dans la journée et d'avoir été laissé un peu tranquille par la mer, et par le soleil qui n'a plus fait le fou dans sa tête.

Robert, venu aux nouvelles, lui explique. Il l'a traité comme on traite au bord de la mer les gens qui ont un coup de soleil. À midi juste, il lui a placé sur la tête un bocal plein d'eau et l'a fait sortir au grand soleil. Il faut rester là jusqu'à ce que, dans le bocal, l'eau ait bouilli en prenant en elle le feu qu'il y a dans la tête. Et puis c'est fini, on est guéri.

Seulement Partab a eu la mauvaise chance : l'eau bouillait à peine quand un gros nuage est venu cacher le soleil ; alors la guérison n'a pas été complète. Il faudra recommencer demain.

Partab s'est réveillé les bras et les jambes cassés ; dans sa tête, la marée intérieure continue à faire gronder les houles du large, mais il n'y a plus les grands coups de tambour ; c'est l'écroulement d'une vague crevant à la pointe d'un banc, mais d'une vague qui serait une vague de tapage, pas une vague d'eau…

La case tourne encore et le sentier ne marche pas bien droit au milieu de l'herbe roussie. N'importe, Partab a du courage, il va essayer de reprendre son service.

Madame n'a pas voulu d'abord, mais, puisqu'il insiste, elle lui a permis de se mettre à l'ouvrage, en évitant toutefois les besognes ou trop fatigantes ou trop délicates ; elle n'aimerait pas qu'un vertige soudain plus fort fasse glisser des mains du boy un plateau chargé de verrerie…

Il y a une chose, toutefois, que Partab a demandée : c'est qu'on lui permette de tout plaquer à midi pour finir de « tirer » son coup de soleil.

Le ciel est clair, les enfants font cercle autour de Partab ; son *pauban* sur la tête, il est resté là cinq bonnes minutes, sous le soleil qui tombe d'aplomb. Aucun frisson n'anime l'eau du bocal, mais les enfants doivent avoir mal vu, car Robert a prononcé :

« Fini bouilli ! »

Cela a mis un terme à la cérémonie. Partab se sent vraiment plus fort et plus stable. C'est fini. Son coup de soleil est « tiré ». Sûrement, ce ne sont pas les compresses de l'infirmier, ni la dose de sel, qui lui ont fait du bien.

Au bord de la mer, tout est différent…

Seulement, il suivra quand même le conseil de l'infirmier ; comme Robert, qui porte en tout temps un cornet de feutre délavé, il se protégera la tête, ce sera tantôt d'une vieille casquette qu'il a ramassée on ne sait où, tantôt d'un mouchoir noué en « condé », à la malabare.

Et le soleil ne glissera plus sur l'ébène de ses cheveux plats, bien graissés à l'huile de coco.

Savinien Mérédac, « Coup de soleil », in *Cahiers mauriciens,* 1939

COMPRÉHENSION ET LANGUE

1 – Donnez un titre aux différentes parties du texte.

2 – Comment est représenté Partab ? À quelle classe sociale appartient-il ? Quels sont ses rapports avec ses maîtres ?

3 – De quel mal souffre-t-il ?

4 – Étudiez la progression du mal dont souffre Partab, et sa guérison.

5 – Relevez et expliquez les termes typiquement créoles.

6 – Quel ton l'auteur donne-t-il au texte ?

7 – Quelles places tiennent la mer et le soleil dans ce texte ?

ACTIVITÉS DIVERSES, EXPRESSION ÉCRITE

1 – Croyez-vous aux pratiques des guérisseurs ? Pourquoi ?

2 – Que sont les médecines parallèles ? Les pratique-t-on dans votre pays ?

1. Bocal.

2. Nom vulgaire du jujubier cotonneux.

Arthur Martial (1899-1951) est né et a passé toute sa vie sur un établissement sucrier de Moka. Collaborateur de différents journaux *(l'Essor, le Mauricien)*, il a publié des recueils de nouvelles (*Il était une fois*, 1925 ; *Au pays de Paul et Virginie*, 1929) et des romans (*Poupée de chair*, 1933 ; *Sphinx de bronze*, 1935 ; *Grand Port*, 1938), qui s'inspirent souvent de son expérience quotidienne de la vie sur une grande exploitation sucrière.

Ramkissoon

Voici le texte intégral d'une nouvelle tirée du recueil Au pays de Paul et Virginie. *Comme Guy de Maupassant, son modèle, Arthur Martial propose un portrait féroce de l'âme paysanne.*

C'était au cœur de l'épidémie.

Ramkissoon, s'étant rendu à Sébastopol, auprès de son frère, gravement atteint, y fut retenu dix jours par la terrible grippe. Son frère mourut et lui faillit le suivre. Il vécut des angoisses indicibles dans l'ignorance des nouvelles de sa maison, de sa famille, de sa vache. Aussitôt la force nécessaire revenue, il s'achemina vers son village.

Aux approches de Pont-Praslin, des laboureurs de sa connaissance l'arrêtèrent pour causer. L'un lui demanda à brûle-pourpoint :

« Est-ce vrai que ta femme est morte ?

Il répondit :

– Je suis demeuré dix jours chez mon frère Jaykissoon, à Sébastopol. Mon frère Jaykissoon est mort et je suis tombé malade. Depuis mon départ de chez moi, jusqu'aujourd'hui, je n'ai reçu aucune nouvelle de la maison. De qui l'as-tu appris ?

– De Gangaram, ton voisin. »

Ramkissoon baissa la tête et se prit à réfléchir en caressant soigneusement ses moustaches hirsutes.

« Et tu ne sais pas quand elle est morte ?

– D'après Gangaram, deux jours après ton départ. »

Un pli se dessina entre les sourcils du veuf.

« Gangaram n'a rien dit à propos de ma vache ?

– Non. »

Il réfléchit de nouveau.

« C'est la volonté de Dieu, conclut-il. D'où venez-vous, vous autres ?

– De l'Espérance, où nous avons fumé les cannes de M. Bertrand.

– Combien paye-t-il, M. Bertrand ?

– Un assez joli prix ; nous sommes contents.

– À Sébastopol, les prix montent, vous savez.

– Il fallait s'y attendre. Tant mieux. Bonsoir Ramkissoon.

– Bonsoir. »

Ramkissoon piqua en avant sa « sagaille[1] » et continua sa route. Un peu plus loin, un galopin l'accosta :

« Ta femme est morte, Ramkissoon.

– Je viens de l'apprendre. Ne sais-tu rien au sujet de ma vache ?

– Non. Je sais seulement que ta belle-sœur est venue prendre les enfants. »

Ramkissoon poursuivit son chemin.

À six heures, au premier fléchissement de la clarté du jour, il atteignit Pont-Praslin. Près de la boutique de Nyen-Kin il s'engagea dans un sentier de chèvres, au milieu de frêles acacias. Il avait plu. Le sol était spongieux. Des bengalis voletaient avec de petits cris secs. Ramkissoon n'entendait rien. Ses yeux, remplis de sa pensée, suivaient distraitement le va-et-vient de ses pieds boueux. Après cinq minutes de marche, il parvint à un grand carré inculte où se dressaient une douzaine de cases. De la première un homme sortait, un seau vide à la main. Il s'arrêta aussitôt, déposa l'ustensile et se mit à prodiguer des salamalecs au veuf.

« Bonsoir Kissoon, voilà ta femme qui est morte !

– J'ai su. Qu'est devenue ma vache ?

– Je l'ignore. Gangaram qui s'amène pourra sûrement te renseigner. Je sais que ta belle-sœur est venue prendre les enfants. »

Gangaram s'approcha.

« Tu sais la nouvelle, Kissoon ?

– Oui, on me l'a dite. Et ma vache, qu'est-elle devenue ?

– Ta vache, elle est morte de faim.

– Morte… »

Ramkissoon se sentit défaillir.

« Nous l'avons su ce matin seulement, poursuivit Gangaram ; comme ça puait du côté de ton étable, ma femme alla voir. La bête est encore là d'ailleurs, presque pourrie. »

Alors Ramkissoon se mit à pousser des clameurs sauvages en se frappant la poitrine à coups redoublés ou bien en se tapotant la bouche. Puis il se prit à injurier tous ceux qui, s'étant rassemblés, le regardaient avec le plus grand naturel.

« Ainsi, tas de cochons que vous êtes, vous avez laissé mourir ma vache, ma seule vache ! Dieu vous punira de gale et vos enfants, quand vous serez vieux, vous chasseront de chez vous à coups de balai, tas de cochons qui avez laissé mourir ma vache, ma seule vache ! »

Le lendemain, au petit jour, Gangaram, allant « amarrer » sa charrette, constata chez Ramkissoon, par la porte entrouverte, des apparences insolites. Il s'approcha, mais aussitôt recula en poussant un cri affreux. Ramkissoon, la corde au cou, oscillait faiblement.

Arthur Martial, *Au pays de Paul et Virginie,* 1929

Compréhension et langue

1 – Donnez un titre aux différentes parties du texte.

2 – Dans quel milieu social se situe cette nouvelle ?

3 – Comment pourrait se justifier le titre du recueil par rapport à cette nouvelle ?

4 – Quel est le mode de narration adopté ? Quel est l'effet produit ?

5 – Qu'est-ce qu'une nouvelle ? Faites la différence avec le conte. Connaissez-vous des nouvellistes de chez vous ?

Activités diverses, expression écrite

1 – Une nouvelle choquante et absurde. Donnez vos sentiments à l'égard de la réaction de Ramkissoon apprenant la mort de sa femme et puis celle de sa vache. Comprenez-vous son suicide ? Quel aspect de la vie sociale a voulu montrer l'auteur ?

2 – Essayez de trouver une nouvelle de Guy de Maupassant dans laquelle la peinture sociale est également teintée de férocité, de pitié et de sarcasme.

1. Long bâton de pèlerin.

CLÉMENT CHAROUX

Clément Charoux (Port-Louis, 1887-Curepipe, 1959), journaliste et administrateur dans une sucrerie, est un bon exemple des hommes de lettres mauriciens de l'entre-deux-guerres. Il publie à Maurice une vingtaine d'ouvrages (poèmes, théâtre, nouvelles, romans, etc.) qui disent sa fidélité à l'ascendance française de sa famille, mais aussi, comme dans son œuvre la plus connue, le roman *Ameenah* (1935), sa fascination pour la civilisation indienne. Son héros, chimiste dans un établissement sucrier, abandonne sa blanche fiancée pour l'amour d'une jeune Indienne rencontrée sur la plantation. Mais, en 1935, les préjugés sont encore très forts, et, même dans un roman, un amour entre un Blanc et une Indienne ne saurait durer.

« La porte claqua comme un soufflet »

Frédéric Delettre a invité à dîner ses collègues de travail sur la plantation, tous, comme lui, d'ascendance française. Il veut leur présenter Ameenah, la jeune Indienne qu'il a décidé d'éduquer et dont il veut faire sa femme. Mais celle-ci prépare une surprise à son ami, en s'habillant à l'européenne.

Delettre fit servir l'apéritif puis, préoccupé d'Ameenah, fut la rejoindre. Devant la porte fermée, il frappa doucement.

« Ameenah, que fais-tu donc ? On va bientôt déjeuner. »

Un court silence, et une voix émue répondit :

« Attends un peu, “Rédic”, j'ai fini, je viens. »

Elle s'activait, imaginant la surprise heureuse de Delettre quand elle surgirait, madame accomplie, dans ses atours parisiens.

Les jeunes gens fumaient en devisant, Delettre, inquiet de la jeune femme, de nouveau vint rôder contre l'huis.

Le silence régnait, coupé par un martèlement léger. Delettre tourna le loquet. Et il fut pris d'un rire fou devant le spectacle d'une étrange créature, ensachée d'une robe mal seyante et prétentieuse, qui, accroupie sur le tapis, luttait désespérément pour chausser d'une bottine étroite un pied ganté de rose tendre.

Interloquée, Ameenah se redressait. Le contraste de ses bandeaux noirs soigneusement lissés à l'indienne avec sa défroque empruntée redoubla une hilarité déjà déplacée. – Alors, un sanglot déborda du cœur subitement gros d'Ameenah, coupant cette gaieté folle. La pauvre fille, devant l'insuccès total réservé à tant de soins, pleurait toutes les larmes de son corps.

Le jeune homme éprouvait maintenant de la déception et de la colère. Ameenah, cette pimbêche couleur de brique ? la petite princesse de légende, aux yeux profonds de cent siècles d'histoire, virginale sous ses voiles comme une petite sainte païenne ?

Il lui fallait rejoindre ses amis. La jeune femme reniflait, le bras sur les yeux, attendant un geste affectueux qui ne vint pas. Il lui jeta rageusement :

« Allons, ôte ça, mon petit ! »

Et la porte claqua comme un soufflet.

Ameenah demeurait tassée au pied du divan, pour la première fois très malheureuse depuis que « Rédic » et elle étaient amis, sans la force d'enlever et de jeter au loin ces hardes endossées pour l'amour de lui, pour qu'il fût fier de sa servante et de son esclave, et qui n'avaient soulevé que sa risée et son mépris.

Lourde de chagrin, elle l'entendit qui se mettait à table avec ses invités. Le remue-ménage du service, les éclats d'une conversation bien vite animée et joyeuse lui venaient. Elle distinguait la voix un peu sèche de Valry, le timbre enroué du gros comptable et, plus net que les deux autres, l'organe de « Rédic », grave et chantant. Elle n'entendait pas bien ce qu'on disait. Elle prêtait l'oreille. Ils parlaient trop vite et des mots difficiles émaillaient leurs propos, des mots qu'elle ne comprendrait jamais, qui n'étaient pas faits pour elle, comme les choses qu'ils indiquaient, comme le rôle qu'elle avait accepté depuis tant de mois, pour aboutir à cette faillite.

Quand, ses amis partis, Delettre la rejoignit, la jeune femme gisait toujours à la même place. Le *hornee*[1] safrané, la jupe de mousseline brodée de fleurs bleues et or, les anneaux de cou et de chevilles, les boucles d'oreilles ouvragées, délaissés le matin dans un élan d'allégresse, s'épandaient autour d'elle. Sur la toilette, une boîte de poudre de riz rose... Elle ne tourna pas la tête au bruit de son pas ; quand il l'appela, elle resta sourde. Ce fut seulement quand il la saisit dans ses bras qu'elle tressaillit, revenue de très loin. Elle le regardait comme sans le reconnaître, promenait la main sur son front, touchait ses traits, avec une expression hagarde dans les yeux.

Alors il l'étreignit, la berça, la cajola ; elle ne parlait pas, son regard fixait dans l'espace une pensée douloureuse... Enfin, sans qu'elle s'y opposât, il enleva une à une les frusques burlesques, les oripeaux qui l'avaient faite étrange et étrangère, et, au fur et à mesure qu'elle abandonnait les pièces diverses de l'accoutrement, il retrouvait la vraie image de l'amante un moment perdue, il redevenait le « Rédic » empressé et câlin. Le petit visage de bronze reprenait sa grâce sereine, en même temps que le corps svelte son élégance naturelle.

« Tu es “mauvais”, “Rédic”, dit-elle enfin dans une moue où le reproche se mêlait au pardon.

– Mais, quelle idée, voyons, de te camoufler ! Tu devais m'avertir, me dire ton désir. J'aurais avisé... Nous en reparlerons à Port-Louis, dans quelques jours. »

L'idole reconquérait ses droits et son prestige. Il lui drapait le front et les épaules du voile aux plis légers, il replaçait aux poignets, au cou, aux chevilles, la lourde orfèvrerie orientale. Il la rétablissait dans sa dignité compromise. L'incident était effacé, qui un moment avait assombri leur amour.

Clément Charoux, *Ameenah,* 1935

Compréhension et langue

1 – Quelles sont les différentes parties de ce passage ?
2 – À quels points de vue correspondent-elles ?
3 – Qui sont les personnages en présence ?
4 – Quels sentiments éprouvent-ils successivement ?
5 – Pourquoi Ameenah a-t-elle voulu se vêtir différemment ?
6 – Quel est le résultat obtenu ?
7 – Que représentent dans ce texte les vêtements et les bijoux ?

Activités diverses, expression écrite

1 – Relevez les différents termes qui désignent le costume. À quelles catégories appartiennent-ils :
– mots propres ;
– expressions régionales ;
– figures de style (périphrases ou autres) ?
2 – À partir d'une encyclopédie du costume ou de documents personnels, analysez les significations symboliques de la mode dans votre pays.

1. Sorte de voile porté par les femmes d'origine indienne.

Robert-Edward Hart (1891-1954) est unanimement considéré comme l'écrivain mauricien majeur du premier demi-siècle. Sa poésie, d'abord inspirée des modèles parnassiens et symbolistes, s'est ensuite orientée vers une forme plus libre. Dans ses nombreux recueils (*les Voix intimes,* 1922 ; *l'Ombre étoilée,* 1924 ; *Mer indienne,* 1926, etc.), il évoque les paysages de la « mer Indienne » (son île natale, Madagascar, l'Afrique orientale), mais aussi les tourments d'une angoisse intérieure profonde. Le cycle romanesque de *Pierre Flandre,* publié entre 1928 et 1936, exprime sa quête spirituelle d'une enfance fabuleuse, confondue avec la célébration de l'île natale.

XXe siècle

La danse devant la mer

Extrait du recueil le Poème de l'île Maurice *(1933), ce poème se construit comme une délicate et suggestive allégorie. Son charme doit sans doute beaucoup au modèle rare de versification que Hart y expérimente.*

Dansez dans la clarté, jeunes filles harmonieuses.
La mer avec vous danse en déferlant au bord des grèves
Et dansent avec vous vos chevelures lumineuses
Dans le matin léger dont l'azur efface les rêves.

Ô l'ensoleillement de vos toisons claires ou sombres.
L'une est rousse : sa tête irradie une humble lumière :
Telle une orange mûre au verger, dans l'aube première ;
Et toutes vous luisez mieux que la lampe sur les ombres.

Dansez dans la clarté, jeunes filles harmonieuses.
Vous êtes à la fois l'enfant d'hier, la mère sûre
De demain. Et vos mains savent encore bercer, pieuses,
La poupée, et vos flancs porteront la race future.

Dansez… Je vous admire et je vous aime et je vous chante,
Porteuses de mon rythme, épars dans votre théorie[1] ;
Ô guirlande de chair, ô fruits humains, fresque vivante,
Chœur de Muses, dansez, cortège d'or, troupe fleurie.

Et lorsque votre ronde enfin se sera dénouée
Parmi les filaos et le bois bruissant de palmes,
La mer viendra baiser à l'heure des vagues plus calmes
L'empreinte de vos pas, au creux des sables oubliée.

Robert-Edward Hart, *le Poème de l'île Maurice,* 1933

1. Cortège, procession.

Compréhension et langue

1 – Donnez un titre à chaque quatrain.
2 – Étudiez la versification de ce poème : rimes, découpages, longueur des vers, syntaxe.
3 – Qu'est-ce qui confère au poème sa légèreté ? (Étudiez le rythme.)
4 – Quel est l'effet du rejet du vers 11 ?
5 – Ce texte s'apparente-t-il à une allégorie ? Pourquoi ?
6 – Pourquoi le poète assimile-t-il les jeunes filles aux muses ?

Aube

Tiré des Poèmes védiques *(1941), ce poème rappelle la fascination de Hart pour la pensée indienne. Il célèbre l'aube, puissance de lucidité et de détachement, qu'il oppose à l'illusion qu'est le monde.*

Voici l'aube éveilleuse d'oiseaux
Dans les manguiers aux frondaisons dorées.
Dans mon esprit enfin réveillé du désir
Voici l'aube des plénitudes.
Sur la mer trouble de la vie
Chaque jour est un coup de rames
Vers toi, Seigneur.
Et qu'ai-je à perdre encor sinon l'illusion,
Pourpre fragile aux ailes du papillon mort,
Fête vénitienne[1] où les soleils survivent
Aux étoiles des évanescentes fusées ?
Ô Maya[2], fée universelle
Et dont la baguette magique
Tôt ou tard nous transperce le cœur,
Trompeuse, c'est mon tour de te leurrer.
Amour, gloire, soif de plaisir,
Enfants de l'éternel Désir,
Le souffle de l'aube a passé
Et nous voici tout effeuillés
Comme des roses vénéneuses.
Ah ! garder jusqu'au soir, à travers les humains,
Cette lucidité de l'aube inexorable
Au mensonge quotidien !
Être assez clairvoyant pour scruter les Faces de brume
Et pour leur dire : Allez-vous-en, pauvres fantômes.
Alouettes de l'aube
Qui vrillez l'azur d'essors et de cris,
Que ne revenez-vous dans les ténèbres
Chanter la sûre cantilène[3]
Qui nomme de leur nom les choses périssables !
Aube d'automne, aube mystique, litanie
D'étoiles, d'oiseaux, de rosée,
Que Vénus[4], dominant ta candide féerie,
Ne soit plus l'astre de l'amour charnel et triste,
Mais un signal au seuil de Dieu.

Robert-Edward Hart, *Poèmes védiques*, 1941

Compréhension et langue

1 – La versification est-elle régulière ? Pourquoi ?
2 – Quels sont les thèmes de ce poème ?
3 – L'aube est évoquée de différentes façons. Lesquelles ?
4 – Expliquez les vers 12 à 15.
5 – En quoi l'aube s'oppose-t-elle à l'illusion du monde ?
6 – Relevez les vers qui expriment l'envolée mystique du poète.

Activités diverses, expression écrite

Relevez les termes qui évoquent différentes civilisations et religions dans ce poème.

1. Les fêtes de Venise, aux XVIIe et XVIIIe siècles, étaient célèbres pour leur raffinement de luxe et leur exaltation des plaisirs.
2. Dans la conception védique de l'Inde ancienne, Maya représente à la fois la cause du monde et l'apparence trompeuse et illusoire qu'il revêt.
3. Chanson (en général monotone et mélancolique).
4. Déesse de l'amour, dans la mythologie gréco-romaine, et planète du système solaire, visible, selon ses phases, le soir ou le matin. Quand elle apparaît à l'aube, elle est l'étoile du matin, qui se montre juste avant le lever du soleil.

ÎLE MAURICE

ROBERT-EDWARD HART

Le *Cycle de Pierre Flandre* (1928-1936) est constitué par un ensemble de textes romanesques et poétiques, dont le titre primitif était « Cycle du Royaume d'enfance ». Pierre Flandre, le personnage qui donne son nom et son unité à l'ensemble, souffre de son incapacité à accepter le passage à l'âge d'homme. Il ne vit que pour ressusciter son enfance, monde magique où le merveilleux était quotidien. Dans sa quête spirituelle, il découvre que son île natale, par l'exubérance de la nature tropicale, est encore toute proche de l'origine du monde. Il développe alors une mystique de l'île, royaume de l'enfance retrouvée, qui doit beaucoup au mythe lémurien du Réunionnais Jules Hermann.

XXe siècle

« *La danse de l'île* »

À la recherche du temps magique de l'enfance, Pierre Flandre erre dans les rues de Port-Louis et se dirige vers la montagne qui domine la ville.

Rue de la Poudrière, la luminosité de ce dimanche matin métamorphosait en temples solaires les ponceaux[1] vermoulus, les maisons rapiécées tassées par l'âge et la pauvreté. En face de la grille rouillée de Saint-James, dont la cour apparaissait violemment tachée de clartés d'ombres, un verger de manguiers anciens flambait comme un vitrail vert et roux. Mais quand Pierre atteignit les hautes herbes du Tranquebar, ce fut un ruissellement de soleil, une fête d'azur et de vermeil, où, de loin en loin, un arbre dépouillé de feuilles, vêtu rien que d'une floraison d'incarnat, surgissait contre le ciel qu'il teintait de violet. Ces arbres, ils étaient des signaux éclatants à la croisée des sentiers. Ils semblaient orienter le passant, de buisson de feu en buisson de feu, vers le mystère païen de la montagne. Ils orchestraient la plaine en une symphonie pastorale dont le motif dominant était ces appels d'incarnat vibrant comme des clameurs de trompette sur le fond glauque et fauve de la nappe végétale. Avec la mutité véhémente des sphinx et des colonnes brisées, ils proclamaient le rituel ésotérique[2] de la nature australe. Ils se tendaient vers l'homme ainsi qu'une invitation à participer à une religion lyrique éparse en tout lieu où l'arbre, la montagne, l'étendue marine ou herbeuse communient devant la présence sacrée qui n'a pas de nom au ciel et ne pourrait en recevoir un du langage humain. Ils dégageaient de l'âme individuelle ce qu'elle contient d'éternel pour le faire planer en extase au-dessus des contingences. Ils exaltaient avec pudeur Celui qu'il ne faut pas nommer de peur de profaner son reflet.

Parfois un bougainvillier tentait, par sa nappe couleur solferino, d'être lui aussi un cri floral digne de ce chant pourpre, mais l'allégresse de sa nuance s'humiliait vite et devenait mélancolique devant le coup de buccin[3] des arbres rouges.

Sur la route du Château-d'Eau, Pierre accouda sa contemplation au balustre d'un pont verdi de mousse. Là-bas, au-delà du Champ-de-Mars et de Port-Louis, la mer se fiançait au ciel bleuissant, et ce voilier qui cinglait vers le large, on eût dit un oiseau marin en désir de migration.

Au sud, les herbes montaient à l'ascension du Pouce. Un grand vent sauvage s'était levé qui bruissait avec la fraîcheur d'un torrent ; un vent qui, rebondi des sommets, rabattu jusqu'à la base du mont, déferlait sur les graminées, y creusant des sillons orangés mêlés à des coulées de miel, parmi l'or défaillant des prés, dont la nuance était celle des cheveux d'un enfant nordique.

Tant ses sens s'interpénétraient, Pierre croyait écouter par les yeux et regarder par l'ouïe. Un panthéisme[4] plus haut que toute pensée s'emparait amicalement de lui, le berçait, l'entraînait dans un miroitement fluide et musical où s'abolissaient les limitations humaines. Sa ville natale, son pays, sa part de mer et de ciel le fêtaient, lui l'enfant d'ici, comme un hôte insigne. Ce que des hommes avaient l'étroite sagesse de lui refuser : la chaleureuse sympathie qui couve et nourrit les œuvres belles de l'esprit, cette Nature le lui prodiguait, le devinant tout proche d'elle, accroché comme un enfant à son voile de mère, respirant de son souffle, pendu à ses mamelles gonflées d'une sève plus douce que le lait. C'était cela la Muse, et cela la gloire, et cela encore l'immortalité, loin du laborieux, du solennel enfantillage des villes, en plein azur mêlé de brise, parmi les golfes aériens où la vie s'écoulait avec le friselis et la moire des fluides. Aucune nuit funéraire et passionnée ne pourrait plus obscurcir les jours de Pierre Flandre. Il était seul avec la rafale, la lumière et le paysage ; avec aussi ces furtives haleines mystiques, pareilles à des allusions dont la tiédeur émouvait sa face et qui étaient peut-être le salut fraternel des premiers hommes lémuriens qui palpitèrent ici, sculpteurs de montagnes, magiciens dont les incantations rustiques, dédaignant l'exiguïté des temples, résonnaient aux quatre vents des plaines ou, pour les rituels privilégiés, sur les collines.

Oui, quelque humanité ineffable[5] avait dû évoluer là, entre les cimes et l'étendue, au temps préhistorique où – accordés aux bêtes et aux dieux, dominant le royaume souterrain du métal, mêlés nu-tête à l'azur et pieds nus à la terre des morts et des moissons – des êtres au noble visage souriaient à la vision familière des dieux. Sinon, quelle impulsion assez puissante eût soulevé ce sol vers ce firmament, quel chant de piété, quel souffle d'amour, quelle vibration maternelle eussent communiqué à cette portion de l'univers un tel rythme d'adoration, une telle paix de recueillement, un triomphe tel, que, si Pierre fermait les yeux, il se sentait flotter, entraîné peu à peu au tourbillonnement d'ondes lentes et larges qui était, parmi ces lumières et ces cantiques, la danse de l'île devant ses déités[6] australes !

Robert-Edward Hart, *le Cycle de Pierre Flandre. Respiration de la vie,* Typographie moderne, Port-Louis, 1932

COMPRÉHENSION ET LANGUE

1 – Quels sont les différents mouvements de ce texte ?
2 – Quelles sont les manifestations du panthéisme et de la ferveur païenne dans ce texte ?
3 – En quoi l'île paraît-elle un lieu privilégié ?
4 – Étudiez les relations de Pierre Flandre avec les autres hommes, avec la nature. Justifiez la majuscule à « Nature ».
5 – À qui ou à quoi l'auteur fait-il référence en parlant de la « Muse » ?

ACTIVITÉS DIVERSES, EXPRESSION ÉCRITE

1 – Qui étaient les Lémuriens ? À quel mythe font-ils référence ?
2 – Connaissez-vous d'autres mythes de l'origine ? Lesquels ?
3 – Après avoir lu *Petrusmok* de Malcolm de Chazal, dites en quoi ce texte de Hart est précurseur des thèmes chazaliens.

Les montagnes dominant Port-Louis.

1. Petits ponts d'une seule travée.
2. Mystérieux, transmis par un enseignement réservé à des initiés.
3. Trompette (à l'origine fabriquée à partir d'un coquillage en forme de trompe).
4. Doctrine selon laquelle Dieu est partout et tout est Dieu.
5. Indicible.
6. Divinités.

ÎLE MAURICE

ROBERT-EDWARD

HART

XXe siècle

Partir ?

Le poème « Partir ? » appartient au dernier volume du Cycle de Pierre Flandre. *On y voit Pierre Flandre venir interroger un sage indien, Ananda, pour savoir s'il doit choisir de quitter son île natale.*

PIERRE. – Où fuir, Ananda ?

ANANDA. – Nulle part. Demeure ici. Des dieux propices veillent sur cette île, un des derniers lieux au monde où l'homme puisse garder le sens de la nature et de la liberté intérieure, de la lumière, de la Beauté, de l'évasion en soi-même. Je te dis que des dieux protègent notre île qui ont un dictame[1] pour chaque poison exotique.

PIERRE. – Écoute Ananda : je l'ai pressenti
dès mon enfance attentive à ses voix.
J'ai vu un dieu dans tout buisson ardent
qu'est l'arbre ou la colline en proie au soleil tropical.
J'écoutais chantonner la rivière
qui fuyait entre les jamrosas.
Elle me disait : Sois fluide
et musical comme mon eau.
Échappe à toute étreinte et glisse entre les pierres,
cours en chantant parmi les rives immobiles,
d'accord avec la brise et les oiseaux du ciel.
Aux montagnes luminescentes
le vent murmurait un cantique
et caressait les herbes blondes
comme une vierge chante
en câlinant la toison d'un enfant.
Plus tard je fus captif de tendres sortilèges,
l'amour impérieux m'ayant pris dans ses rêts[2],
et je perdis le sens des fées.
Mais l'amour passe et la Beauté demeure.

Robert-Edward Hart,
Poèmes de Pierre Flandre,
1936, droits réservés

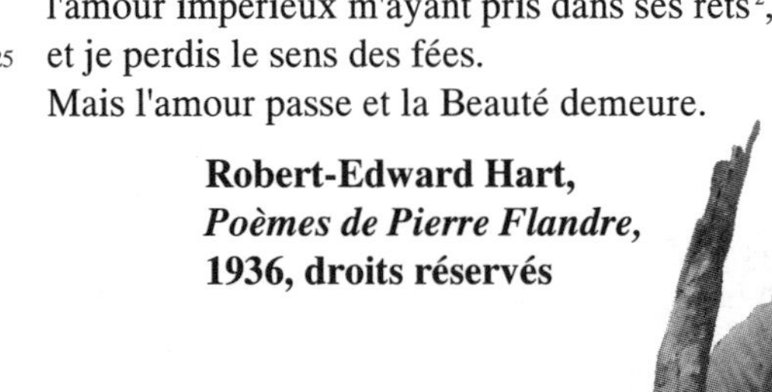

COMPRÉHENSION ET LANGUE

1 – Sous quelle(s) forme(s) se présente ce passage ?
2 – Quels sont les arguments du sage ? Ceux de Pierre ?
3 – Pierre est-il sensible à la nature et aux charmes de son île ? Pourquoi ?
4 – Expliquez le sens du vers : « Mais l'amour passe et la Beauté demeure » (v. 26). Pourquoi une lettre majuscule au mot « Beauté » dans le texte (v. 26) ?
5 – Les aspects de l'île présentés par les interlocuteurs vous semblent-ils relever de la réalité ou de l'imaginaire ? Pourquoi ?

ACTIVITÉS DIVERSES, EXPRESSION ÉCRITE

1 – Recherchez la signification du prénom « Ananda ».
2 – Pensez-vous que Flandre choisira de partir ? Quel aurait été votre choix après avoir écouté les paroles du sage ?

1. Baume calmant la souffrance ; protection (originellement, le dictame est une plante aromatique).
2. Filets.

Le mythe de la Lémurie

Certains géologues et zoologistes européens de la fin du XIXe siècle avaient imaginé qu'un continent, aujourd'hui disparu, submergé par l'océan Indien, avait été la patrie primitive de l'humanité. Ils avaient donné à ce continent fantôme le nom de Lémurie, parce que les lémuriens de Madagascar semblaient en être des vestiges vivants (les lémuriens empruntent eux-mêmes leur nom au mot « lémures », qui désignait dans l'Antiquité romaine les ombres des morts revenant la nuit, sous forme d'animaux, pour tourmenter les vivants). Les théories géologiques de la dérive des continents devaient d'ailleurs un peu plus tard postuler l'existence d'un continent dit de Gondwana, qui aurait réuni en un seul tenant la péninsule indienne, l'Afrique, Madagascar, l'Amérique du Sud et l'Antarctique.

Rencontrant ces hypothèses dans leurs lectures savantes, quelques intellectuels des îles de l'océan Indien en ont tiré la matière d'une rêverie fabuleuse sur l'origine et la préhistoire des Mascareignes et de Madagascar.

Les révélations de Jules Hermann

L'initiateur a été le Réunionnais Jules Hermann. Celui-ci, notaire de son état, maire de la ville de Saint-Pierre, président du Conseil général et de l'Académie de la Réunion, a été une figure marquante de la vie locale. Membre correspondant de l'Académie des sciences de Paris, il publie des brochures sur les sujets les plus divers et, surtout, prépare un grand ouvrage intitulé *les Révélations du Grand Océan,* dont des extraits paraissent dans la *Revue de l'île de la Réunion* et qui est publié *in extenso* en 1927, après sa mort.

Le point de départ des rêveries fabuleuses de Jules Hermann lui a été fourni par la découverte qu'il a cru faire de reliefs sculptés à main d'homme sur la falaise dominant la ville de Saint-Denis. Il attribue immédiatement ces œuvres d'art à des géants préhistoriques, qui ne peuvent être que des habitants du continent perdu de la Lémurie. Pour valider cette hypothèse, Jules Hermann pose que la langue malgache est un état linguistique encore proche de la langue lémurienne, langue mère de toutes les langues actuelles. Il le vérifie en cherchant à démontrer que toutes les langues du monde sont apparentées au malgache et donc dérivent du lémurien primordial. La meilleure preuve en est l'étude systématique de tous les noms de lieu de la France, qui révèlent tous une étymologie malgache !

On peut considérer que ces développements de Jules Hermann procèdent de quelque délire, mais ils sont tellement époustouflants qu'ils séduisent leurs lecteurs, surtout quand ils sont eux-mêmes poètes.

La religion de l'île de Robert-Edward Hart

Robert-Edward Hart a trouvé dans la lecture des *Révélations du Grand Océan* la confirmation de quelque secrète intuition. Le *Mémorial de Pierre Flandre* (1928), roman d'inspiration clairement autobiographique, part du constat fait par le héros qu'il a perdu son « royaume d'enfance », qui était le sentiment extatique de vivre en osmose avec les grandes forces cosmiques. Il retrouvera ce royaume féerique dans la communion avec la nature tropicale, dans la contemplation du paysage mauricien, quand l'île lui révèle sa généalogie lémurienne. Hart s'est ingénié à découvrir dans les montagnes mauriciennes la trace des géants qui les auraient autrefois sculptées, pour en faire le temple d'une religion née de l'île.

Le système de Malcolm de Chazal

Continuateur de Hart, Malcolm de Chazal reprend à son compte les divagations sur la Lémurie dont il fait la clef de voûte de son système poético-philosophique. Il écoute les poèmes que lui dictent les étoiles, repère lui aussi les traces laissées par les géants sculpteurs de montagnes, expose dans *Petrusmok* (1951) les révélations qu'il aurait reçues sur la religion primordiale de l'île des temps préhistoriques.

Ce système chazalien a fortement marqué la poésie mauricienne des années 60 et 70. Raymond Chasle, Jean-Claude d'Avoine, Jean-Georges Prosper prolongent le goût des cosmogonies et des apocalypses vertigineuses.

Une mythologie de l'autochtonie

Il faut sans doute considérer les rêveries lémuriennes comme un bel exemple de mythologie insulaire. Si on définit le « mythe » comme une histoire fabuleuse qui raconte une vérité et légitime une origine, les textes sur la Lémurie constituent un mythe qui vise à dire la vérité des îles, à fonder leur histoire sur un passé des plus prestigieux.

Les îles ont longtemps été considérées comme des terres du bout du monde, entrées tardivement dans l'histoire humaine, étroitement dépendantes de lointaines métropoles. Mais si elles sont les héritières du continent matriciel de la Lémurie, elles inversent radicalement les liens de dépendance : c'est elles qui se révèlent la source de toute l'histoire humaine, de toute civilisation.

Les insulaires de l'océan Indien sont d'ailleurs tous venus. Mais en se proclamant les descendants de géants lémuriens, ils affichent leur filiation avec l'île dont ils deviennent au sens plein les autochtones, c'est-à-dire les fils du sol. En exprimant le désir d'autochtonie, le mythe lémurien vient triompher de toutes les incertitudes généalogiques, de toutes les interrogations sur l'identité.

Malcolm de Chazal (1902-1981), ingénieur de formation, a séduit les surréalistes français par la fulguration des aphorismes étranges réunis dans *Sens plastique* (1948). Il a publié, à l'île Maurice, une œuvre très abondante et diverse (essais, pensées, théâtre), dans laquelle il développe sa version personnelle de la mythologie lémurienne (*Petrusmok,* 1951 ; *Sens magique,* 1957 ; *Sens unique,* 1974).

« Tout m'était dicté »

Dans Sens unique, *Malcolm de Chazal retrace sa biographie intellectuelle. Il insiste particulièrement sur la grande révélation que lui ont apportée les fleurs du jardin botanique de Curepipe.*

J'eus seize ans dans les Montagnes Rocheuses au Canada lorsque je gagnais l'Amérique par l'ouest, pour mes études. Pendant cinq ans, je fis à l'université de Bâton Rouge, en Louisiane, ce que j'appellerai mon supplice de la fausse connaissance, bien que continuant ma vie d'autrefois, telle que je la vivais à Curepipe. J'en sortis cinq ans après avec un diplôme d'ingénieur sucrier.

Après quelques mois à Cuba dans une usine sucrière, je revins à l'île Maurice. Avant un an j'avais jeté aux orties mon diplôme. Pour être libre je pris un poste dans le fonctionnariat au bureau des téléphones. Enfin, j'étais libre.

Je me suis appliqué tout d'abord à écrire des livres sur la question économique. C'était une discipline. (À Bâton Rouge j'éblouissais mon professeur par mes hautes envolées dans le calcul intégral. Mais je n'ai jamais pu compter. La géométrie me semblait une insanité.)

Vint enfin un hasard. Je discourais après un bal à Rose Hill – énervant les femmes qui m'entouraient par mes ironies dévastatrices. Le lendemain matin je consignai mes « réflexions » dans un petit carnet à couverture rouge, au jardin botanique de Curepipe. Dès ce moment, ce jardin féerique, proche de la demeure que j'habitais, fut le lieu où allait s'ordonner ma pensée.

Le jardin botanique de Curepipe est un monde infini où les camélias alternent avec les azalées, et qu'inonde le bruit de petits ruisseaux chantant parmi les mousses. Ici l'oiseau cardinal et le boulboul ponctuent le murmure de la lumière. Ici règne la paix. C'est là que j'ai créé. Peu à peu, j'enchantais le monde enchanté. Le jardin devint moi.

Un jour, par un après-midi très pur, je marchais quand, face à un bosquet d'azalées, je vis pour la première fois une fleur d'azalée me regarder. C'était la fée. *Sens plastique* était né. La plume à la main, en marchant, j'ai écrit tout *Sens plastique* aisément. Car tout m'était dicté.

Malcolm de Chazal, *Sens unique,* 1974

COMPRÉHENSION ET LANGUE

1 – Donnez le plan de ce texte.
2 – « Enfin j'étais libre » (l. 9-10), de quelle liberté s'agit-il ?
3 – Pourquoi la fleur d'azalée est-elle assimilée à une fée ?
4 – Expliquez les phrases suivantes : « Peu à peu, j'enchantais le monde enchanté. Le jardin devint moi. »
5 – Qu'est-ce que le « panthéisme » ? Pensez-vous que ce concept s'applique à ce texte ?

« Les sous-bois rendent la lumière joufflue »

Le système poétique de Malcolm de Chazal est fondé sur l'intuition que des correspondances sont partout à l'œuvre à travers l'univers. Chacune de ces « pensées », extraites de Sens plastique, *suggère d'étonnantes analogies.*

Les sous-bois rendent la lumière joufflue.

Nuages bas servent de presse-papier au vent.

Le nuage est un parapluie d'eau, que baleine le vent.

Toutes les fleurs sont en robe longue, sauf les fleurs des champs, qui ont robe aux genoux, pour mieux gambader dans les bois.

L'eau a voix d'homme dans le ruisseau, et voix de femme dans le jet d'eau.

Toutes les fleurs, quelle que soit leur espèce, sont une imitation de la rose – en moins bien –, imitations déformées, alourdies ou bosselées. Il n'est aucune fleur où l'on ne retrouve la rose en attribut, dans un de ses « principes » allongés ou raccourcis. De même qu'il y a dans l'homme toute l'animalité, de même aussi la rose renferme l'universalité des fleurs comme un tout, en forme-essence de la beauté.

Virgules bleues ; points blancs ; points d'exclamation jaunes ; tirets gris ; deux points mauves… Mauve : couleur qui ne commence ni ne finit ; barrière à claire-voie entre les teintes ; nuance flottante par excellence ; bac des teintes.

La terminaison féminine en *e* met une courbe à la fin du mot, et sexualise le mot. Ainsi cet effet du *e* qui clôt la terminaison féminine, nous le retrouvons dans tous les gestes de la femme, chez qui tout finit en courbe : les moindres mouvements de son corps, tous les objets que façonne sa main, les messages les plus infimes de son regard, les bouts extrêmes de sa voix, de sa chevelure ; le souffle courbe de ses narines, les parfums enveloppants de son corps ; sa démarche qui roule ; et ses pas qui « battent en rond », comme un double *e* qui voyage.

Malcolm de Chazal, *Sens plastique*,
© Éditions Gallimard, 1948

COMPRÉHENSION ET LANGUE

1 – Qu'est-ce qu'une analogie, une métaphore ?
2 – Quelle est la relation entre l'objet évoqué et l'objet repère dans chacune de ces phrases ?
3 – Relevez les termes qui appartiennent aux schèmes de la féminité et de la personnification dans certaines de ces pensées.
4 – Que pensez-vous de la théorie de la féminisation des mots selon Chazal ?
5 – Comment comprenez-vous le néologisme « baleine » (l. 3) du verbe « baleiner », forgé par Chazal ?

ACTIVITÉS DIVERSES, EXPRESSION ÉCRITE

« L'image est une création pure de l'esprit. Elle ne peut naître d'une comparaison mais du rapprochement de deux réalités plus ou moins éloignées. Plus les rapports de deux réalités rapprochées seront lointains et justes, plus l'image sera forte – plus elle aura de puissance émotive et de réalité poétique… », écrit A. Breton dans le *Premier Manifeste du Surréalisme* en citant Pierre Reverdy. Commentez cet extrait en vous appuyant sur le texte de Malcolm de Chazal.

MARCEL CABON

Marcel Cabon (1912-1972) a été l'éveilleur de la pluralité culturelle mauricienne, qu'il appelait le « mauricianisme ». Journaliste, passionné de littérature, il a laissé son œuvre se disperser dans des publications multiples, souvent fragmentées dans les journaux ou à la radio (romans, nouvelles, poèmes, chroniques, biographies, récit de voyage, etc.). Son poème fantaisiste, *Kélibé-Kéliba* (1956), épouse le rythme des comptines. Le roman *Namasté* (1956) a une importance particulière : écrit par un « créole », il met en scène, avec beaucoup de sympathie, la vie dans un village indo-mauricien. Il œuvre donc pour l'unification de la nation mauricienne par une culture pluraliste.

« Le jour de l'arrivée de Ram »

Roman paysan, Namasté *(le mot signifie « bonjour » en hindi) raconte l'installation dans un village indien de Maurice d'un jeune homme, Ram, qui y a hérité d'une terre. Ram devient vite l'âme de ce village : il incite les paysans à s'entraider, ouvre une école, introduit la modernité. Mais sa femme meurt au cours d'un cyclone et Ram perd la raison.*
Voici le début du premier chapitre du roman.

Il y avait ce village sans Ram et il y a eu ce village avec Ram. Comment était le village sans Ram ? Ils n'auraient pu le dire au juste. Ce qui était sûr, c'est qu'il n'était pas plus facile d'imaginer le village sans Ram que de l'imaginer sans le manguier du pendu.

D'où venait-il ? On avait bien trop à faire pour le lui demander. Au reste, *zaffaire mouton n'a pas zaffaire cabri*[1]. C'était bien assez qu'il fût là, lui qui n'avait pas toujours été là et qui n'était pas le marchand ambulant – le vieux Cassim qui a une charrette à bourriquet et crie si doucement « Bracelets » ou « Crépons » que la campagne s'enfonce un peu plus dans le sommeil où l'a plongée le soleil de midi.

Oui, c'était bien assez de savoir que Ram ne passait pas comme Cassim, mais qu'il était installé à demeure dans la paillote de Shive.

Deux jours après que Shive eut cassé sa pipe, Ram entra dans le village, vers les deux heures, le turban en fleur, l'œil gourmand, un bâton à balluchon sur l'épaule : il venait prendre possession de ce que le tonton lui avait laissé.

Du pas qu'il montait, ce Calcutta-là[2] (vingt, vingt-deux ans), on sut que ce ne pouvait être que le gaillard à qui Shive avait laissé ses biens.

En ces temps lointains, aucune arrivée d'étranger ne passait inaperçue dans la vallée. Les chiens n'avaient pas cette veulerie qu'on leur a connue depuis et la nouvelle passait vite de case en case. Quand les choses étaient bien faites, le bonhomme tirait encore la langue sous les tamariniers de Boulaki que l'on savait là-haut qu'il venait du monde.

Le jour de l'arrivée de Ram, les hommes qui piochaient dans les carreaux, les femmes qui paressaient au frais des cases comprirent vite qu'il venait quelqu'un qui ne leur ressemblait pas. Et ceux et celles qui, pour le voir passer, s'appuyèrent au manche de la pioche ou se plantèrent dans l'embrasure des portes, s'accordèrent tous pour trouver que ce pèlerin-là avait une mine de chenapan.

Mais quoi ! Ram tenait à sa souche comme la plante à ses racines et pour ne pas voir que c'était Shive à vingt ans, il fallait que l'on fût aveugle. Et Shive avait beau n'être mort que de l'avant-veille, seuls l'oubli et la niaiserie lui découvraient des vertus. Têtu, méfiant, chicanier, le village n'avait rien perdu en perdant ce vieux sacripant.

Et voilà qu'il envoyait sa graine ; et qui germait ! Qui germait même si vite qu'elle serait bientôt plus feuillue que le plus feuillu des manguiers.

C'est au bout de trois jours qu'on a su (on n'écoute pas, mais on entend), qu'il venait de Bras d'Eau et avait touché à peu près à tout : empierré des chemins, coupé l'aloès, vendu des fruits et du poisson, planté des melons d'eau…

On l'a su par le vieux Prem, le seul qui, de toute la vallée – et encore habite-t-il à la lisière du bas village – a encore soif quand il a bu.

Il faut dire qu'ils n'avaient pas grand-chose à lui reprocher. Sauf d'avoir cette mine de chenapan et d'être là, comme un arbre qui aurait poussé tout à coup, d'un seul jet, bouchant la vue et le passage.

Marcel Cabon, *Namasté,* 1956

Compréhension et langue

1 – Distinguez les différentes parties de cet extrait.
2 – Comment Ram apparaît-il aux villageois ?
3 – Quels sont leurs sentiments successifs à son égard ?
4 – Que signifient les mots « chenapan » (l. 29) et « sacripant » (l. 34) ?
5 – Relevez les principales comparaisons.
6 – À quel champ sémantique appartiennent-elles ?
7 – Expliquez leur choix.

Activités diverses, expression écrite

1 – Documentez-vous sur le roman rustique. Quelles sont ses origines ? son évolution ? Quels en sont les auteurs les plus célèbres ?
2 – Quelles réflexions vous suggère cette pensée : « L'homme n'a-t-il pas imprudemment quitté la nature ? »

1. Proverbe créole.
2. Mot créole pour désigner un Indo-Mauricien.

Edwin Michel (1905-1932) a consacré au journalisme et à la poésie sa brève existence, brutalement arrêtée par une mort volontaire. Il avait fait scandale pour avoir prôné la libération du vers (les lettrés mauriciens des années 20 restaient très attachés à la tradition des contraintes classiques de la versification). Il publia à l'âge de vingt ans un premier recueil, *le Sang des rêves* (1925), suivi d'un second en 1928, *Lumières :* on y entend la voix murmurée d'un adolescent épris d'absolu. Un séjour à la Réunion et à Madagascar lui avait permis de se lier d'amitié avec les écrivains des îles voisines (dont Rabearivelo à Tananarive).

1. Ce vers de Rimbaud ne figure dans aucun de ses poèmes connus.

Désir fou – La pluie

Voici deux poèmes tirés du Sang des rêves, *dans lesquels Edwin Michel assouplit la mesure de l'alexandrin classique et surtout abandonne le principe de la rime.*

Désir fou

Je ne désire rien, je ne veux rien savoir,
je ne veux rien savoir sinon que je suis rien
parmi tous les riens dont la vie est remplie,
je ne veux rien des cieux, de la terre ou des mers,
ou plutôt je veux tout : les mers, les cieux, la terre.
Ainsi, je ne pourrai jamais me contenter
de la part assignée à chacun de nous tous,
et ne pourrai jamais aussi rien désirer,
puisque mon désir est trop beau, trop grand, trop fou,
qui veut les cieux, qui veut les mers, qui veut la terre.

La pluie

Il pleut. Les gouttes d'eau aux vitres de ma chambre
ruissellent et font comme une rumeur d'abeilles,
et c'est un bruit très doux qui invite au sommeil.
Il pleut. L'heure s'ennuie à mourir, l'heure pleure
et d'autres fois semble marcher sur du velours.
Il pleut et tandis que les gouttes d'eau ruissellent
aux vitres de ma chambre et font un bruit très doux,
très doux d'abeilles qui vous invite au sommeil,
moi, j'évoque un temps gai, splendide et merveilleux,
où tout l'or du soleil semble tombé sur terre.

Edwin Michel, ***le Sang des rêves,*** **1925**

COMPRÉHENSION ET LANGUE

Désir fou

1 – Pourquoi le poète utilise-t-il des tournures négatives ?
2 – Expliquez le vers 7 : « de la part assignée à chacun de nous tous ».
3 – Quelle est l'aspiration du poème ?

La pluie

1 – Étudiez la versification de ce poème : rimes, découpages, longueur des vers.
2 – Pourquoi le poète reprend-il certains termes ?
3 – Quelle figure de rhétorique est utilisée pour évoquer « l'heure » ?
4 – Comparez ce poème avec le poème de Verlaine « Il pleut doucement sur la ville (Arthur Rimbaud)[1] ».

ACTIVITÉS DIVERSES, EXPRESSION ÉCRITE

1 – Comment se singularise ce poème par rapport aux règles du vers français classique ?
2 – À votre tour, composez un poème sur la pluie en respectant les règles du vers français classique (rimes, alexandrins).

JEAN ÉRENNE

Jean-René Noyau (1911-1984) s'est fait connaître en 1934 par une plaquette de poèmes, *l'Ange aux pieds d'airain*, signée du pseudonyme de Jean Érenne. Ce texte, vite qualifié de « surréaliste », rompait par la violence du ton avec les habitudes des poètes mauriciens. Il fut suivi d'un second recueil, *le Labyrinthe illuminé* (1939). René Noyau a aussi publié des nouvelles sous le nom de Jean-Claude Bouais et un conte en créole, *Tention caïma* (1971).

1. Néologisme : admiration excessive de l'œuvre de Victor Hugo (l'orthographe « hugolâtrie » serait plus logique : cf. « idolâtrie »).

« À tel degré latitude sud »

Ce poème, tiré de l'Ange aux pieds d'airain, *est très représentatif de la virulence juvénile du poète qui attaque le conformisme des poètes mauriciens de son temps.*

À tel degré latitude sud
on crèverait de froid et d'ennui
si les bourgeois n'avaient inventé
le mécanisme calorifique des bêtises
Que faire
pour faire de la littérature
il faut au moins 20 balles
le coût d'une raquette et des balles

On vénère au vrai jardin des plantes
l'immortalité en miniature bronze plaqué empaillée
panama feutre haut-de-forme
se déroulent comme un écheveau lamartinien
Que faire l'hugolaterie[1] aussi est à la mode
Aïe mon cœur ce chien de cœur ce cœur de chien
écrasé sous le rapide 1934

et ce premier prix
qu'on m'a promis
si je devenais sentimental !

Jean Érenne, *l'Ange aux pieds d'airain*,
© l'Étoile et la Clef, 1934

COMPRÉHENSION ET LANGUE	ACTIVITÉS DIVERSES, EXPRESSION ÉCRITE
1 – Quel est le ton général de ce texte ? 2 – Relevez les termes qui traduisent les sentiments du poète. 3 – Pouvez-vous dégager la thématique du poème ? 4 – Quelle particularité revêt la versification ? Relevez les allitérations et les assonances. Quel effet produisent-elles ?	1 – Quels poètes sont ici évoqués ? 2 – À quel(s) mouvement(s) littéraire(s) appartiennent-ils ? 3 – Résumez en une vingtaine de lignes ce que vous savez de ces poètes (œuvres, thèmes, destin littéraire).

PIERRE RENAUD

« Frère d'afrique »

Pierre Renaud (1921-1976), qui fut d'abord trésorier municipal de Port-Louis, était devenu l'un des plus brillants journalistes mauriciens. Il s'était fait, dans *l'Express,* le chroniqueur amusé et caustique de la vie mauricienne. Il eut le bonheur de voir publié, peu avant sa mort, un recueil de ses poèmes *(les Balises de la nuit,* 1974), qui mêle l'intimisme de confidences mélancoliques et la célébration de racines africaines retrouvées.

Ce poème au rythme marqué évoque la redécouverte d'une parente oubliée : cette Afrique pourtant si maternelle...

frère d'afrique
il me faut un gri-gri
donne-le-moi
pour que je fasse bonne route
pour le chant des retrouvailles
la victoire sur le temps

frère d'afrique
il me faut un tam-tam
donne-le-moi
pour la mémoire libérée
pour la mémoire pardonnée
la légende vivante

frère d'afrique
il me faut un masque
fais-en un pour moi
pour que j'aie la joie des morts
que les siècles soient familiers
la terre retrouvée

prête-moi voix de kora[1]
frère d'afrique
et voix de balafon[2]
je veux te rencontrer

je veux te rencontrer
là où sourd la musique
réveillant les siècles
les seins
les reins les sexes
à la source maternelle
de terre et d'eau
et de vie

Pierre Renaud,
***les Balises de la nuit,* 1974**

COMPRÉHENSION ET LANGUE

1 – Quel rôle joue l'absence de ponctuation dans ce texte ?
2 – Expliquez l'intérêt de la répétition de certains vers.
3 – Comment s'appelle la figure de style qui consiste à répéter les mêmes mots au début de chaque vers ?
4 – Comment le poète revendique-t-il son africanité ?
5 – Relevez les mots et expressions qui se rapportent à la réalité africaine. Donnez, en quelques lignes, leur définition.

1. Instrument de musique africain à cordes pincées.
2. Instrument de musique africain à percussion, sorte de xylophone.

Emmanuel Juste, né en 1928 à Port-Louis, a écrit une œuvre dispersée dans des journaux et des revues ainsi qu'un curieux roman policier, *Pleine Lune pour les morts* (1972). Son poème le plus célèbre « Mots mar-(te)-lés », écrit en 1964, a été publié en 1976 par la revue *l'Étoile et la Clef*.

« Ovale la vie outre-sang »

Voici la première séquence de « Mots mar-(te)-lés ». Exploitant les suggestions du titre, des images violentes et une langue éclatée disent la colère et la douleur du métis, ses conflits intimes et sa longue conquête de la dignité.

Un fruit martèle rouge un panier de
soleil. Masques. Pas de message. Races.
La forêt passe verte. Les serpes sages.
Pas de visage. Masques. Le tam-tam
mord ruisseaux et raccourcis. Pas
d'espoir. Le miroir n'aime pas le
visage d'en face. Races. Masques !
Ayez pitié de nous frères
aux sangs
durs
purs
sûrs
Ayez pitié de nous, au fur et
à mesure, que le temps vous revient,
que nos tombes vous reviennent
pétrifiées, affranchies.
Ayez pitié du sable et de nos pas,
nous avons perdu vos traces.
Ayez pitié de nos fables
Vous avez perdu nos mains
Vous avez fouetté jusqu'au sang mon
frère Mayoumbé[1]
Vous avez perdu nos larmes
nos légendes
et nos morts.

Mayoumbé Mayoumbé
Ne va pas chez nos frères
aux sangs durs
purs
sûrs
Ne remonte pas le Temps,
Ne remonte pas le cri, la pierre,
la cellule
Ne va pas chez les fous
La Vierge noire a enfanté
Il y a quelques mots de cela
là-bas
En mil sept cent quarante et un
Un tam-tam sans forêt et
un bateau à sexe de bois
un sextant… un enfant
un sextant soleil coupe file
un enfant personne césure
un enfant en plages blanches
Où s'inscrivent tous les oiseaux
Un enfant-métis qui s'en va
sur les plages arracher des virgules
sans trop prendre garde à la
marge qui lui laisse les autres et
les mondes.

Mayoumbé ! Mayoumbé
Ovale la vie outre-cri
Le métis est outre-nègre
Ovale la vie outre-sang
Le métis est moyen âge.

Rayé de la liste des anges
Idée brute et cœur en siècles
L'homme-coquille a glissé le
décor sous la porte
Retiré Dieu de sous les fesses
des marchands de sang
Remis l'ébène au bois
Remis le nègre aux fers
Remis le diable aux chiffres
Remis le disque
Or spirale
Ovale
Remis de ses blessures
Le métis moyen âge
est parti, sans laisser de portes
se faire une faute d'orthographe
et un poème cruciforme
Dans la mémoire du monde
Le métis a la peau dure
Il n'a ni talons, ni dos.
Dans la mémoire du monde
Un fruit martèle rouge un
panier de soleil.

Emmanuel Juste,
« Mots mar-(te)-lés »,
© l'Étoile et la Clef, 1976

Compréhension et langue

1 – Étudiez le jeu des sonorités. Comment rythment-elles le poème ?
2 – Quelles sont les images qui évoquent le métissage ?
3 – Relevez et commentez les éléments du texte qui font référence à l'Afrique.
4 – Pourquoi le poète conseille-t-il : « Ne remonte pas le Temps » (v. 31) ?
5 – Comment comprenez-vous le vers 54 : « Ovale la vie outre-sang » ?

1. *Nom à consonance africaine.*

« *Lente ascension vers la colline* »

Le poète se fait l'explorateur du monde par la descente en lui-même : « Je nage au fond de moi parmi des nébuleuses », dit un de ses poèmes.

Joseph Tsang Mang Kin, né en 1938 à Port-Louis, a été professeur, puis diplomate. Son œuvre poétique a été publiée en volumes (*Paupières vitales,* 1958 ; *Poésies,* 1964 ; *le Grand Chant hakka,* 1992), ainsi que dans la revue *l'Étoile et la Clef,* dont il a été l'un des fondateurs. Très sensible à la nostalgie de l'enfance (« Les poètes ne guérissent pas de leur enfance – magnifique défi à la mort, au mal »), il dit aussi une expérience d'émerveillement cosmique, de découverte du monde à partir de l'exploration intime.

Lente ascension vers la colline
vers le flanc de lumière
où la stèle funéraire
veille

Là l'autel ancestral
comme un immense fer à cheval
s'étale

il encercle le temps
il arrête l'espace

Lente ascension à queue leu leu
vers le sommet de la colline

Il fait torride sous le soleil
il souffle doux sous les arbustes

Lente ascension montée sacrée
sur les marches qui se retirent
du présent

Ici le temps s'arrête
il nous encercle

Le Clan va communier

Joseph Tsang Mang Kin, ***Le Grand Chant hakka,*** **1992**

RAYMOND CHASLE

« Quel ensoleillement orphique »

Publié dans le premier numéro de la revue l'Étoile et la Clef, *ce poème, évoquant par sa disposition graphique le balancement d'un pendule, semble dire un mystérieux rituel.*

Raymond Chasle, né en 1930, diplomate de carrière, a représenté l'État mauricien auprès de la Communauté européenne à Bruxelles. Avec Jean-Claude d'Avoine et Joseph Tsang Mang Kin, il a fondé la revue *l'Étoile et la Clef.* Sa poésie, rassemblée en plusieurs recueils (*le Corailleur des limbes,* 1970 ; *Vigiles irradiés,* 1973 ; *l'Alternance des solstices,* 1975 ; *le Rite et l'Extase,* 1976), est attirée par d'audacieuses recherches formelles : discordances de la syntaxe, désarticulation du vers, jeu de l'inscription spatiale du poème sur la page. Ainsi se montre visuellement sa quête d'un nouvel ordre du monde.

quel ensoleillement orphique

éclaire le pendule du sourcier

qui éblouit les oiseaux

derrière le hallier

les participants en cercles opposés

tournent autour de l'officiant

aux mots régénérés

qui vivifient le poumon des fougères

le pendule

oscille

Raymond Chasle, in *le Rite et l'Extase* (fragments), 1976

COMPRÉHENSION ET LANGUE	ACTIVITÉS DIVERSES, EXPRESSION ÉCRITE
1 – Que peut-on dire de la versification de ce poème ? 2 – Étudiez les sonorités et le rythme. Justifient-ils les deux derniers vers « le pendule oscille » ? 3 – Qui était Orphée ? Donnez le sens du terme « orphique » (v. 1). 4 – La disposition spatiale des vers correspond-elle au sens ? Le lecteur est-il attiré par l'aspect sémantique ou par l'aspect visuel du texte ?	1 – Qu'est-ce qu'un idéogramme, un pictogramme, un calligramme ? 2 – Recherchez d'autres exemples de calligramme chez Raymond Chasle et surtout chez Guillaume Apollinaire (cf. *Calligrammes,* Éditions Gallimard), et inventez à votre tour un calligramme sur un thème de votre choix.

ÎLE MAURICE

JEAN-CLAUDE D'AVOINE

Jean-Claude d'Avoine (1935-1986) a longtemps vécu en Europe, à Londres, puis à Bruxelles, où il a travaillé comme traducteur. Retourné dans son île natale en 1976, il y devient journaliste. Son œuvre poétique, ambitieuse, affichant une grande admiration pour Saint-John Perse, est restée fragmentaire. Plusieurs extraits ont été publiés dans la revue *l'Étoile et la Clef,* qu'il avait fondée à Bruxelles en compagnie de Raymond Chasle et de Joseph Tsang Mang Kin.

COMPRÉHENSION ET LANGUE

1 – Que suggèrent la ponctuation et la typographie ?
2 – Quels sont les personnages en présence ?
3 – Relevez les mots qui commencent par une majuscule. Comment appelle-t-on cette figure de style ?
4 – La dernière strophe vous surprend-elle ? Quel peut être le sens du dernier vers ?

ACTIVITÉS DIVERSES, EXPRESSION ÉCRITE

« Le fleuve tranquille » et le « voyage originel d'une Mort à l'Autre » font penser au fleuve Styx. Retrouvez la légende de ce fleuve. Qu'avait-il de particulier ?

XXe siècle

« Nos pères qui travaillaient l'opale »

Publié en septembre 1975 dans le premier numéro de l'Étoile et la Clef, *et présenté comme extrait d'un recueil inédit,* la Cité fondamentale, *le poème intitulé « Les années solaires » prend la forme d'une méditation sur l'origine et les temps de « haute mémoire ».*

nos pères qui travaillaient l'opale avaient ce
regard dur et l'angle du bras qu'on voit aux statuaires.

nos pères
chargés du lourd secret qui les pliait aux papilles des
sables avaient le front crépi et la gorge poignante.

nos pères
s'enivrant aux forges siccatives[1] crachaient au ciel
une rouille criblante et s'endormaient transis dans
l'air chaud des fractures.

loin des vignes...
– souche étique et durable de Gê[2]
qui voyait pendre au ciel les coupoles
comme des stalactites
à l'horizon des palais d'ivoire –
quelle fièvre vous portait
orpailleurs[3] des laves
à cette sombre alchimie aux ventouses soufrées

quelle fièvre avant le bain
dans le fleuve tranquille
et quel voyage originel
d'une Mort à l'Autre
jusqu'au pays d'avant la Mémoire...

Jean-Claude d'Avoine,
« Les années solaires », © l'Étoile et la Clef, 1975

1. Qui dessèchent.
2. La Terre, personnifiée comme une divinité.
3. Ouvriers qui lavent le sable des rivières, à la recherche d'or.

ÎLE MAURICE

xxe siècle

« À travers la vitre »

Hassam Wachill, né en 1939, est l'auteur d'une œuvre poétique dont l'ampleur se révèle peu à peu (*le Reste*, 1967 ; *Éloge de l'ombre*, 1980 ; *Cycle des larmes*, 1983 ; *Jour après jour*, 1987). À travers la densité de ses images, il dit le sentiment de la présence du monde, dans son évidence et son obscurité.

La précision de l'évocation dans ces trois brefs poèmes semble accentuer l'impression de mystère qui s'en dégage.

À travers la vitre qui ressemble
à de l'eau je regarde une cour
propre. Il y a des nèfles dans un arbre.
Elles sont chétives.

*

Scinques[1] et lézards ordinaires fuient
à travers les feuilles d'herbes l'approche
du char vide. C'est le soir qu'ils fuient.

*

La montagne que je vois envoilée
de brume comme un bateau avance
dans le port, il y a des oiseaux,
leur vol est parfois paisible et parfois
agité, on dirait quand on regarde bien
qu'ils vont tomber dans le vide, il y a
leurs cris aussi et maintenant à travers
la vitre le ciel semble en train de les devancer.

Hassam Wachill, *Jour après jour*, © Éditions Gallimard, 1987

Compréhension et langue

1 – Comment sont construits ces trois poèmes ?

2 – Autour de quel(s) thème(s) dominant(s) les images s'organisent-elles ?

3 – Quels sentiments révèle l'évocation des nèfles, scinques, lézards et oiseaux ? Pourquoi ?

4 – Étudiez le rôle de la vitre dans les poèmes I et III.

5 – Que suggèrent « une cour propre » (poème I) ; « un char vide » (poème II) ; « la montagne » et « le ciel » (poème III) ?

6 – Quelle relation peut-on établir entre « char vide » et « soir » dans le vers 3 du poème II ? Quelle image se dessine ?

7 – Étudiez la ponctuation dans le poème III. Quel est l'effet produit ?

8 – Quelle(s) convergence(s) découvrez-vous entre les trois poèmes ?

1. Reptiles voisins des lézards.

Georges Braque.

GEORGES-ANDRÉ DECOTTER

Georges-André Decotter, né en 1911, a fait carrière dans différents services de l'administration mauricienne, mais il a aussi été un homme de lettres très actif, à la rédaction de la revue littéraire *l'Essor* ou comme chroniqueur dans différents journaux. Il s'est manifesté comme conteur, romancier, dramaturge, critique d'art et aussi comme peintre. Il a publié plusieurs livres d'art célébrant son pays et un roman, *Le jour n'en finit plus* (1951), qui évoque le sort de soldats mauriciens engagés dans l'armée anglaise pendant la Seconde Guerre mondiale.

« Aux mains des Allemands »

Engagés sur les fronts d'Afrique du Nord, les soldats mauriciens, dont Le jour n'en finit plus *raconte l'histoire, ont été faits prisonniers par les armées italo-allemandes. Mais voici qu'à leur tour les Allemands reculent, après l'offensive anglaise à El-Alamein (octobre 1942).*

Vue sous ses aspects divers, la situation créait chez les prisonniers des alternatives d'espoirs et d'incertitudes énervantes. Pourtant, aux mains des Allemands, ils n'ont pas eu à subir les humiliations, les tribulations que leur imposèrent les Italiens. Astreints à une discipline plus rigoureuse, cette discipline les occupe, les rend à leur dignité de soldats, éloigne de leur esprit les sombres pensées. Dans l'ensemble, ils sont traités avec plus de discernement, plus d'humanité. Les officiers commandant le camp avaient conscience de leurs responsabilités et veillaient non seulement au maintien de la discipline mais encore au bien-être des prisonniers. L'un de ces officiers était un vieux soldat de l'autre guerre, inapte au service actif. Il avait déployé, pour améliorer leurs conditions d'existence, un empressement parfois touchant. Un jour que les vivres tiraient à leur fin, il était parti en camion, au plus fort d'une offensive anglaise, pour en chercher d'autres. Il n'était jamais revenu, son camion ayant été mitraillé en cours de route par un avion en patrouille. Un convoi qui rentrait l'avait trouvé en bordure du chemin, un trou encore rouge à la tempe, son uniforme de drap vert maculé de boue et de sang, son visage empreint d'un étonnement un peu douloureux, comme si la mort eût été, pour lui, une surprise extrême. Il manqua aux prisonniers qui avaient pris l'habitude de son visage souriant et de sa sollicitude sans cesse en éveil.

Un matin – c'était le troisième jour de la retraite allemande – l'ordre parvint aux prisonniers de se tenir prêts à l'évacuation. Un grand sentiment de découragement s'empara d'eux. La libération un instant entrevue redevenait une perspective lointaine, nébuleuse. Il ne subsistait plus que celle, dure, déprimante, de longs jours dont ils ne pouvaient savoir s'ils aboutiraient dans la liberté reconquise ou dans la mort. Ils rassemblèrent leurs affaires silencieusement, avec des gestes las, une envie de pleurer et, au fond du cœur, quelque chose d'immense, d'écrasant qui menaçait de les étouffer. Seul, parmi les autres, Salnaze trouva la force d'une bravade. Assis contre le tronc d'un arbre, les yeux mi-clos, il chantonnait :

Alla nous allé,
Alla nous allé, don maman,
Alla nous allé, don maman,
L'aut' coté montagne Çamarel !

Cette saillie se perdit dans le désarroi général.

Georges-André Decotter, ***Le jour n'en finit plus,*** **1951**

KISSOONSINGH HAZAREESINGH

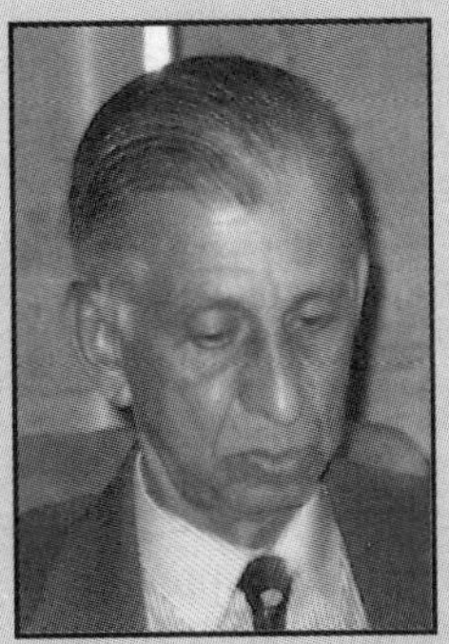

Kissoonsingh Hazareesingh, né en 1909, formé aux sciences sociales à Londres, a fait une longue carrière dans l'administration mauricienne. Il a été le fondateur et le directeur de l'Institut Mahatma Gandhi à Maurice. Il a consacré son œuvre d'historien à l'étude de l'influence indienne sur la civilisation mauricienne. Outre une thèse en Sorbonne sur l'influence de Rabindranath Tagore, il a publié une *Histoire des Indiens à l'île Maurice* (1950), plusieurs fois rééditée, ainsi qu'un panorama de son île (*Profil de l'île Maurice,* 1976). Il a supervisé les rééditions récentes, en anthologies, de l'œuvre de Léoville L'Homme et de Robert-Edward Hart.

« Ces cérémonies ont survécu »

Observateur scrupuleux de la réalité indienne à Maurice, l'auteur évoque ici l'emprise des vieilles cérémonies d'origine religieuse.

Il se passait rarement une semaine sans qu'eût lieu quelque sorte de cérémonie religieuse. Le « Katha » était d'habitude la principale cérémonie et le « Shrimat Bhagwat Katha » était célébré une ou deux fois l'an.

Le « Gita Pat » vint plus tard, dans le courant du siècle. Ces cérémonies ont survécu aux empiétements du modernisme dans nos foyers, bien que, dans ce cas aussi, nous soyons en train de nous éloigner de la tradition. L'esprit de coopération régnait à l'occasion de ces fêtes. Les personnes invitées apportaient de la farine, des légumes et d'autres produits alimentaires, offrant le tout à leurs hôtes, ce qui faisait que même les pauvres avaient ainsi l'occasion de se réjouir de ces cérémonies. Le service terminé, tard dans la nuit, un dîner était servi à tous les assistants. Les nécessités du temps créaient des conditions particulières. Généralement, la maison était trop petite pour recevoir tant de convives, ce qui veut dire que l'on mangeait en plein air, à la lueur de torches. Il n'y avait pas suffisamment de récipients pour boire, de sorte que chacun devait apporter son propre « lota ».

Le caractère pittoresque des cérémonies nuptiales était tout à fait remarquable. Il était d'usage, pour les parents et invités du marié, de se rendre chez l'épousée dans des charrettes à mules pourvues de tentes. Il n'y avait pas alors d'automobiles, et les élégantes voitures étaient le monopole des riches. Trois ou quatre charrettes faisaient route ensemble. Le « chariot » du marié était brillamment décoré. Certains membres de sa suite allaient à pied et rencontraient la mariée à une courte distance de l'endroit où devait se dérouler le mariage. Selon une vieille coutume, très respectée, le cortège de l'époux ne devait pas atteindre la maison de l'épouse avant la nuit tombée. En route, il y avait quelques haltes qui permettaient aux gens de la noce de se reposer et de se restaurer, les victuailles qu'ils consommaient étant toujours fournies par les parents du marié. À l'arrivée chez la mariée, les tentes portatives des charrettes étaient détachées de celles-ci et dressées sur le sol pour que les invités pussent s'y reposer. Tandis que la cérémonie nuptiale se déroulait dans une tente séparée, ils assistaient avec intérêt et gaieté aux danses des bayadères qui les tenaient éveillés durant toute la nuit. Le dîner n'était jamais servi avant 23 heures et souvent même après minuit. Comme dans le cas de la cérémonie « Katha » et sous la même forme, les habitants du village aidaient à la célébration du mariage. La mariée et sa mère recevaient aussi des cadeaux des parents et aussi des époux.

Kissoonsingh Hazareesingh,
***Histoire des Indiens à l'île Maurice,* 1950**

Marcelle Lagesse, née en 1916 à Phoenix, appartient à une vieille famille d'ascendance bretonne, installée à l'île Maurice depuis le milieu du XVIIIe siècle. Elle aime faire revivre le passé de l'île de France dans des ouvrages d'érudition historique, des pièces radiophoniques et surtout des romans, élégamment nostalgiques (*La diligence s'éloigne à l'aube*, 1958 ; *le Vingt Floréal au matin*, 1960 ; *Sont amis que vent emporte*, 1974 ; *Des pas sur le sable*, 1975 ; *Une lanterne au mât d'artimon*, 1979).

« Employer le fouet pour les punir »

La diligence s'éloigne à l'aube *mêle l'intrigue policière à l'évocation historique. Nous sommes au début des années 1830. Le narrateur s'est embarqué à Nantes pour venir à l'île Maurice recueillir l'héritage d'un cousin mystérieusement assassiné. Le pays lui plaît et il s'y installe pour mettre en valeur la propriété dont il a pris possession. Il rachète la plantation de sa voisine, une jeune veuve, Isabelle Ghast, dont le charme le séduit. Mais il doit affronter les douloureux problèmes humains que pose l'esclavage, dont l'abolition est de plus en plus vivement réclamée.*

Peu après l'appel, le lendemain, tandis que je prenais le petit déjeuner dans la bibliothèque, Rantanplan[1] entra et se tint auprès de la porte, immobile et les yeux fixés sur moi. C'était l'attitude qu'il adoptait quand il avait à me parler, qu'il n'osait me déranger et qu'il attendait ma question. J'achevai de verser le thé dans la tasse et déposai la théière.

« Tu voudrais me parler, Rantanplan ?

– Oui, maître, mais ce que j'ai à dire est difficile.

– Que je sache seulement de quoi il s'agit. »

Il eut l'air de chercher ses mots, puis se décida.

« Tournesol[2] est ici, dans la cuisine. »

La présence du commandeur aux Girofliers m'étonnait. Il était entendu qu'Isabelle continuerait à donner les ordres et Tournesol le savait. Je me demandai si c'était le début de quelque mutinerie.

« Que veut-il ? »

Je pense que ma voix devait être sèche et impérative. Rantanplan fit deux pas vers moi. Il glissait ses mains entre sa large ceinture de peau et sa chemise, signe de grand embarras chez lui.

« Il m'a demandé de vous expliquer… il faut que vous compreniez, maître. Il y a des années que ça ne se fait plus chez nous et Tournesol est tout jeune, il n'a pas l'habitude. Il a pensé que vous pourriez peut-être intervenir…

– Je ne comprends pas, Rantanplan. Intervenir ? Pourquoi ? »

Il fit encore deux pas et parla très vite cette fois.

« Tournesol a reçu l'ordre de donner trente coups de fouet à l'Introuvable. »

Je m'efforçai de ne rien laisser deviner de mes sentiments.

« Je pense que l'Introuvable a dû commettre une bien vilaine action ? »

Je remarquai que Rantanplan détournait les yeux.

« Sans doute, maître. Il a abandonné son travail hier matin et est resté au camp.

– Était-il malade ?

– Non, c'est sa femme qui a eu un fils. Quand on est venu lui porter la nouvelle, il est parti, il est retourné au camp. On s'est aperçu de son absence et on l'a fait appeler, il a refusé d'obéir.

– Il a de nombreux enfants ?

– C'est le premier, maître.

– Est-ce que Tournesol s'en va aux champs ? demandai-je encore.

– Oui, c'est à son retour, à dix heures qu'il…

– C'est bon, coupai-je. Dis-lui qu'il peut aller à son travail.

– C'est tout, maître ?

– C'est tout. »

Il semblait hésiter à se retirer, peu satisfait sans doute de mon laconisme. Je choisis dans la coupe aux fruits une des dernières mangues de la saison. Rantanplan comprit que l'entretien était terminé.

Je ne pouvais accepter qu'un Noir fût frappé sur mes terres. Pour la première fois peut-être depuis que j'avais acheté la propriété d'Isabelle, je me rendais compte de mes nouvelles responsabilités. Jusque-là, je m'étais contenté de quelques tournées aux champs en compagnie d'Isabelle. Nous passions sur les routes et dans les sentiers. Elle, me précédant, et moi, ne voyant que la gracieuse courbe des hanches, le mouvement de la jupe légèrement relevée sur des escarpins plats, attachés à la cheville par des rubans croisés. Parfois, l'ombrelle blanche rejetée sur l'épaule, elle se retournait vers moi et, tout près, je voyais l'éclat du sourire, le regard filtrant entre les cils. Comment aurais-je pu m'arrêter à d'autres détails ? La conversation que je venais d'avoir avec Rantanplan me ramenait brutalement aux réalités.

En agrandissant les Girofliers, en achetant de nouveaux esclaves, je me devais de les traiter comme les anciens et suivant des principes établis par mes cousins. Je n'avais eu qu'à m'en louer au cours des difficultés des derniers mois. Je n'avais ni le droit ni le désir de changer quoi que ce fût à ces habitudes. Cependant, il me répugnait de devoir aborder ces questions avec Isabelle. Il me semblait que nous aurions dû avoir les mêmes réactions et les mêmes façons d'envisager ces choses. Européen de naissance, comme elle, élevé dans une atmosphère tout à fait différente, il ne m'avait pas été possible de constater sans un certain malaise que le troupeau humain, énoncé dans la nomenclature des biens dont j'héritais, était placé entre les bestiaux et les charrettes. Ce qui paraissait normal à la plupart des Mauriciens, habitués depuis l'enfance à traiter leurs Noirs en bêtes de somme, heurtait mon sens de l'équité. Et quant à employer le fouet pour les punir, je ne pouvais en accepter l'idée. […]

Lorsque j'arrivai à la maison d'Isabelle, une servante vint au devant de moi et m'annonça que sa maîtresse était aux champs, du côté de la ravine sèche où, croyait-elle, on semait du maïs. Je repris la route dans cette direction. Je trouvai Isabelle debout sur un terre-plein et dominant le champ. Sa silhouette se découpait sur le ciel clair. Elle regardait de mon côté et sans doute avait-elle entendu les pas de Taglioni[3]. Elle me regardait approcher, les paupières demi-closes, légèrement tirées vers les tempes. Je mis pied à terre. J'oubliai la raison qui m'avait conduit à sa rencontre jusqu'au moment où, ayant touché la main qu'elle me tendait, je me retournai vers le champ labouré pour échapper à l'étrange faiblesse qui me venait brusquement. Et tout de suite, je vis Tournesol. Il avait les yeux sur nous et un sentiment d'attente amollissait son visage. Il n'en fallait pas plus pour que je reprenne conscience de ce que mes gens espéraient de moi.

Marcelle Lagesse, *La diligence s'éloigne à l'aube*, © Julliard, 1958

COMPRÉHENSION ET LANGUE

1 – Quel est le plan du passage ?

2 – De quelle manière le narrateur signifie-t-il à Rantanplan le début et la fin de l'entretien ?

3 – Quels renseignements procure le texte sur la personne du narrateur ?

4 – Distinguez les divers aspects de la technique romanesque (récit, description, dialogues).

5 – Relevez et commentez les termes qui décrivent la vie des esclaves.

ACTIVITÉS DIVERSES, EXPRESSION ÉCRITE

1 – Dans quelles conditions l'esclavage a-t-il été établi puis aboli ?

2 – Connaissez-vous d'autres formes d'esclavage ? Lesquelles ?

1. Commandeur (= intendant) du domaine des Girofliers, dont le narrateur a hérité.

2. Commandeur du domaine racheté à Isabelle Ghast.

3. Cheval du narrateur.

ANDRÉ

« Le cyclone est un être humain »

Sur une île imaginaire (qui par certains aspects ressemble à l'île Maurice), un énorme cyclone se prépare.

André Masson (1921-1988), fidèle à son île natale (alors que ses frères Loys et Hervé avaient choisi l'exil), a écrit, en marge de son métier de journaliste, une œuvre littéraire abondante, comme poète, romancier, auteur de pièces pour le théâtre et la radio. On devine dans ces textes tourmentés une profonde inquiétude métaphysique. Ses premiers romans (*Un temps pour mourir*, 1962 ; *le Chemin de pierre ponce*, 1963), nourris d'images et de sensations mauriciennes, décrivent de terrifiants combats intérieurs, parfois redoublés par des tempêtes dévastatrices, dans lesquels tombent les masques humains, pour céder la place à la grande rivalité de Dieu et de Satan.

Hilfon le vacher vivait les jours les plus sombres de son existence. Son opinion fut faite dès les premières heures de la nuit : le cyclone est un être humain, doué d'imagination et de volonté. Il choisit la nuit, quand l'homme ne voit pas à un mètre, pour frapper les étables à l'angle du toit. Il fonce droit de l'est, la tête en avant, contre les grandes portes dont le verrou est rouillé par le temps. Il est rageur et têtu : il redouble de force toujours au même point, déracine un clou, soulève une feuille de tôle, s'en sert comme d'un levier pour arracher d'autres clous ou bien la déchire d'un seul coup de dent. Une fois la brèche faite, il envahit la toiture, la défonce par-dessous, à coups d'épaule, la repousse par de grandes gifles, la hale avec ses lanières de vent ; le mur qui la retient bouge, perd sa force pierre par pierre, le mortier fond sous l'averse qui s'infiltre, le béton de retient craque, l'étable s'élargit par le haut et tout à coup, en bas, le mur fatigué se déchausse, l'eau entre par les fissures, les lézardes s'allongent, les fenêtres prêtent dans tous les sens, les portes perdent leur encadrement.

Une bougie à la main, les tempes serrées, Hilfon avait suivi phase par phase ce combat entre l'étable et la tempête. Au début, circulant entre les tribarts[1], il avait encouragé ses bêtes de la voix. Mais il s'était aperçu très vite que le vacarme recouvrait ses mots. Il s'était tu, se contentant de donner de grandes tapes d'ami sur les croupes aux queues raidies par la peur. Le pis gonflé, les vaches avaient beuglé sans arrêt, fouaillant dans leur fumier. De temps en temps, un taureau avait déchiré la nuit d'une plainte sans fin. Chaque fois, le cœur d'Hilfon s'était fendu. Sautant à gauche, courant à droite, reculant, avançant, rallumant sa bougie éteinte d'une chiquenaude par le vent, il avait rassuré ses enfants, consolidé la porte, interrogé les contrevents de bois, tâté les murs, sondé le tapage pour essayer de découvrir un point particulièrement menacé.

Quelques minutes avant minuit, il avait sacrifié deux bougies, espérant qu'un peu de lumière rassurerait ses bêtes. Mais dans un éclat de rire qui avait empli tout le pays, la rafale avait sauté sur le toit et, en moins d'une seconde, l'avait séparé en deux parties, comme une main qui déchire une pièce de toile. L'angle nord-est de l'étable s'était effondré dans le purin. Pris de panique, Amandier avait brisé son tribart, s'était reculé et foulé une crosse[2] arrière. Le sanglot de la bête avait percé la nuit et jeté la peur parmi le troupeau. Capucine avait tiré sur son tribart avec tant de force qu'elle s'était blessée au collier, ce qui l'avait rendue furieuse. D'un brusque recul, elle s'était délivrée, rompant en même temps les liens de sa voisine, la petite préférée, or et neige, Balsamine. Un deuxième ébranlement de l'étable avait porté la panique à son comble, et d'autres bêtes, à peine visibles à la lumière des bougies clignotantes, s'étaient rebellées et démaillées[3]. Hilfon avait vu venir les cornes d'Amandier et avait eu juste le temps de se jeter sur le côté. Il serait mort, trahi par ses amis, si le centre du cyclone n'était tombé soudain sur le plateau.

Mais il ne fallait pas songer à remailler les bêtes affolées. La grande porte de l'étable avait tordu ses gonds. Elle penchait. Le plus pressé était de la redresser, puis de la consolider pour qu'à son retour la rafale ne la soufflât d'un coup de queue, cet appel d'air auquel rien ne résiste, ce creux du vent qui déracine un camphrier adulte. Hilfon avait rapidement barré la sortie de l'étable et s'était employé, en tâtonnant, le corps douloureux, la respiration haletante, à passer un levier sous le battant penché. Mais une porte d'étable n'est pas un contrevent de maison ! Celle-ci avait deux battants en mahogany[4] de quatre pouces d'épaisseur, doublés de tôle. Sa hauteur était de trois mètres et chacun des vantaux mesurait deux mètres de large. Cailloux, autrefois, avait pris trois jours pour en forger les moraillons[5] retenus par des rivets d'un pouce, achetés à Emubranche par Baccholet. Depuis dix ans, elle gardait le troupeau contre la bise mordante de juin à septembre. Les cornes de Navare qui, dans le temps, avaient tué Viljoin, le père de Mercas, se seraient cassées contre. Hilfon ne parvint pas à la palanquer de son levier. Au contraire. À vouloir la redresser, il avait fait jouer trop violemment un moraillon du haut, et un rivet, rouillé sans doute, avait cassé sec. Et juste avant l'aube, d'un seul bond, le vent était revenu, cette fois de l'ouest, tirant tout dans son sillage. Le vacher avait fait retraite précipitamment.

Le ciel de nouveau affola les bêtes. La lumière du jour mauve ne les calma pas. Debout près de la porte qui commençait à battre, Hilfon pleurait de fatigue et de désespoir. Il savait à présent que le troupeau se perdrait. Encore une heure ou deux et le mur arrière s'écroulerait, entraîné par l'effondrement du toit. C'était inévitable. Lui-même était pris au piège, attaché à ce troupeau. Fuir ? L'Emieure en crue barrait la plaine, les restes du ponceau devaient flotter à présent dans quelque bassin boueux de la Varoume. D'ailleurs, il n'aurait pas fait dix mètres que la rafale l'aurait bousculé et emporté. Enfant, il avait entendu raconter que les grands cyclones font dérailler les wagons dans les gares des villes, déplacent des roches de deux tonnes. Quant à mourir, mieux valait mourir avec ses enfants, la tête fracassée posée sur le flanc d'Amandier. Cette pensée le poussa au fond de l'étable vers le taureau. La bête vit approcher cette ombre, ne reconnut pas son maître, baissa la tête. Hilfon hésita. Le fracas du vent l'empêchait de faire reconnaître sa voix. Les yeux rouges de colère et de douleur, Amandier le défiait.

« Viens », dit le vacher d'une voix exténuée, ridicule. Et il fit un pas.

Le taureau racla trois fois le sol bétonné de l'étable, mugit. Hilfon crut à un signe de panique, avança d'un nouveau pas. Mais Amandier s'était porté violemment sur lui. Encore une fois, Hilfon put sauter de côté. Emporté par son poids, excité par la souffrance que lui causait sa crosse foulée, le taureau alla donner contre la porte, la poussa, aidé par le vent, et se trouva sous les coups de fouet de la tempête. Hilfon avait crié. Trop tard !

André Masson, *Un temps pour mourir*,

COMPRÉHENSION ET LANGUE

1 – Quel est l'ordre des événements ?

2 – « Le cyclone est un être humain » (l. 2-3) ; à partir de cette phrase, dites comment est présenté le cyclone.

3 – Quels sont les rapports entre Hilfon et le troupeau ? Comment le vacher considère-t-il ses animaux ?

4 – Qu'est-ce qu'un récit ? Distinguez dans le texte les deux constituants d'un récit : l'histoire et la narration.

5 – Donnez le sens et la valeur du mot « viens » dans la phrase : « Viens », dit le vacher d'une voix exténuée, ridicule. Et il fit un pas (l. 82).

ACTIVITÉS DIVERSES, EXPRESSION ÉCRITE

1 – Imaginez une suite à ce récit.

2 – Rédigez un texte dans lequel vous raconterez les moments qui précèdent l'arrivée d'un cataclysme naturel (cyclone, typhon, tempête, éruption volcanique…).

1. Bâtons attachés au cou des animaux pour entraver leurs mouvements.
2. Partie de la patte, en dessous du jarret.
3. Détachées.
4. Acajou.
5. Plaque mobile percée d'une fente, qu'on rabat sur un demi-anneau fixe (pour permettre de fermer une porte avec un cadenas).

ÎLE MAURICE

L O Y S

Loys Masson (Rose Hill 1915 - Paris, 1969) a quitté son île natale en 1939 pour s'installer en France. Il y participe à la Résistance contre l'occupant allemand et publie des poèmes militants, souvent diffusés clandestinement. L'écriture de ses romans l'a ramené vers le pays natal, quand il s'inspire de ses souvenirs de jeunesse (*l'Étoile et la Clef,* 1945) ou quand il développe des sujets maritimes, fortement symboliques (*les Mutins,* 1951 ; *les Tortues,* 1956 ; *le Notaire des Noirs,* 1961 ; *les Noces de la vanille,* 1962). Exprimant comme une secrète culpabilité, ces romans disent les combats pour la libération de la « race de Caïn » (c'est-à-dire contre les multiples formes de l'oppression et du racisme).

XXe siècle

« Doucement la vie pourrissait »

L'Étoile et la Clef *prête à son héros, Henri Barnèse, le regard du jeune Loys Masson découvrant, à la fin des années 30, la réalité sociale mauricienne. Au chapitre* VI, *le roman évoque la lente prise de conscience de la communauté indo-mauricienne (« Bien avant 1936, comme vent sur des feuilles, un espoir avait parcouru ce monde de petits planteurs et de laboureurs ; puis il avait passé. C'était un orateur venu de l'Inde [allusion au séjour de Manilal, envoyé par Gandhi], un prêtre ou un homme politique, on ne sait, qui avait fait des conférences. Le frémissement avait été à peine perceptible... »). Cette fermentation sociale conduit cependant à la création d'un parti politique (le « Parti Progressiste » dans le roman, dans lequel on peut reconnaître le parti travailliste mauricien).*

Quiconque aurait prêté oreille au vent n'aurait perçu que le murmure des tiges froissées. Quelle plainte se serait aventurée ? On ne salit pas une terre qui enfante. Les plaintes, c'est bon pour les cahutes quand on est seul, face à la femme en guenilles, qu'on contemple son propre délabrement, qu'on voit entre la pioche posée dans un coin et le grabat l'enfant qui a des vers et se roule de coliques. La merde isole. Rien ne filtre. Seulement le son des fifres qu'on fait chanter sur le seuil, au couchant, la musique des fausses satisfactions. Avec la dysenterie, chier occupe tout le loisir. Puis dormir. Puis c'est l'aube, le réveil, les pieds nus sur la terre nue.

L'usine est si belle, ses murs propres, la longue cheminée, les machines, les treuils : ce serait un blasphème que d'oser lui opposer le dénuement des hommes. Ces champs droits, verts, luxueux, un blasphème aussi que de dire qu'on est malheureux par là. Comment deviner une souffrance qui ne se déclare pas ? On voit la crasse, on ne sait pas que c'est le vêtement du malheur. Il faudrait des yeux par trop aigus. Et avoir du temps à perdre. Booram, Chundursing, Kapeel sont fermes à l'ouvrage, ils ne bronchent jamais. Des souffrants, ça ? Ils le diraient nom de Dieu ! Ce n'est pas de leur faute, on en convient, mais ils sont nés laboureurs. Un laboureur, cela laboure comme un usinier fait aller une usine, comme un chef d'exploitation dirige machines et cultures au petit doigt comme des domestiques. Pas d'esclavage, ce n'est pas vrai ! Elle est achetée, cette sueur. On en fait honnêtement le règlement chaque samedi. N'inventez pas. Ces gens n'ont pas de besoins. Le cinéma, oui, parfois le cinéma ; mais ils y vont. Tout ce qu'ils gagnent passe dans l'alcool. Sommes-nous fautifs ? Il y a la crise, le sucre ne se vend pas comme il devrait, vous ne voudriez pas qu'on se ruine ? Et les actionnaires, que diraient-ils si on les frustrait de leurs dividendes ? Une exploitation qui se respecte. Nous avons notre fierté de gérants à sauvegarder...

Doucement la vie pourrissait. Là, là-bas, une bulle venait crever à la surface de l'eau lisse. Mais on disait : un fou (et c'était vrai) ou un « meneur ». Fou ou meneur, cela n'insistait pas, la foule paresseuse le tirait par en dessous, il disparaissait. De l'insolence aussi : ce n'était plus l'heureux temps où quand un Indien passait trop bien habillé, avec un « langouti[1] » trop long aux mollets, ou un trop fier turban, on le plongeait dans un baril de mélasse pour lui apprendre la modestie. On se plaignait : « Ils sont travaillés, il y a de l'émeutier là-dessous. » On ne savait jamais les noms, on ne voyait jamais les visages. On n'apercevait que des lueurs dans la cohue, timides, qui ne pouvaient être dangereuses.

Cet orateur indien avait passé comme un météore. Nul n'avait cherché à savoir ce qu'il voulait, il parlait hindustani ou tamoul. On avait seulement deviné au sillage qu'il avait laissé. Il s'était rembarqué avant même qu'on le connût. Cela avait été une voix, il ne restait plus que le silence. Rompu par un cri parfois, mais pas besoin de bastonnade. Une politique de laisser-faire – la meilleure. Cela se réglait de silence à voix…

Un hétéroclite mélange d'abord. Pas de mot d'ordre ; il n'y avait ni unité de vues, ni unité de cœur. Un groupe d'hommes, sans plus. Certains qui se sentaient comptables de la détresse du peuple, d'autres qui espéraient sur elle s'élever, s'évader de la niaiserie de la vie coloniale. Bien peu s'étaient décidés par amour. La plupart étaient des aigris qui ne se souciaient pas plus d'une vraie révolution que de leur chemise déchirée, qui la plaqueraient justement pour une chemise neuve. Il y avait aussi des orgueilleux – ceux-là de beaux hommes encore, qui entendaient devenir à tous risques le drapeau de la souffrance. Une majorité d'impurs : des musulmans qui n'observaient pas le ramadan, des hindous sans foi ni loi, des mulâtres qui avaient été en Angleterre et rêvaient d'appliquer les Trade-Unions parce qu'ils croyaient pouvoir ainsi prendre la place des Blancs. Les réunions ressemblaient à des foires. On vociférait. On se lançait à la tête socialisme, marxisme, léninisme, trotskisme, des mots qui finissaient par n'avoir plus aucun sens. On recherchait une excitation et pas autre chose. Rien de solide. Les généreux mêmes restaient flottants. C'était un jeu.

On pouvait jouer. Le Gouvernement ne voyait pas d'un mauvais œil se fonder le nouveau parti. Il espérait, une main sur sa gorge pour l'empêcher de gueuler trop fort, l'autre sur son épaule et la flattant, faire fond sur lui contre l'élément blanc, généralement anti-britannique. D'ici à ce que le Parti Progressiste eût vraiment bras et jambes, de l'eau aurait coulé sous les ponts…

Loys Masson, *l'Étoile et la Clef*,

Compréhension et langue

1 – Quelle est la tonalité du texte ?

2 – Quelles sont les différentes parties de ce texte ?

3 – Quels sont les milieux sociaux et les groupes ethniques évoqués ?

4 – « Le sucre serait trop cher si l'on ne faisait travailler la plante qui le produit par des esclaves. » Sous l'apparence d'un froid raisonnement économique, Montesquieu laissait percer une dénonciation ironique. Le texte de Loys Masson utilise-t-il le même procédé ?

Activités diverses, expression écrite

Trouvez la définition des termes suivants : « socialisme », « marxisme », « léninisme », « trotskisme », et donnez pour chaque terme des exemples précis et des références historiques.

1. Pièce de toile ceignant la taille, vêtement traditionnel des travailleurs engagés indiens.

ÎLE MAURICE

LOYS

Loys Masson

Arrivé en France au moment même où éclate la Seconde Guerre mondiale, Loys Masson s'engage dans la Résistance et devient l'un de ces poètes clandestins qui maintiennent l'esprit de liberté. Son poème « Notre Dame des exodes », publié dans la revue *Esprit* à la fin de 1940, est l'un des tout premiers à manifester le refus de l'Occupation. Il anime la revue *Poésie 41* qui publie sous le manteau Aragon, Éluard, René Char… Ses propres poèmes sont édités en Suisse dans des volumes qui circulent ensuite clandestinement en France (*Délivrez-nous du mal,* 1942 ; *Poèmes d'ici,* 1943 ; *Chronique de la grande nuit,* 1943).

XXe siècle

L'Enfant

Tiré des Poèmes d'ici, *ce poème témoigne de l'inspiration militante de Loys Masson. Mais ce n'est pas un simple « poème de circonstance ». Il s'accorde avec le projet profond qui sous-tend toute son œuvre : un désir de libération si universelle que seule l'enfance peut avoir l'intrépidité de le formuler.*

Le fils qui nous viendra un jour nous l'élèverons pour les barricades
si la justice n'est encore pas de ce monde.
Il marchera dans l'ombre des martyrs, camarade des fleuves, des
forêts, des sillons
Une bonace le suivra comme un ange lent sur les hécatombes
lui portant ses armes : le grain, l'eau, le miel et le pardon.
Paisible sera son visage comme fut notre visage aux jours de tyrannie
quand mésange d'un chant libre vous étiez plus forte que le malheur
et qu'aux errants chaque soir votre cœur ouvrait notre maison sur les
glacis.
On l'appellera Enfant, puis il grandira plus haut qu'un chêne des bois
Ses bras seront des rameaux où nid des anciens jours notre amour se
balancera
À l'appel des pauvres sa voix lèvera comme un silo
on vous y trouvera veillant tendre sorgho des temps passés.

Il fait soleil sur les bourreaux.
Mais quand le ciel est doux comme aujourd'hui, à peine teinté de vert
sur les collines,
quand l'été transporte en ses serres un vent léger aux senteurs de
mousse et de vétiver,
j'écoute le râle des prisons venir de cent lieues
s'éteindre aux genoux de notre enfant.
– Il jette au feu de la liberté une brassée de sarments.
La flamme et ses yeux comme trois étoiles montent en cantique
vers l'étoile sereine de votre front.

Loys Masson, *Poèmes d'ici,* Genève, La Baconnière, Coll. des Cahiers du Rhône, Baudry-Neuchâtel (Suisse) © 1943

COMPRÉHENSION ET LANGUE

1 – Quel est le thème du poème ? Correspond-il au titre ?
2 – Quelles sont les images qui vous frappent le plus ?
3 – Pourquoi l'auteur fait-il appel à un enfant ?
4 – Étudiez le champ lexical dominant.
5 – Justifiez la majuscule du terme « Enfant » (l. 11).

ACTIVITÉS DIVERSES, EXPRESSION ÉCRITE

Les thèmes de la liberté et de l'enfance sont étroitement liés chez Loys Masson. Expliquez pourquoi ces thèmes peuvent être associés.

Littérature et exil

L'histoire des îles de l'océan Indien commence par un premier exil fondateur : des hommes, un jour, ont quitté leur pays d'origine pour aller s'installer sur ces terres du bout du monde, jusqu'alors désertes, où ils se sont enracinés. Mais ils ont gardé le souvenir plus ou moins violent des pays d'avant. La littérature mauricienne est née de ce qu'on a appelé le « francotropisme » (le désir de toujours regarder du côté de la France), comme elle s'est nourrie de retours littéraires vers l'Afrique ou les pays d'Asie.

Mais il est une autre forme d'exil : quand les insulaires se laissent séduire par l'appel de la mer et abandonnent leur île devenue trop petite pour leurs vastes désirs. Dans les nouveaux pays d'accueil, ces exilés ne peuvent oublier l'île de naissance et rêvent de retour vers l'insularité maternelle.

Les premiers poètes de la Réunion (de Parny à Leconte de Lisle) se sont révélés dans l'éloignement parisien, mais la part réunionnaise de leur œuvre constitue ce qu'ils ont peut-être écrit de plus réussi. Les écrivains mauriciens ont été nombreux à s'embarquer pour les continents lointains. Loys Masson, Jean Fanchette, Marie-Thérèse Humbert, Édouard J. Maunick, Jean-Marie G. Le Clézio, ont découvert par l'exil l'exigence intime de leur mauricianité.

Les romans de l'impossible oubli

Loys Masson et Marie-Thérèse Humbert ont en commun de s'être tout à fait intégrés dans leur pays d'accueil : à certains égards, ils sont devenus des écrivains français, dont on pourrait ignorer les liens qui les rattachent à Maurice. Mais ils n'ont jamais pu oublier leur pays de naissance, et le roman a été pour eux le moyen d'accomplir le voyage de retour vers l'île natale.

Le premier roman de Loys Masson, *l'Étoile et la Clef* (1945), dont le titre reprend l'ancienne devise de l'île de France, est une autobiographie transposée : l'auteur y évoque ses engagements d'adolescent et ses rêves de justice sociale dans une société encore marquée par les clivages hérités de l'esclavage. Après plusieurs romans transcrivant l'expérience de la clandestinité, Loys Masson compose des histoires maritimes, traversées de passions hallucinées, habitées d'un puissant souffle symbolique. *Le Notaire des Noirs* (1961) évoque l'île Maurice des années 30, troublée par de fortes agitations sociales. *Les Noces de la vanille* (1962) se déroulent à la Réunion... Le retour des mêmes motifs (malédiction de la « race de Caïn », désir de libération des opprimés, transgression des interdits sociaux et raciaux par des héros enfantins, condamnés à la mort par la faute de la génération des parents...) dessine une constante thématique, où se dit peut-être une culpabilité secrète : comme si le romancier Loys Masson analysait dans ses « romans des mers du Sud » la faute de la société, coupable d'avoir fait durer l'esclavage.

L'exemple de Marie-Thérèse Humbert est non moins révélateur. Elle a souvent confié que son premier roman, *À l'autre bout de moi* (1979), qu'elle pensait d'abord situer dans la province française, lui a imposé la nécessité de son décor mauricien. L'histoire de rivalité de deux jumelles qu'elle y raconte devient ainsi le révélateur des tensions qui gouvernent la société mauricienne des années 50 et 60. L'éloignement de la romancière l'a sans doute portée à prendre un recul critique par rapport à son île.

Poétique de l'exil

Pour des poètes comme Jean Fanchette ou Édouard Maunick, l'exil est devenu à la fois paysage mental et condition de l'écriture. Souvent tenues pour parallèles, leurs œuvres ont en fait suivi des voies très différentes.

Jean Fanchette écrit en images denses et énigmatiques. Il dit la hantise de la mort et la quête d'une origine incertaine. En effet, le poète se découvre condamné à une « identité provisoire » (car il n'est pas d'origine absolue, définitive : l'exil est le seul destin possible de qui refuse les complaisances de la nostalgie). La publication en un volume de son œuvre poétique, en 1993, a permis de prendre la mesure de cette poétique du dépaysement.

La poésie d'Édouard J. Maunick est davantage liée à une aventure personnelle, dont elle livre quelques éclats, dans une langue indissociable de la voix qui la porte (on entend dans les poèmes de Maunick la présence du rythme créole, les élans aussi d'un homme de paroles). Au cœur de ses textes, il y a toujours la célébration d'une identité métisse, donc l'apologie des rencontres, des voyages, de l'errance. L'exil est consubstantiel au poète Maunick, puisqu'il est le moyen de vivre la complexité du sang, les mélanges de races, le dialogue de l'île et de la mer, bref tout ce que peut suggérer la métaphore qui donne son titre à l'un de ses premiers recueils : *les Manèges de la mer* (1964).

Retour à l'origine

La publication du *Chercheur d'or* (1985) a fait entrer Jean-Marie G. Le Clézio dans l'ensemble littéraire mauricien. En romançant un épisode emprunté à l'histoire de sa famille, en revenant à Maurice et à Rodrigues sur les traces de son grand-père, il éclairait d'un jour nouveau la quête de l'origine qui commande la majorité de ses œuvres antérieures. Mais peut-être avait-il fallu les longs détours de l'errance qui l'avait conduit jusqu'au désert ou au Mexique pour pouvoir reconnaître dans le surgissement miraculeux des îles l'image d'une origine retrouvée.

Jean Fanchette (1932-1992) s'installa à Paris où il exerça la profession de neuropsychiatre. Il a fondé et dirigé avec Anaïs Nin (écrivain américaine) une revue, *Two Cities,* qui voulait jeter un pont entre le monde francophone et le monde anglo-saxon. Il a publié plusieurs recueils de poèmes (*Gerbes de silence,* 1952 ; *les Midis du sang,* 1955 ; *Identité provisoire,* 1965 ; *Je m'appelle sommeil,* 1977 ; *l'Île équinoxe,* 1993), ainsi qu'un roman (*Alpha du centaure,* 1975).

Constat

Jean Fanchette s'est installé dans un exil devenu comme son lieu d'identité. Ses textes disent souvent le désir et l'impossibilité de superposer toutes les appartenances qu'il revendique comme siennes.

Ce sont les dernières fibres de mon appartenance
Qu'arrache une à une le joueur de kora.
C'est la dernière plainte de mon allégeance
Que détaille la voix nasonnée du griot.

Je vous l'ai dit je ne suis pas d'ici
Le jeu sourd de mes muscles me l'apprend chaque jour
Et ce vertige roux de quels archipels oubliés
Où tourne la rose d'ombres.
Certes mes pas aveugles reconnaîtraient
Les sables de Riambel
Mes pieds apprivoiseraient la terre brûlée
Et la mer Indienne saurait laver
La poussière d'Europe
Dans un unique sacrement d'aurore.

Mais vos guerres ne sont plus les miennes
Vos paroles combattantes me font rire.
À la terrasse de mes anciennes émeutes
Je regarde couler le fleuve de la rue
Je ferme ma porte au tumulte
(L'instant bouclant le paysage vague du souvenir)
Et je bois ma bière tranquillement
Dans le crépuscule de mai à Paris-sur-Seine.

C'est la dernière fibre de mon appartenance
Qu'arrache le joueur de kora...

Jean Fanchette, *Je m'appelle sommeil,* 1977

COMPRÉHENSION ET LANGUE	ACTIVITÉS DIVERSES, EXPRESSION ÉCRITE
1 – Quels sont les lieux et les paysages évoqués ? 2 – Quel sentiment ce poème traduit-il ? Quelles sont les images dominantes ? 3 – Comment le poète aborde-t-il le thème de l'exil ? 4 – Étudiez l'usage des pronoms et adjectifs personnels.	1 – Qu'est-ce qu'un griot ? Quelle place occupe-t-il dans la mémoire collective d'un peuple ? 2 – Y a-t-il des griots chez vous ? Sinon, qui les remplace ? 3 – S'il vous fallait chanter l'exil de votre terre d'origine, comment vous y prendriez-vous ?

« C'est décembre »

Le poème joue sur l'imprécision des paysages évoqués et sur des effets de rupture.

C'est décembre et les troupeaux là-bas vont vers le Sud
Parmi les souches et la pierraille blanche.

Assez des migrations assez des transhumances !
Je ne veux plus me briser aux vents
qui traversent le Sud
Aux pluies lourdes lavant les ossuaires de l'enfance
Qu'importent à présent les guetteurs camouflés
de mes constellations
Ils ne me reconnaîtront plus.

Loin de la mer respirante
La route de l'avenir jetée comme un pont
Sur un si vertigineux espace
Sur une telle absence

Rien à déclarer à la douane du passé !

Jean Fanchette, *Je m'appelle sommeil,* 1977

COMPRÉHENSION ET LANGUE

1 – Par rapport au poème précédent, comment est abordé le thème de l'exil ?
2 – Quelle logique voyez-vous dans la juxtaposition des différentes phrases ?
3 – Qu'est-ce qu'une « transhumance » (v. 3) ? Quelle relation établissez-vous entre « transhumance », « migration », « exil » ?
4 – Comment comprenez-vous l'image des « ossuaires de l'enfance » (v. 6) ? Avec quels autres éléments du texte la mettriez-vous en relation ?
5 – Explicitez le dernier vers. Quelle opposition le poème établit-il entre le passé et l'avenir ?
6 – Étudiez la versification, la disposition des séquences de vers, l'utilisation des majuscules en début de vers. Quel est l'effet produit ?

ACTIVITÉS DIVERSES, EXPRESSION ÉCRITE

Vous développerez, sous forme d'un bref essai écrit, les réflexions que vous inspire le vers 11 : « la route de l'avenir jetée comme un pont ».

ÉDOURAD J. MAUNICK

Édouard J. Maunick, né en 1931 à Flacq, s'est fait le poète des rencontres et des métissages, de l'exil et de l'ouverture au monde. Homme de radio et journaliste, chargé de hautes responsabilités dans des organisations internationales, il est toujours resté un amoureux de la langue, faisant confiance à quelques « mots racines » pour dire son identité créole. Son œuvre est ample et variée (une douzaine de recueils, de tons et de rythmes très divers, des *Manèges de la mer,* en 1964, à *Toi, laminaire* en 1990, dédié au poète ami antillais, Aimé Césaire). Mais l'*Anthologie personnelle* (1989), composée par Maunick lui-même, permet d'en mesurer l'unité d'inspiration.

XXe siècle

« La parole restera ma seule vraie légende »

La poésie de Maunick est réputée difficile. Cet extrait du recueil Fusillez-moi *(1970) livre peut-être quelques clés : le poète y pratique un lyrisme éclaté, jouant des ruptures d'expression, mêlant son destin personnel (évoqué à travers quelques détails allusifs) et le destin collectif d'un peuple ou d'un continent. Il célèbre ici la vocation du métis à s'ouvrir à toute lumière dans le monde.*

la parole restera ma seule vraie légende
celle que l'écriture accapare pour survivre
il faut qu'elle dise combien je refuse
d'inventer ce que le poème refuse
elle m'interdit d'imaginer saccage
mes rêves de soir en soir plus violente
témoigne à ma place du plus déchiré
du plus abyssal du plus grave de moi-même
parole ma certitude je me souviens
d'elle comme d'une fête sans pendule
et nous n'avons pas fini
et nous ne cesserons jamais de fiancer nos nudités
dans mes draps tu laisses un peu
de ta saison sous-marine pour que vocifèrent les matins
las de traîner depuis la veille
de midi en angélus de minuit en aube nette…

la mer la mer toujours me racontera debout
m'ayant arraché à la solitude
j'étais soi-disant victime à genoux
mis au ban de l'universel banni de l'immense
mes yeux étaient cloués au nombril
d'une île chassée de l'Afrique par une guerre tellurique [1]
des pans de mer m'exilèrent
de l'équateur une lame de mer trancha les amarres
je tournai le dos pour faire
face à la terre frappé de dérive bruyant de damnation
j'affûtai les mots à crier
à redoubler de cris à contrarier le chant de vivre
mais la mer revint sur ses pas
du plus loin-profond des crevasses des déserts d'algues vives
me remit debout d'un grand coup
de mascaret me replanta volte-face à l'horizon…

je ne pèserai jamais du poids d'avoir mal
adieu les histoires de paria natal
l'homme blanc qui prit ma grand-mère
dans son lit refusa de donner son nom à ma mère

ainsi ma mère put épouser
mon père lui-même petit-fils de coolies venant des Indes
que voulez-vous que j'y fasse
qu'ai-je à corriger de tout ce qui se perpétra avant moi
sinon rire pour falsifier le crime
et bâtir ma chair plus solide que chagrin
regardez-moi quelle blessure de jadis
lisez-vous sur mon visage sinon la lumière
je suis au monde pour ne jamais
plus peser du poids d'avoir mal d'être de sang mêlé
métis veut dire lumière métèque[2] veut dire bonjour :
dans la lumière donc je vous salue…

en tout lieu me fascinera le nœud des choses folles
puisque mon siècle exorcise l'espace
je porte un masque d'avant
le fabuleux pour attirer les anges dans un séga
je remonte des vagues pour graver
l'hippocampe, mon animal-totem-ma-signature
prêtez-moi des griffons[3] solaires
pour jouer à la Passion ils ressusciteront
pourquoi une carte du ciel il suffit
de demander à un pégase[4] aveugle : il sait
je m'endors parfois parmi les hippogriffes[5]
dans un lieu boréal[6] en récitant l'été
Icare Icare le soleil ne tue pas
tu avais seulement oublié le mot de passe
toutes ces ailes nouées autour de mes reins
je vais danser au bord des volcans pour croire…

Édouard J. Maunick, *Fusillez-moi*,

Compréhension et langue

1 – Relevez les anaphores. Quel est leur rôle ?
2 – Quel(s) effet(s) produit l'absence de ponctuation ?
3 – Relevez, classez et étudiez le champ lexical du métissage.
4 – Justifiez la majuscule du terme « Passion » (v. 56).
5 – Relevez et commentez les images de ce texte.

Activités diverses, expression écrite

1 – Après avoir étudié la poésie de Maunick, essayez de définir les caractéristiques de son style.
2 – Qui était Icare ? Pourquoi cette référence à la mythologie grecque ?
3 – Quelles impressions vous laisse cette évocation de différents lieux et temps ?

1. De la terre. On peut deviner une allusion à la dérive des continents.
2. Dans l'Antiquité, c'était l'étranger installé à Athènes, tenu à l'écart de la vie politique. Au XXe siècle, le mot s'est chargé de connotations très péjoratives et racistes : il désigne un étranger dont on souligne l'origine raciale mélangée.
3. Animaux fabuleux, à corps de lion, à tête et ailes d'aigle.
4. Cheval ailé (dans la mythologie gréco-romaine).
5. Monstre ailé, moitié cheval, moitié griffon.
6. Voisin du pôle Nord.

ÎLE MAURICE

MARIE-THÉRÈSE

XXe siècle

« La boutique du Chinois »

*Anne et Nadège, les héroïnes d'*À l'autre bout de moi, *sont deux sœurs jumelles, appartenant à une famille « créole » de Quatre-Bornes. Elles découvrent peu à peu le jeu complexe de la juxtaposition des classes et des races dans la société mauricienne.*

Marie-Thérèse Humbert, née à Plaines-Wilhelms en 1940, vit en France où elle est professeur. Son premier roman, *À l'autre bout de moi* (1979), qui a rencontré un large succès public, propose un tableau subtil de la société mauricienne des années 1950, vue à travers le regard d'une adolescente. Ses romans ultérieurs (*le Volkaméria*, 1980 ; *Une robe d'écume et de vent*, 1984), construisant le décor d'une île inventée, continuent d'explorer l'imaginaire de l'insularité.

Aussi, lorsque nous eûmes quatorze ans, depuis plusieurs années déjà les jours de vacances, la boutique du Chinois était pour nous un lieu de promenade. Ah-Ling nous encourageait à revenir ? nous ne nous en privions guère ! À peine Nadège avait-elle soutiré à Mère quelque menue monnaie, nous avions le prétexte nécessaire. La distance qui nous séparait de la boutique était si brève ! nous n'avions qu'à descendre la route, en passant devant la mosquée d'où nous parvenait chaque jour le chant du muezzin – mosquée toute blanche, entourée d'une cour dallée, ombragée de fougères géantes et de bambous de Chine en panaches, rigoureusement propre et silencieuse – plus bas deux grandes maisons, tapies au fond de leurs jardins, nous regardaient passer avec arrogance. Puis, rien d'autre qu'un grand champ de canne jusqu'au carrefour immense et dévoré de ciel où se tenait la boutique, baraque d'apparence misérable, coiffée de tôles ondulées. Dans l'arrière-boutique qui ouvrait sur une étroite cour fangeuse s'entassait la famille d'Ah-Ling, sa femme Suzanne, petite et maigre, et ses deux enfants, gras à souhait comme leur père. Nous avions toujours connu Ah-Ling derrière son comptoir, la plupart du temps sa femme à ses côtés. À leur manière ils semblaient voués à l'éternité comme les manguiers et les letchiers du jardin. La mosquée elle-même, pour solide qu'elle fût, nous paraissait moins inébranlable que la fragile bicoque d'Ah-Ling.

C'était d'ailleurs plus qu'une conviction, c'était un dogme, et tout incroyant en la matière s'exposait à nos foudres. Ainsi Sassita qui, loin d'entretenir à l'égard des Chinois nos sentiments d'amitié, prenait un malin plaisir à souligner la minceur de leurs murs. Je me rappelle encore ce jour d'après-cyclone où, revenant d'un tour de reconnaissance chez elle, la jeune servante avait annoncé d'un seul souffle, en simulant l'effarement :

« La boutique du Chinois est détruite, il paraît que la *madame-chinois* est blessée. »

Quel regard méprisant lui avait lancé Nadège !

« Qui te l'a dit ?

– Tout le monde le sait chez moi.

– C'est qu'on se trompe. Ah-Ling est bien trop malin ! Déjà hier soir, il avait mis de grosses pierres sur les tôles de son toit. Et les portes étaient bien barricadées.

– C'est pourtant comme je vous dis. »

Superbe de confiance Nadège avait haussé les épaules.

« On verra bien demain. »

On vit bien, en effet : la boutique était intacte. Seul un gros letchier dans sa chute avait abîmé un peu, sur l'arrière, l'enclos de la cour. Mais les vitrines ne contenaient pas une statuette de moins ; et Suzanne, qui devait à son baptême d'avoir pu réciter le rosaire pendant la durée des fortes rafales, se trouvait toujours là, avec son même sourire fatigué. Mais aussi, comment vouliez-vous qu'il arrivât quelque chose à la boutique d'Ah-Ling, protégée comme elle l'était par les dieux les plus divers ? Voilà du moins ce que nous avions conclu.

Marie-Thérèse Humbert,
***À l'autre bout de moi,* © Éditions Stock, 1979**

COMPRÉHENSION ET LANGUE

1 – Quelles sont les différentes parties de ce texte ?
2 – Étudiez l'importance que revêt la boutique du Chinois pour les jumelles.
3 – Quelles sont les conditions de vie de la famille Ah-Ling ?
4 – Que veut dire la narratrice par « protégée comme elle l'était par les dieux les plus divers ? Voilà du moins ce que nous avions conclu » (l. 46-47) ?

ACTIVITÉS DIVERSES, EXPRESSION ÉCRITE

1 – « La boutique du Chinois » ; « le chant du muezzin » ; « ce jour d'après-cyclone » ; « les manguiers et les letchiers » sont des termes propres à une réalité insulaire. Qu'évoquent-ils pour vous ?
2 – Y a-t-il un lieu qui, comme la boutique pour la narratrice, vous rappelle votre enfance ? Lequel ?

ÎLE MAURICE

JEAN-MARIE G. LE CLÉZIO

Jean-Marie G. Le Clézio est né en France, à Nice, en 1940, mais sa famille est originaire de l'île Maurice et lui-même a souvent affirmé qu'il se considérait comme un écrivain mauricien. L'île Maurice est présente dans son œuvre au travers d'allusions discrètes, mais surtout par la publication d'un recueil de *sirandanes* (énigmes créoles) et d'un grand roman, *le Chercheur d'or* (1985), inspiré de la vie de son grand-père paternel. Racontant la recherche d'un trésor de pirates qui aurait été caché sur l'île Rodrigues, ce roman peut se lire aussi comme le récit d'un retour vers l'origine.

XXe siècle

« J'ai cru que j'arrivais au paradis »

Le héros du Chercheur d'or, *Alexis, s'est embarqué sur un bateau qui le conduit à Rodrigues. Il aime écouter le timonier, un Comorien, qui raconte les histoires des îles de l'océan Indien, et particulièrement celle de Saint-Brandon.*

J'aime quand il parle de Saint-Brandon, parce qu'il en parle comme d'un paradis. C'est le lieu qu'il préfère, où il revient sans cesse par la pensée, par le rêve. Il a connu beaucoup d'îles, beaucoup de ports, mais c'est là que le ramènent les routes de la mer. « Un jour, je retournerai là-bas pour mourir. Là-bas, l'eau est aussi bleue et aussi claire que la fontaine la plus pure. Dans le lagon elle est transparente, si transparente que vous glissez sur elle dans votre pirogue, sans la voir, comme si vous étiez en train de voler au-dessus des fonds. Autour du lagon, il y a beaucoup d'îles, dix, je crois, mais je ne connais pas leurs noms. Quand je suis allé à Saint-Brandon, j'avais dix-sept ans, j'étais encore un enfant, je venais de m'échapper du séminaire. Alors j'ai cru que j'arrivais au paradis, et maintenant je crois encore que c'était là qu'était le paradis terrestre, quand les hommes ne connaissaient pas le péché. J'ai donné aux îles les noms que je voulais : il y avait l'île du fer à cheval, une autre la pince, une autre le roi, je ne sais plus pourquoi. J'étais venu avec un bateau de pêche de Moroni. Les hommes étaient venus là pour tuer, pour pêcher comme des animaux rapaces. Dans le lagon, il y avait tous les poissons de la création, ils nageaient lentement autour de notre pirogue, sans crainte. Et les tortues de mer, qui venaient nous voir, comme s'il n'y avait pas de mort dans le monde. Les oiseaux de mer volaient autour de nous par milliers… Ils se posaient sur le pont du bateau, sur les vergues[1], pour nous regarder, parce que je crois qu'ils n'avaient jamais vu d'hommes avant nous… Alors nous avons commencé à les tuer. »

Jean-Marie G. Le Clézio, *le Chercheur d'or,* © Éditions Gallimard, 1985

COMPRÉHENSION ET LANGUE

1 – Qui sont les habitants de l'île Saint-Brandon ?
2 – La présence humaine est-elle bénéfique ? Pourquoi ?
3 – Comment le narrateur traduit-il la pureté primitive de l'île ?
4 – En quoi l'île peut-elle être assimilée au paradis ?
5 – Qu'est-ce qui est prémonitoire de la chute dans le texte ?
6 – La notion de paradis introduit le mythe de l'origine donc du début du monde. Ce mythe vous semble-t-il justifié ici ?

ACTIVITÉS DIVERSES, EXPRESSION ÉCRITE

1 – Comparez ce motif du paradis à la représentation médiévale qui imaginait le paradis comme un morceau de terre entouré d'eau.
2 – Comment la littérature de votre pays explique-t-elle l'origine du monde ?
3 – Connaissez-vous d'autres mythes de l'origine ?

1. Pièces de bois disposées perpendiculairement aux mâts et servant à fixer les voiles.

Ananda Devi, née en 1957, très tôt remarquée, a publié en 1987 un recueil de nouvelles, *le Poids des êtres*. Son roman *Rue de la Poudrière,* édité par les N. E.A. d'Abidjan en 1988, brosse un tableau sans complaisance de la vie de son héroïne dans un quartier misérable de Port-Louis. La romancière y décrit la lente destruction d'un être mal aimé, mal à l'aise dans sa peau et son identité.

« Je n'ai rien de plus à dire »

Paule, l'héroïne de Rue de la Poudrière, *a été une enfant rejetée par ses parents, Marie et Édouard, qui espéraient un garçon. Elle revient sur ce passé douloureux.*

Mes parents sont morts si tôt. Je veux dire morts pour moi. Lorsque mon père a commencé à prendre la teinte violacée des vieux qui ont trop bu, et l'odeur des vieux, j'ai compris que mon père était mort pour moi. Lorsque ma mère m'a fait boire un élixir de haine, ma mère est morte pour moi. Les sales bêtes n'avaient que faire de leur fille qui aurait dû être un garçon. Et tout doucement, dès le début de ma vie, ils se sont mis à me détruire.

Mais non… je ne dois pas. À présent, ils sont peut-être vraiment et définitivement morts, et je ne sais pas ce qui arrive aux morts. Je dois garder l'image qui a jailli de ma désillusion, l'image de Marie et d'Édouard, mon couple dissocié, mon fétiche interminable, je ne dois pas me rappeler leur langage épais ni leurs habitudes souterraines, cachées sous le feu des apparences. Oublier les rancunes, les révoltes. Oublier l'oubli.

Je vis mon passé, certes. Le passé que je choisis de vivre. Il faut simplifier la vie, la ramener à sa juste mesure. Si je m'embarquais sur ce navire je sombrerais fatalement. Vous ne me laisserez pas sombrer ? Laissez-moi m'enfoncer plutôt dans quelque silencieux souvenir glissant entre mes pensées.

Paule allait à la chapelle, le dimanche matin, avec sa mère, Marie. Le soleil rayonnait sur ses épaules. Elle regardait toujours un peu vers la gauche, pour ne pas voir, du coin de l'œil, la démarche lourde et tassée de sa mère. Et elle pensait très fort, pour y croire, que sa mère était droite et digne, et portait un beau chapeau. Et qu'elle était fière d'être à ses côtés. Et que les gens devaient se dire, Paule a de la chance d'avoir une mère telle que Marie. Et que dans l'église, le visage de Marie serait empreint d'une grande tristesse et d'une grande profondeur, telle une reproduction noire du visage rose de Marie, la statue, tenant Jésus. Mais toujours, la démarche engourdie persistait à rythmer ses rêves, et, dans la chapelle, Marie noire somnolait. Paule luttait avec son imagination.

Ai-je parlé ? Qu'ai-je dit ? J'étais soudain perdue dans mes pensées. Je me revoyais, à quatre ans, heureuse de marcher le long de la rue de la Paix avec ma mère jusqu'à la chapelle, les dimanches. Ces matins orgueilleux et pleins de dignité, je ne les oublie pas. Je les entasse au fond de ma mémoire pour en préserver la chaleur. Je me suis noyée dans cette tiédeur, un instant. Mais parfois, j'ai l'impression que quelqu'un m'écoute et entend d'autres choses imprononcées. Je n'aimerais pas qu'on s'immisce dans mon intimité. Je n'ai rien de plus à dire.

Ananda Devi, *Rue de la Poudrière,*

Compréhension et langue

1 – Faites un plan de ce passage.
2 – De quelle mort s'agit-il à la première ligne ?
3 – Quelles étaient les relations de la narratrice avec ses parents ?
4 – Son enfance était-elle heureuse ? Pourquoi ?
5 – Expliquez les dernières phrases : « Je n'aimerais pas qu'on s'immisce dans mon intimité. Je n'ai rien de plus à dire. »

Activités diverses, expression écrite

1 – Êtes-vous choqué par l'aspect douloureux de ce passage ? Relevez le champ lexical et les figures de style utilisés pour traduire la violence.
2 – Récrivez-le dans un autre style, avec un autre ton.

ILE MAHÉ : ROUTE DE LA MISÈRE (PAGE 71). — DESSIN DE MARIUS PERRET, GRAVÉ PAR ROUSSEAU.

LES ARCHIPELS

« J'ai résisté longtemps comme j'ai pu aux empiétements des hommes. »

La tortue des Seychelles
(citée par Antoine Abel,
Une tortue se rappelle, 1977)

« Celui qui a mangé des contes enfante des contes. »

Fatima Saïd (Anjouan)

Littérature des archipels

Les Comores

La situation géographique des Comores, au milieu du canal du Mozambique, a favorisé l'arrivée d'hommes à date ancienne et les rencontres de peuples et de cultures. Dès le XIIe siècle, des géographes arabes signalaient une région ou un canal de Qumr, qu'ils situaient du côté des sources du Nil. Le nom (qu'on rapproche du mot arabe désignant la lune) a fini par s'appliquer spécifiquement à l'archipel des Comores, qui est devenu une des escales du commerce arabe le long de la côte orientale de l'Afrique. Certains commentateurs ont retrouvé des allusions possibles aux Comores dans quelques contes des *Mille et Une Nuits.*

Malgré les clivages nombreux entre villages, clans ou quartiers, les Comores présentent une grande cohérence ethnique. Le lien essentiel du tissu social est constitué par l'Islam, de rite sunnite. La langue comorienne présente des affinités avec le swahili et connaît des variations dialectales importantes d'une île à l'autre. Certains villages de Mayotte utilisent une langue apparentée au malgache sakalava.

Outre le comorien, dans ses différentes variétés, qui est la langue maternelle, plusieurs autres langues ont connu ou connaissent des usages importants : le swahili a longtemps été utilisé comme langue des relations, commerciales ou autres, avec l'Afrique voisine ; l'arabe est la langue sacralisée de la religion ; le français a été apporté par la colonisation et il est devenu la langue symbolisant la modernisation du pays et de l'ouverture sur le monde extérieur.

La civilisation comorienne présente un visage complexe, par le mélange qu'elle a opéré d'éléments empruntés à des sources africaines, complétés par des apports nombreux du monde arabo-persan et de traits plus spécifiquement venus de Madagascar. L'évolution des modes de vie entraîne la transformation rapide de la vieille culture populaire. Mais la musique et la danse continuent de rythmer les innombrables fêtes qui marquent les dates essentielles de la vie sociale. Des études récentes ont montré la richesse de la tradition orale, notamment des contes, dont l'analyse peut apporter des lumières nouvelles sur l'histoire ancienne des Comores.

Des manuscrits en caractères arabes, remontant parfois à plusieurs siècles, notant des textes en arabe, en swahili ou en comorien, attestent l'existence d'une culture savante qui rayonnait jusqu'à Zanzibar. Ces manuscrits contiennent des textes d'inspiration religieuse (commentaires du Coran, traités théologiques) et des légendes historiques, constituant des sources précieuses pour l'étude du passé comorien.

Une littérature comorienne moderne

À l'époque coloniale, les Comores ont souffert de graves retards dans le développement d'un système éducatif. L'école coranique avait pratiquement seule la charge de former les enfants, qu'elle recevait dans leur quasi-totalité. Elle leur apprenait les rudiments de l'écriture arabe, les initiait au Coran et à la subtilité des rites et des dogmes. Elle jouait un rôle très important pour l'insertion des jeunes dans l'organisation sociale, mais n'offrait pas d'ouverture sur le monde moderne en gestation.

Jusqu'en 1939, il n'existe que quelques écoles primaires modernes. Après la Seconde Guerre mondiale, on ouvre des « cours complémentaires », pouvant déboucher sur l'enseignement secondaire qu'il faut aller suivre à Madagascar. L'évolution politique du territoire, vers l'autonomie, puis l'indépendance, rend de plus en plus criants les besoins de cadres formés au monde moderne. Un premier lycée s'ouvre à Moroni en 1963. D'autres suivront assez vite. L'archipel

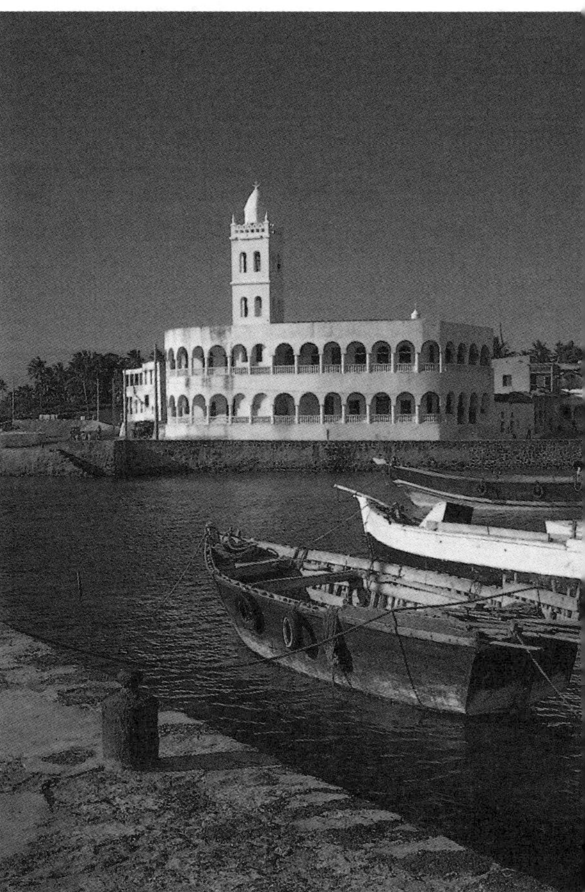

Moroni : la grande Mosquée.

›nnaît une explosion scolaire considérable : en 1980, il y a ingt fois plus d'enfants scolarisés qu'en 1962 ! Il faut ıettre en place un début d'enseignement supérieur pour forıer les cadres nécessaires au pays.

Ce démarrage tardif de la scolarisation du pays retentit ır la vie culturelle comorienne. Pendant longtemps, il n'a ‹isté aucun journal, puisqu'il n'y avait pas de lecteurs potenels. Il est donc tout à fait logique qu'il ne se soit pas dévepppé de littérature moderne écrite, que ce soit en comorien ı en français. Les seuls textes qui pouvaient connaître une ıblication ont été les mémoires ou les thèses soutenues par s étudiants comoriens achevant leurs cycles d'études.

Cependant, en 1983, une publication anonyme, présene par une association d'étudiants des Comores, rassemblait ɛs contes, des nouvelles, des poèmes : c'était le témoignage un désir d'écrire, sans doute avivé par les évolutions récentes ɛ la vie politique comorienne. La publication en 1985 du remier roman écrit par un auteur comorien, *la République es imberbes,* de Mohamed A. Toihiri, a marqué une date nportante puisqu'elle manifestait la naissance d'une actiité littéraire vraiment significative.

Cette première publication a suscité de nouvelles vocaons d'écrivains. La littérature comorienne a maintenant un venir.

Les Seychelles

Les quatre-vingt-douze îles qui forment l'archipel des eychelles n'ont pendant longtemps connu aucune occupaon humaine durable. Ce n'est qu'au XVIIIe siècle que l'arhipel a été habité à demeure, par des colons venus de l'île ɛ France (aujourd'hui Maurice). Ceux-ci ont introduit avec ıx les langues qu'ils utilisaient, le français et le créole. Le assage des Seychelles sous domination anglaise en 1814 y ajouté l'anglais.

L'économie des Seychelles (qui n'était pas, comme à Iaurice ou à la Réunion, fondée sur la culture dominante e la canne à sucre) n'a pas nécessité d'immigration massive ı XIXe siècle : les Seychelles se distinguent donc des Masareignes par le nombre réduit de sa population d'origine ıdienne. Les seules arrivées nouvelles ont été, au XIXe siècle, elles des « libérés », c'est-à-dire des esclaves africains rachés aux bateaux négriers par la marine anglaise et ébarqués dans l'archipel. Les Seychelles présentent donc ɛs traits plus africains que les autres îles de la région.

Trois langues sont en contact aux Seychelles : le créole, anglais et le français. La constitution de 1979 a instauré un ɛgime de trilinguisme officiel. L'usage du créole, langue ıaternelle de l'ensemble de la population, a été encouragé t valorisé par le gouvernement. Depuis 1981, il est consiéré comme la langue première des Seychelles et il a été romu langue d'alphabétisation et d'enseignement.

Au XIXe siècle, le français avait été maintenu comme langue de l'enseignement par les écoles catholiques. Il a été concurrencé par l'anglais au XXe siècle dans l'enseignement public. Il garde cependant un statut symbolique valorisé. Certaines cérémonies, certains actes importants de la vie personnelle (demandes en mariage, annonces de décès) continuent de se faire rituellement en francais.

Une littérature seychelloise

Compte tenu de l'occupation récente des Seychelles et du nombre limité des habitants, il ne faut pas s'attendre à rencontrer une production littéraire très abondante. Elle existe cependant, et des études récentes ont ramené au jour des textes de quelque ancienneté.

Le développement des travaux sur le créole a fait porter une grande attention aux productions de l'oralité : contes, chansons, proverbes, devinettes, etc. La collecte des contes a montré la grande influence d'emprunts africains (le héros principal des contes seychellois, Soungoula, emprunte son nom à un mot kiswahili qui désigne le lièvre...).

On a récemment retrouvé et publié les fables créoles de Rodolphine Young (1860-1932?) qui, sur le modèle des auteurs antillais comme Marbot, traduit en créole quelques fables de La Fontaine.

Une littérature moderne écrite en créole, qui ne pouvait qu'être encouragée par le développement de la scolarisation en cette langue, s'est peu à peu affirmée. D'abord par des poèmes (Antoine Abel, Alva Pool) qui recherchent des effets simples et émouvants. Puis sont venues des tentatives romanesques, avec *Fler fletri* de Leu Mancienne (c'est en 1985 le premier roman seychellois, dans une version bilingue, créole et française), puis avec *Montann en leokri* d'Antoine Abel ou *Eva* de June Vell.

Une presse seychelloise, modeste, mais ancienne et en partie francophone, avait utilisé le français comme langue d'écriture pour des textes de fiction, voire des feuilletons. Plusieurs anthologies ont rassemblé des poèmes d'auteurs seychellois qui étaient dispersés dans des publications diverses, ou parfois totalement inédits.

Guy Lionnet a cherché dans divers épisodes de l'histoire des Seychelles l'inspiration pour des pièces de théâtre : *Bonjour Monsieur de Quinssy* a connu une diffusion radiophonique internationale.

Antoine Abel a publié à Paris, en 1977, un recueil de contes et de poèmes et deux récits (*Coco sec* et *Une tortue se rappelle*), dont l'un des mérites est de se faire la voix de héros simples, incarnations du peuple seychellois : les paysans ou les pêcheurs créoles ou encore la tortue qui enracine l'histoire des Seychelles dans un passé débordant les capacités des mémoires humaines.

XXe siècle

La revue *Du côté de chez Rakoto,* qui paraissait à Madagascar à la fin des années 30, a publié quelques textes traduits du comorien qui sont d'intéressants témoignages sur la poésie populaire. Ils ont été recueillis et traduits par un magistrat de l'époque, Jean Manicacci, aidé d'un homme de lettres comorien.

Nostalgie

Chanson d'amour malheureux à la violence mal contenue.

Ô mon cœur, Ô mon cœur !
Dois-je prendre le bateau qui part
Ou m'embarquer sur les boutres qui hissent leurs voiles
Pour aller voir mon amie !

Si on ne payait le passage
Si on ne vaccinait avant d'embarquer
Si le gendarme relâchait sa surveillance
J'aurais suivi mon amie !

Si je n'avais peur de l'étoile
qui brille sur la chéchia du garde
J'aurais volontiers lancé une sagaie
Au cœur de mon rival.

Je me console et je veux la paix
Car j'ai près de moi un ami
Pour lequel j'ai réservé un lit,
Dans ma chambre déserte à jamais !

Cet ami est comme un porte-monnaie,
Comme une montre attachée au poignet
Comme un phonographe qui vous parle
Comme une musique qui vous charme.

Il est comme une valise que l'on prend avec soi
Il est comme un couteau tranchant
Qui ne blesse jamais l'être aimé
Mais qui tue le rival abhorré !

Adieu la mauvaise année, adieu !
L'année où j'ai raccommodé mon écharpe
Lorsque Bedja travaillait encore
Là tout près de moi !

Pourquoi la mer n'est-elle pas comme la terre
Pourquoi est-elle si profonde ?
J'aurais repris ma bien-aimée
Pour l'emmener dans un autre pays.

Bedja est partie mais elle reviendra
Car la vie n'est pas éternelle ;
Le soleil le plus brillant
Le soir ne se couche-t-il pas ô Bedja !

*

Ô mon cœur, ô mon cœur
Où donc est allée mon amie ?

« Poésies comoriennes », in *Du côté de chez Rakoto,* 193

COMPRÉHENSION ET LANGUE

1 – Reconstituez l'histoire d'amour que le poème évoque par bribes.
2 – Quelle est la conclusion du poème ? Qu'en pensez-vous ?
3 – Quel est le rôle de l'ami ? Commentez les comparaisons qui le définissent.
4 – Le titre vous semble-t-il bien choisi ?

ACTIVITÉS DIVERSES, EXPRESSION ÉCRITE

Choisissez un poème dans une langue que vous connaissez (en dehors du français) et essayez de le transposer en français.

« Les papiers sont inutiles »

Mohamed A. Toihiri, né en 1955, est enseignant. En publiant en 1985 *la République des imberbes,* il est devenu le premier romancier comorien de langue française. Cette œuvre s'inspire de l'histoire récente des Comores, évoquant de manière transparente la dictature d'Ali Soilih (1975-1978) et sa volonté d'instaurer un État révolutionnaire. L'écriture simple, efficace, visant surtout les effets de démonstration, invite le lecteur à faire preuve d'esprit critique. Il a publié en 1992 *le Kafir de Khartala.*

Guigoz, « le Grand Frère », vient de réussir un coup d'État. Dans un discours à la radio, il a annoncé la dissolution de l'administration et de tous les partis politiques et la décision de brûler tous les papiers et documents pouvant rappeler l'ère coloniale.

Quelques fonctionnaires qui n'avaient pas suivi le discours de Guigoz se présentèrent devant les portes de certains services. Ils se virent impoliment refoulés par les Brigades du Purgatoire qui leur riaient au nez. Certains citoyens insistaient pour savoir pourquoi les bureaux n'étaient pas ouverts. Alors des membres complaisants des Brigades leur expliquaient patiemment avec un sourire moqueur aux lèvres, que désormais les papiers sont inutiles, que c'était des manières de Blancs, des pratiques aliénatoires...[1].

« Mais je voulais un extrait d'acte de naissance pour l'arrière-petit-cousin du petit ami de la copine de ma belle-sœur qui se trouve en France, dit un des clients éconduits.

– Eh ben on n'en fait plus d'extrait, répondit laconiquement le milicien.

– Peut-être qu'on n'en voit pas l'utilité ici mais ailleurs on en a besoin, poursuivit le citoyen.

– P't-être ben pépé, mais ici l'on n'est pas ailleurs.

– Nous n'allons quand même pas nous enfermer sur nous-mêmes comme un coquillage en hibernation. On dirait que vous oubliez que nous sommes des îles. Il nous faut nous ouvrir à l'extérieur. Beaucoup de nos parents sont en Tanzanie, en Ouganda, au Kenya, à Madagascar, à la Réunion, en France et même aux Amériques. Des papiers officiels, administratifs leur sont nécessaires, rétorqua un des clients.

– Écoute, reprit impatienté le milicien initialement condescendant, tu commences à me soulever le cœur. Le Grand Frère a dit. Alors il n'y a rien à redire. Si tu n'es pas content, n'oublie pas que la citerne attend les récalcitrants. »

Le client se rappela l'adage qui dit qu'on n'apporte jamais de mauvaises nouvelles à la famille d'un prudent. Il ne jugea pas sage de prolonger son commerce avec cet homme pour qui l'argument massue était « Le Grand Frère a dit ».

Juste à cet instant on voyait défenestrer certains dossiers, des classeurs, des kilos de papiers. Certains d'entre eux, cerfs-volants involontaires, étaient emportés par la brise matinale de ce printemps tropical. Des Jeeps 4 x 4 ramenaient des centaines de kilos de papiers des services éloignés. Déjà une impressionnante montagne se formait : toutes les archives, les dossiers consignés depuis le début de la colonisation jusqu'à ce tragique petit matin de 197... étaient voués aux bûchers. Une immense foule de curieux attirée par l'œuvre de destruction s'amassait aux alentours.

Mohamed A. Toihiri, ***la République des imberbes,***
© L'Harmattan, Paris, 1985

COMPRÉHENSION ET LANGUE

1 – Comment le texte oppose-t-il les miliciens et les autres personnages ?
2 – Cherchez des termes qui pourraient remplacer le mot « clients » (l. 11).
3 – Expliquez le sens de l'adage cité par le client (l. 26-27).
4 – Que signifie « la citerne » qui « attend les récalcitrants » ?

1. Néologisme (pour « aliénantes »).

CONTE

Il n'existe pas aux Comores de conteurs professionnels. Chacun peut raconter les histoires que la tradition lui a transmises. Comme partout, les grand-mères, qui ont souvent la charge de garder les jeunes enfants, restent les plus fidèles aux formes anciennes des contes. Les Comores constituant un carrefour de civilisations, les contes comoriens ont intégré des sources et des influences africaines, malgaches, arabo-persanes, etc., mais en les adaptant au contexte culturel : le « djini » ou « gini » des contes comoriens tire son nom de l'arabe « djinn », mais il s'apparente davantage aux esprits des rites de possession qu'aux « djinns » des *Mille et Une Nuits*. Longtemps négligée par les chercheurs, la tradition des contes comoriens est aujourd'hui l'objet de nombreuses études.

Histoire d'une esclave devenue princesse et d'une princesse devenue esclave

Ce conte a été recueilli à Anjouan de la bouche de Hadjidja Mohamed Abderemane

Il était un roi qui ne pouvait pas avoir d'enfant. Il souhaitait un enfant au point d'avoir fait vœu que, s'il en avait un, il l'aimerait à ne plus savoir quoi faire et que tout ce que l'enfant désirerait, cela serait exaucé.

À la fin, il eut un enfant, une fille. On a élevé l'enfant jusqu'à ce qu'elle atteigne l'âge de raison. On a pris une enfant dont on a fait une esclave chargée des travaux domestiques. La princesse reste chez elle et ne fait rien du tout, si ce n'est se nettoyer les ongles. On la pare et elle ne fait que rester chez elle, comme une fille de monarque.

Un jour l'esclave lui suggère : « Va demander à ton père qu'il te descende le jouet qui est tout là-haut. » Or ce jouet, c'est la lune. La princesse va trouver son père :

« Père, je veux le jouet qui est tout là-haut !

– Mais ce n'est pas un jouet, c'est la lune, et moi je ne peux pas l'attraper

– C'est ça que je veux, ce jouet, il me plaît ! »

Du coup, le roi est perplexe... Il songe au vœu qu'il a fait. Il cherche une solution pour faire comprendre à sa fille qu'il ne peut se procurer ce qu'elle lui demande. Il prend des échelles et les met bout à bout jusqu'à ce qu'elles dépassent la hauteur de la tour. Il les a assemblées de cette façon. Il pose le pied et monte. Il monte, monte, monte plus haut que la tour, les échelles ne tenaient pas, elles le précipitent à terre. En tombant, il se tue. On l'enterre et voilà pour lui.

Le lendemain, l'esclave redit à la princesse : « Va dire à ta mère qu'elle te descende ce jouet qui est tout là-haut et qu'elle te le donne pour jouer. » L'enfant va dire à sa mère :

« Mère, je veux le jouet qui est là-haut pour m'amuser !

– Ce jouet, je ne l'aurai pas, car ton père est déjà allé le chercher et tu as bien vu qu'il en est mort. Moi, je ne pourrai jamais monter là-haut pour te l'attraper.

– Va l'attraper et donne-le-moi, c'est ça que je veux ! »

Donc, la mère prend des échelles et fait tout comme le père. Elle monte et quand elle est en haut, les échelles dégringolent. Elle tombe, elle meurt. On l'enterre et voilà pour elle. L'esclave reste à la maison avec l'enfant qu'elle élève, et ses biens.

Au bout d'un certain temps, elle dit à la princesse : « Viens, allons nous promener ! » Elle pare soigneusement la princesse. Elle la couvre de toutes sortes de bijoux d'or dont on lui a fait cadeau. Elles se mettent en route et partent se promener.

La princesse n'est jamais sortie auparavant, elle ne connaît rien. Tout ce qu'elle voit, elle ne sait quoi ou qu'est-ce. À chaque fois qu'elle rencontre des animaux ou même des objets quelconques, elle commence à demander

« Qu'est-ce que c'est ?

– Si tu veux que je te dise son nom, retire quelque chose, donne-le-moi avant que je te réponde. »

Elle retire quelque chose et l'autre lui dit : « Ça s'appelle une vache ! » Ainsi de suite. Quand elle questionne, elle se dépouille d'un objet et le donne à la servante. « Ça s'appelle comme ci, ou comme ça. » Et elle lui nomme les différentes sortes d'animaux et d'objets jusqu'à ce qu'elle ait enlevé toutes ses parures. L'esclave les prend et les met. Elle continue à poser des questions et, finalement, l'esclave lui dit : « Si tu veux que je te le dise, retire tes vêtements et donne-les-moi que je les mette avant de te répondre. » La princesse enlève tous ses vêtements, les lui donne et elle les met. À ce moment-là, l'esclave enlève ses haillons tout déchirés et en revêt la princesse. Elles continuent leur route.

Elles marchent, marchent, marchent jusqu'à une ville très éloignée. Quand elles sont entrées dans la ville, le roi les a vues. Il les a fait entrer chez lui. En voyant celle qui est bien habillée, il la compare à sa femme et en fait son épouse. Il prend la princesse vêtue de loques, il l'emmène à la campagne pour qu'elle effraie les oiseaux dans la rizière. C'est là son travail. Elle est très malheureuse en voyant que le roi a épousé l'esclave et qu'elle, la vraie noble, la voilà qui se retrouve à travailler au champ. Et pendant ce temps, elle regarde les oiseaux venir manger le riz. Elle voit deux pintades arriver ensemble, se poser et manger le riz. Elle se met à chanter, en disant :

Pintade, ne mange pas le riz !
Hier on m'a grondée,
Aujourd'hui, je serai battue,
Le roi est un corbeau, pas un homme :
Il a pris l'esclave et en a fait une princesse,
Il a pris la princesse et en a fait une esclave.
Va, va petit oiseau, va, va !

Les pintades lui répondent :

Tu l'as cherché, enfant, tu l'as cherché.
Enfant, tu étais dans la tour,
Enfant, on te nourrissait,
Enfant, on te donnait à boire !
Le roi est un corbeau, pas un homme :
Il a pris l'esclave et en a fait une princesse,
Il a pris la princesse et en a fait une esclave.
Va, va petit oiseau, va, va !

Les pintades se sont envolées, elles sont parties.

Chaque fois qu'elle fait l'épouvantail, les pintades reviennent et la princesse chante sa chanson jusqu'au jour où vint à passer un serviteur du roi. En passant pas loin, il entendit cette chanson. Il va dire au roi : « Roi, si tu entendais ce que dit la fille que tu as mise là-bas ! » Le roi envoie des serviteurs guetter. « C'est vrai, ô roi, si tu entendais ce que raconte l'enfant ! »

Le roi part ; il va se cacher derrière un tronc d'arbre pour que l'enfant ne le voie pas. Il voit l'enfant se lamenter et chanter pour les pintades. Ensuite, il voit ces pintades s'adresser à la jeune fille et chanter pour lui répondre. Puis les pintades s'envolent.

Le roi ne peut pas se contenir. Il va voir la jeune fille et lui demande : « D'où vient cette chanson que tu chantes ? »

Alors la jeune fille lui raconte les aventures qu'elle a eues chez son père et sa mère. Elle lui raconte aussi les agissements de l'esclave qui l'accompagnait et comment elle lui a pris toutes ses affaires pour en arriver là.

C'est ainsi que le roi apprend tout ce qui s'est passé. Il apprend également que l'autre là-bas, c'est l'esclave et que celle-ci, c'est la princesse. Alors il change d'avis, il prend l'esclave, sa femme, et l'installe dans les champs pour qu'elle fasse les travaux agricoles. Il prend la fille du roi et l'épouse. Ils s'installent chez eux.

L'histoire est finie !

M.-F. Rombi et M. Ahmed-Chamanga,
Contes comoriens, **© CILF-EDICEF, Paris, 1980**

COMPRÉHENSION ET LANGUE

1 – Quels sont les différents épisodes du conte ? Comment s'enchaînent-ils ?
2 – Les personnages sont-ils caractérisés avec beaucoup de détails ? Pourquoi ?
3 – Qu'est-ce qui provoque le malheur de la princesse ?
4 – Comparez la chanson de la princesse et la réponse des pintades. Quels sont les éléments communs, les oppositions ? Qu'est-ce que les pintades veulent faire comprendre à la princesse ?
5 – À votre avis, quelle morale peut-on tirer de ce conte ?
6 – Y a-t-il des éléments de « merveilleux » dans ce conte ? Comment pourrait-on définir le genre auquel il appartient ?
7 – Peut-on repérer dans le texte la trace d'interventions personnelles du conteur auprès de qui le conte a été recueilli ?

ACTIVITÉS DIVERSES, EXPRESSION ÉCRITE

Connaissez-vous d'autres contes opposant comme ici personnages nobles et esclaves ? Présentent-ils la même moralité que ce conte-là ?

En 1983, une publication placée sous la responsabilité de l'Association des stagiaires et étudiants des Comores se présentait comme le point de départ d'une littérature comorienne en langue française. De fait, en dehors des thèses et mémoires universitaires, il n'existait alors aucun ouvrage publié par un auteur comorien. Le titre neutre *(Recueil de nouvelles)* et l'anonymat des textes rassemblés soulignaient la modestie de l'entreprise.

« Un être étrange »

Les textes du Recueil de nouvelles *sont clairement engagés, tout en marquant leur filiation avec la littérature traditionnelle. Ainsi, la nouvelle intitulée « Où est le diable ? » raconte la mésaventure d'un vieillard, Baco Ousseni, qui, circulant la nuit, a cru se trouver en face d'un être monstrueux.*

Il était tombé nez à nez devant un être étrange. Quelque chose gros deux fois comme un bœuf était planté devant lui et avait deux têtes. Le vieux était incapable de bouger. Une sueur glaciale le mouilla... Puis, crispé, il releva brusquement la mèche de sa lampe comme si le clair de lune ne suffisait pas. Il crut alors qu'une énorme masse indescriptible s'était abattue sur lui. Il éteignit la lanterne sans s'en rendre compte.

L'animal difforme bougeait, balançait son corps de droite à gauche gracieusement. Le vieux crut que toute la nature s'était refermée sur lui. Il voulut crier, mais sa gorge n'émit aucun son ; puis il se maîtrisa quelque peu. « Mon Dieu ! se dit-il, j'ai en face de moi un diable. Il va sûrement m'avaler... »

Baco recula d'une dizaine de pas, fixant toujours le diable du regard. Il dit trois fois une prière et souffla. Le monstre était là, toujours là, imperturbable. Baco récita vainement les versets les plus tranchants du Coran. Il récita d'autres versets en s'efforçant de se concentrer le plus possible. « Mais non ! constata-t-il désespéré, l'être étrange est toujours là. » Grand-père entama alors une autre série de prières, mais il se rendit compte qu'il revenait aux mêmes. Il sentit le sang lui monter au nez, le visage sembla enfler.

Grand-père mit la main en visière, allongea le cou droit devant lui, pareil à une poule perdue qui se demande à la nuit tombante si elle est bien ou non chez son maître. Le bras gauche était plaqué au dos... Puis, d'un geste d'automate, Baco sortit de sa poche nombre de morceaux de racines d'arbres, de feuilles, de plantes et un petit livre. La panique les lui arracha des mains tremblantes sans qu'il s'en rendît compte. Il mâcha du gingembre, inspira longuement et souffla doucement vers son ennemi ; il avança de quelques pas, puis ses jambes refusèrent de bouger ; le sang sembla se figer. Le vieux ne savait plus où il en était. Il avait perdu contenance. Quelques secondes après, il tenta encore d'avancer, les yeux immobiles, les nerfs tendus ; et soudain, toujours haletant, le piquant du gingembre lui monta au nez, il gonfla la poitrine et éternua... Il lui sembla alors voir des étincelles et une lune bondir devant lui pour se mettre du côté du diable.

Association des stagiaires et étudiants des Comores,
***Recueil de nouvelles,* Droits réservés, 1983**

COMPRÉHENSION ET LANGUE

1 – Le monstre rencontré par Baco est-il réel ou bien est-ce une hallucination ? Justifiez votre réponse.
2 – Quelle peut être l'occupation de Baco, d'après les objets qu'il sort de sa poche ?
3 – Pourquoi Baco souffle-t-il vers son ennemi ?

ACTIVITÉS DIVERSES, EXPRESSION ÉCRITE

1 – En vous appuyant sur les détails du texte, proposez une explication du phénomène.
2 – Imaginez la suite de la nouvelle : comment Baco rentre-t-il chez lui ? Comment est-il accueilli ?...

« Le moteur est en panne »

Fred et son aide, Gabi, sont partis pêcher sur « le banc aux chirurgiens ». Tout à leur pêche, ils ont laissé les heures passer.

Fred lève la tête pour voir où est le soleil. Sa joie de tout à l'heure a disparu subitement et son visage a pris une expression sévère.

Gabi remarque ce changement soudain. Le visage de son ami est pâle et deux profondes rides soulignent son front, comme s'il venait de voir un fantôme. Gabi à son tour regarde le ciel, cherche ce qu'il y a d'inquiétant, mais ne remarque rien d'anormal.

« Ramassons les lignes. »

Fred qui est l'aîné, et qui a plus d'expérience de la mer, a remarqué qu'un grain au loin s'annonce dangereusement.

« Dépêchons-nous de rentrer », ordonne-t-il à nouveau à Gabi qui ne comprend pas ce qui arrive.

Il est encore tôt, le poisson mord bien et Fred qui veut rentrer ! Tout ceci renforce son idée d'avoir un bateau à lui tout seul. Enfin, il rentre sa ligne.

Fred a retroussé les manches de sa chemise pour démarrer le moteur hors-bord. Il bande ses muscles et tire d'un coup sec sur le câble de démarrage. Le moteur s'emballe puis s'arrête. Il refait la manœuvre une seconde fois, sans succès. Cent fois, il s'acharne sur la corde. Son bras est tétanisé par l'effort. Gabi le relève mais le moteur s'obstine dans son inertie.

Pour la première fois depuis qu'il l'a acheté, le moteur est en panne. À Fred échappe une bordée de jurons. Par-dessus le marché, ils n'ont qu'un seul aviron.

Là-haut, le ciel s'assombrit, le soleil est caché derrière de gros nuages menaçants et le vent s'est renforcé. Fred a perdu son chapeau. Un coup de vent le lui a arraché et les vagues l'ont emporté.

« On dérive trop vite, jette l'ancre ! »

Gabi n'hésite plus une seconde, il a compris la situation. La mer est formée et la pirogue tangue tellement sur les crêtes qu'il commence à avoir la nausée. Il fait si sombre qu'on pourrait croire que le jour n'est pas encore levé. L'angoisse le saisit à la gorge et il s'empresse de mettre le bateau à l'ancre.

Une fois encore, Fred se débat avec le moteur, mais ce dernier met tant de mauvaise volonté qu'on dirait qu'il le fait exprès pour les narguer. Fred a envie de le mettre en morceaux ou de l'écraser avec son marteau. Mais ce n'est guère le moment de piquer une colère. Le mauvais temps est sur eux.

Le premier éclair qui a lézardé le ciel d'orage a duré au moins deux secondes. Partout, une lumière cinglante a jailli comme si les flots étaient en feu et a illuminé leurs visages aussi défaits que le temps.

Leu Mancienne, *Fler fletri*,
© ACCT, Paris, 1985

Leu Mancienne, né en 1958 à Anse Royale, a fait des études techniques et est venu à l'écriture pour le plaisir de raconter des histoires. C'est en créole qu'il a écrit *Fler fletri (Fleur flétrie)*, son premier roman, publié en 1985, dans une version bilingue. Il y raconte l'histoire de Fred, un pêcheur, brave homme, mais trop violent quand il a bu. Un jour, la tempête fait dériver sa barque et Fred est recueilli par un cargo, où on l'oblige à s'enrôler dans l'équipage. Il va rester de longs mois séparé de sa famille. Quand il peut enfin rentrer dans son village, sa femme est sur le point de se remarier… L'histoire est édifiante, mais elle évoque les problèmes quotidiens et traduit les aspirations de la société seychelloise.

ANTOINE

BEL

Antoine Abel, né en 1934, a débuté comme enseignant. Il a publié en 1977 trois volumes de contes, de récits et de poèmes, qui ont fait de lui le premier écrivain seychellois de langue française. Dans *Une tortue se rappelle,* il fait raconter l'histoire des Seychelles par la plus ancienne des habitantes de l'archipel, la vieille tortue de terre, qui peut vivre plusieurs siècles.

« Un phénomène étrange »

La tortue, dont la longue mémoire remonte l'histoire seychelloise, affirme, en contradiction avec les historiens « officiels », que les Seychelles ont été habitées par des hommes depuis la plus lointaine Antiquité. Son récit n'est pas sans parenté avec les légendes de la Lémurie.

Tout d'abord, les hommes vivaient assez tranquillement dans des grottes. On était alors bons voisins. C'étaient des êtres ordinaires, courbés en deux. Ils marchaient toujours armés d'un bout de bois à fourches avec lequel ils « fouillaient » le sol pour prendre des racines qu'ils mangeaient. Ils l'utilisaient également pour rabattre les branches à leur hauteur de sorte qu'ils pouvaient atteindre les fruits qui se balançaient tout au bout des rameaux. Ils grimpaient dans les arbres pour prendre le miel des abeilles qui les laissaient faire. À plusieurs reprises, c'était la catastrophe. Quelques-uns mouraient, parce qu'ils s'étaient empoisonnés, ne sachant pas comme nous les secrets de la vie des plantes. Ces hommes étaient surtout attirés par la couleur des choses qu'ils voyaient autour d'eux. Ils avaient une obsession pour les teintes vives. Dans leurs grottes, ils ne cessaient de mélanger toutes sortes de glaises (on en trouve encore aujourd'hui à Terre Rouge) pour ensuite badigeonner les parois rocheuses de leur habitation…

Mais, parfois, la nature agit tortueusement selon ses caprices, sans avertir. Soudain, chez les hommes, il y eut un profond changement ; un phénomène étrange survint. Les hommes ne connurent plus la joie de voir naître des bébés normaux. Leurs femelles commencèrent à mettre bas des mâles d'une taille inconnue jusqu'alors. Ces Gonods (géants) étaient une race cruelle et leur cruauté était telle qu'ils n'avaient de pitié pour personne.

La première surprise passée, les hommes s'organisèrent et, avec l'aide du feu (secret qu'ils gardaient jalousement au fond de leurs grottes), ceux-ci eurent raison des Gonods qui allèrent alors s'installer dans les hauteurs de Tertérougelle. Leur territoire se trouvait entre la Pointe des Vents à L'Esota et la Grande Eau Blanche en direction de Noroita.

Quand tu passes dans cette région, regarde vers la montagne : tu y verras un immense rocher taillé en forme de tête de chevalier géant et, un peu plus loin, un poing et une gueule énormes également sculptés. Ce sont les vestiges des travaux de Régulo.

Les hommes ne s'estimèrent pas en parfaite sécurité tant que ces ogres rôdaillaient dans les parages. Assez souvent un membre de leur clan disparaissait pour ne jamais revenir. Ils délibérèrent des jours et des jours. Enfin, ils prirent une décision. Il fut admis qu'ils devaient quitter Tertérougelle, qu'ils iraient recommencer ailleurs. Cette solution, bien que judicieuse, leur causa beaucoup de peine mais il fallait l'accepter. Il n'y en avait point d'autres.

Ils partirent donc un soir presque à la dérobée. Ils prirent la direction de Ouéta à l'heure même où Flambeau[1] se cache derrière la chevelure de Firma[2].

Au lendemain de l'exode de la famille des hommes, les Gonods commencèrent à exploiter le fer qu'ils extrayaient d'une carrière. Ils frappèrent pierre contre pierre de toutes leurs forces pour les réduire en fine poussière. Ce fut par ce procédé qu'ils obtinrent ce qu'ils cherchaient. Et quel vacarme ils menèrent ! Voilà pourquoi on peut aujourd'hui voir dans beaucoup d'endroits du gravier tout blanc.

Heureusement pour nous, la disparition des Gonods fut aussi brusque que leur apparition. Un jour ils étaient là bien vivants et le lendemain ces monstres étaient tous crevés. La cause ? Qui la saura ?

Antoine Abel, ***Une tortue se rappelle,***

COMPRÉHENSION ET LANGUE

1 – Proposez un plan du texte. Sur quels critères votre découpage repose-t-il ?

2 – Quels sont les personnages en présence ?

3 – Relevez et classez le champ lexical de la description des hommes et des géants.

4 – Recherchez dans le texte toutes les expressions dénotant la crainte.

5 – Comment s'explique le sentiment de crainte qui saisit les hommes ?

6 – Qu'est-ce qu'une « mutation » ? Peut-on employer ce mot pour désigner ce « phénomène étrange » ? pourquoi ?

ACTIVITÉS DIVERSES, EXPRESSION ÉCRITE

Rédigez une suite et une fin à ce texte en imaginant que les Gonods ne disparaissent pas.

1. Le soleil (dans la vision du monde des tortues).
2. Les nuages.

La publication récente, par des linguistes et des anthropologues, de plusieurs recueils de contes créoles des Seychelles manifeste la permanence d'une inspiration populaire qui se trouve au carrefour de plusieurs traditions culturelles. Ces contes, recueillis de la bouche même des conteurs, parfois repris à la radio, gardent toute la force expressive de l'oralité.

Soungoula et Coussoupa

Voici un conte dont les héros portent des noms français (Dagobert) ou swahili (Soungoula). On remarquera l'importance des formules rituelles qui ouvrent et ferment le conte.

Il y avait une fois un roi qui s'appelait Dagobert. Eh ! ce roi se trouvait avoir un grand nombre d'animaux et, parmi ces animaux que le roi possédait, on lui vola quatre coqs et trois poules. Dans la cour du roi se trouvait un gros tas de noix de coco écalées[1]. Un soir, Soungoula[2] vient, il vole deux cents de ces noix de coco. Le lendemain, Soungoula vient avec l'éléphant, ils se rendent chez le roi pour aller vendre dans la rue du roi. Le roi Dagobert fait compter les noix de coco par Soungoula. Soungoula les compte, il trouve qu'il en manque deux cents ; il dit alors :

« Mon roi, il manque deux cents noix de coco. »

Le roi dit :

« Pas possible ! Qui a pu me voler mes noix de coco ? »

Soungoula répond :

« Mon roi ! Je sais qui a pu voler vos coqs, vos poules et vos noix de coco. »

Le roi dit :

« Si tu me dis qui m'a volé, je te donnerai en abondance. »

Alors Soungoula parle au roi en ces termes :

« Mon roi ! Donnez un grand bal, invitez tous les animaux que vous connaissez et je vous dirai qui a volé vos noix de coco. »

Soungoula descend chez lui et, en descendant, il rencontre frère Coussoupa :

« Mon frère ! Là-haut chez le roi, il y aura un grand bal samedi. Le roi invitera tous les animaux. Je jouerai du violon, mais toi, frère Coussoupa, ne pourrais-tu m'accompagner au triangle[3] ?

– Eh bien oui, mon frère Soungoula ! »

Soungoula dit alors à Coussoupa :

« Moi je joue du violon, et je vais dire :
Mon roi a perdu ses noix de coco *(ter)*
Mon roi a perdu ses coqs et ses poules »
et toi Coussoupa tu diras :
« En avant les deux, en avant les quatre *(bis)*
C'est moi qui ai volé les poules et les noix de coco du roi,
C'est moi qui les ai volées. »

Alors le samedi arrive ; à ce moment-là, mon ami, pas besoin de vous le dire ! C'était un joli bal ! Presque toutes les espèces d'animaux étaient là, depuis le rat, le crabe, le bœuf, la grenouille, le serpent, le caméléon, jusqu'au cheval de bois ! Tous les animaux qu'il y a sur terre. Pendant le bal, Soungoula pose son violon et commence :

« Mon roi a perdu ses noix de coco *(ter)*
Mon roi a perdu ses noix de coco, ses coqs et ses poules,

Balancez ! Rotinez[4] ! Chassez ! Croisez !
Changez de cavalier, chassez, croisez !
Un ! Deux ! En arrière ! Un ! Deux ! En avant !
Changez de cavalier ! Balancez ! Rotinez ! »

Coussoupa répondait :

« C'est moi qui ai volé les coqs, les poules et les noix de coco du roi ; c'est moi qui les ai volés. »

Le roi dit alors :

« Répète encore ça Coussoupa ! »

Coussoupa recommence plus fort :

« C'est moi qui ai volé les coqs, les poules et les noix de coco du roi ; c'est moi qui les ai volés ! »

Le bal fini, le roi dit :

« Alors Coussoupa, c'est toi qui as volé mes coqs, mes poules et mes noix de coco ? »

Coussoupa répond :

« Ce n'est pas moi, mon roi ; c'est frère Soungoula qui m'a dit de dire ça. »

Le roi saisit Coussoupa, il le frappe à coups de bâton jusqu'à lui briser les reins. Pas besoin de vous dire qu'au même moment Soungoula était choyé ; il a son pantalon de toile de jute, sa chemise de papier, sa veste de toile de jute, un pot de chambre sur la tête. Il dit :

« Mon roi, empêche-le de parler ! C'est lui qui a volé ! Bats-le, mon roi ! Son temps sur la terre est fini ! »

À ce moment-là, pauvre Coussoupa ! Il n'avait rien fait, il n'avait rien su des affaires du roi ; c'était Soungoula lui-même qui avait volé les noix de coco, les poules et les coqs du roi. Mais lui, Coussoupa, s'il m'avait écouté, croyez qu'il ne serait pas mort aujourd'hui. Je lui disais : « Mon frère Coussoupa, ne crois pas les paroles de Soungoula. Il te fera mourir encore jeune. Tu vois aujourd'hui ce qui t'est arrivé. Si tu m'écoutais, c'est vraiment une mauvaise fréquentation ! Il te fait du tort et te fait perdre tes amis. »

Après ça, le roi Dagobert donne à boire en abondance à Soungoula. Je me trouve passer près de lui, je lui dis :

« Qu'est-ce que tu me racontes, Soungoula ! Donne-moi un peu à boire !

– Tiens ! »

Il me donne un coup de pied et je tombe ici bien fatigué.

Contes créoles de l'océan Indien,

COMPRÉHENSION ET LANGUE

1 – Est-il possible de proposer un plan pour ce texte ? Sur quoi le découpage pourrait-il s'appuyer ?
2 – Quels sont les personnages en présence ?
3 – Dans le conte oral, quelles sont les caractéristiques stylistiques des phrases ?
4 – Explicitez la moralité de ce conte.

ACTIVITÉS DIVERSES, EXPRESSION ÉCRITE

1 – Qu'est-ce qu'un *conte*, une *légende*, une *fable*, un *apologue* ?
2 – Écrivez à votre tour un conte philosophique sur le modèle de celui-ci.

1. Décortiquées.
2. Animal mythique (du mot swahili désignant le lièvre).
3. Instrument de musique.
4. Commandements rituels qui rythment les évolutions de la « contredanse » traditionnelle.

Illustration pour Paul et Virginie.

LE REGARD DES AUTRES

« Ce paradis que vous rêviez existe ; cet Éden que vous convoitiez vous attend. […] Suivez-moi ; venez. »

Alexandre Dumas, *Georges,* 1843

Le regard des autres

Il existe toute une littérature sur les îles de l'océan Indien, qui est le fait de voyageurs plus ou moins pressés, de colons en mal de conquêtes, de résidents égrenant leurs souvenirs, de romanciers à la recherche de sujets exotiques… Les insulaires sont souvent méfiants envers ces textes qui parlent d'eux, mais d'une manière extérieure, souvent superficielle, parfois mal intentionnée, et qui souvent ne méritent que l'oubli dans lequel ils s'enfoncent. Pourtant, il peut être intéressant de considérer le regard étranger, pour s'y voir comme dans un miroir, plus ou moins déformant. Et beaucoup de ces textes, de Bernardin de Saint-Pierre à Alexandre Dumas, de Baudelaire à Claude Simon, parce qu'ils proposent une image qui s'est imposée et est devenue comme une évidence naturelle, ou au contraire une image qui demeure originale et dérangeante, sont entrés de fait dans le domaine littéraire de l'océan Indien. Toute une partie de la littérature des îles est d'ailleurs née de la réaction des insulaires aux discours que l'on tenait sur eux.

Les îles imaginaires

Les îles de l'océan Indien sont longtemps restées en dehors des courants de communication et de connaissance : elles étaient désertes ou bien isolées dans leur éloignement marin. Mais, paradoxalement, on a parlé d'elles avant même de les avoir découvertes. Le voyageur vénitien Marco Polo évoque une grande île appelée Mogedaxo ou Madeigascar, où vivent toutes sortes d'animaux sauvages et même un oiseau gigantesque, capable de soulever un éléphant dans ses serres. Bien sûr, le merveilleux (cet oiseau ressemble à l'oiseau-roch des *Mille et Une Nuits*) se mêle alors à des bribes de vérité empruntées aux récits de voyageurs arabes. Les voyageurs européens qui commenceront, à partir du XVIe siècle, à évoquer leurs découvertes continueront à mêler les témoignages authentiques aux rêveries, aux délires, aux fantasmes. Le récit de voyage associe presque nécessairement les détails les plus véridiques aux projections les plus fantaisistes. Car la curiosité que l'on manifeste pour l'autre, l'étranger que l'on découvre à l'occasion d'un voyage, n'est pas toujours innocente : on croit deviner chez lui une menace latente (l'autre fait peur) ; on lui prête des manières de vivre qui sont chez soi impossibles ou interdites (l'autre est fascinant à cause de cela) ; on pense qu'il peut être l'objet sur lequel exercer une domination (l'autre promet la satisfaction d'appétits de pouvoir).

Le grand nombre de ces rencontres manquées, de ces images faussées ne doit pas cependant occulter les rencontres heureuses, quand un regard de sympathie lucide se pose sur l'étrangeté insulaire ou quand un éclair de vérité naît du dialogue des cultures. La rencontre de Jean Paulhan et de Madagascar est sans doute exemplaire à cet égard. Arrivé comme enseignant à Tananarive, juste avant la Première Guerre mondiale, il apprend le malgache, il découvre la poésie traditionnelle des *hain-teny,* il en prépare un recueil accompagné de traductions en français. Cet ouvrage connaît un subtil retentissement en France (on a parfois suggéré que Jean Paulhan avait forgé de toutes pièces ces poèmes si mystérieux). Mais il a aussi contribué à la redécouverte du genre littéraire par les Malgaches eux-mêmes.

Les récits de voyage

Les récits des voyageurs sont très nombreux. Les plus anciens ont été rassemblés dans des éditions modernes par les historiens qui en tirent des documents fort utiles. La *Collection des ouvrages anciens concernant Madagascar* comporte neuf volumes publiés de 1903 à 1920 et comprend les récits racontant les voyages qui se sont déroulés jusqu'au milieu du XVIIIe siècle ; Albert Lougnon a rassemblé dans *Sous le signe de la tortue* (1re édition en 1939) le recueil des voyages anciens à l'île Bourbon (1611-1725).

Le *Voyage à l'île de France* (1773) de Bernardin de Saint-Pierre a marqué une date importante dans l'évolution du genre littéraire du récit de voyage. Par son goût de la précision et des évocations colorées, il est devenu le modèle de la relation exotique. Ce qui ne l'empêchait pas d'inviter à approfondir la réflexion sur la situation insulaire. Certains colons de l'île de France ne lui pardonnèrent pas ses prises de position antiesclavagistes.

Avant lui, le récit de François Leguat, *Voyages et aventures... en deux îles désertes des Indes orientales* (1707), relatant le séjour de deux ans d'un petit groupe d'hommes sur l'île Rodrigues, dont ils furent les premiers occupants, avait connu un remarquable succès et plusieurs rééditions au cours du XVIIIe siècle. Les descriptions très fidèles de la flore et de la faune donnaient force à l'évocation d'une île d'utopie. Le récit de Leguat a peut-être été l'une des sources d'inspiration du *Robinson Crusoé* de Daniel Defoe.

Les témoignages des acteurs de l'entreprise coloniale sont souvent passionnants, depuis l'*Histoire de la Grande Île Madagascar* (1658) d'Étienne de Flacourt jusqu'aux souvenirs de Gallieni ou de Lyautey. Jean Carol donne en 1898, avec *Chez les Hova, au pays rouge,* une vision très ambivalente des débuts de la colonisation à Madagascar.

Les journalistes et écrivains professionnels qui visitent les îles à l'époque où les voyages sont encore lents, en rapportent la matière de narrations pittoresques mais superficielles (Jean d'Esme, Maurice Martin du Gard, Myriam Harry…). Il faudrait mettre à part les essais de deux écrivains-voyageurs, fascinés par les pays visités, désireux de comprendre en profondeur la situation insulaire et les civilisations qui s'y sont développées : *les Peuples nus* (1953) de Max-Pol Fouchet et *la Réunion* (1964) de Roger Vailland.

Poètes et romanciers

Les îles sont aussi devenues la matière littéraire d'œuvres poétiques ou narratives. Parfois, les romanciers se contentent d'emprunter un décor, et des personnages, dont ils n'ont aucune connaissance directe. George Sand, pour écrire la partie réunionnaise de son premier roman, *Indiana* (1832), utilise les souvenirs de voyage d'un de ses amis. Alexandre Dumas, pour mettre en œuvre l'aventure de *Georges* (1843), un mulâtre mauricien, s'informe de manière très précise et complète auprès de Mauriciens rencontrés à Paris. Il arrive aussi que l'écrivain se contente d'un simple point de départ insulaire. À partir d'une anecdote ou d'une image « authentiques », il laisse libre cours à l'imagination, comme Georges Limbour dans son beau roman *les Vanilliers* (1938), qui transpose dans un lieu fictif l'histoire de l'esclave réunionnais Albius, inventant en 1841 la technique de la fécondation artificielle de la vanille.

Baudelaire a voyagé jusqu'aux Mascareignes, où il a séjourné quelques semaines en 1841. Il en a gardé une sensibilité particulière aux images et paysages tropicaux. Tous ses poèmes exotiques conservent des souvenirs très précis de Maurice et de la Réunion. On peut ainsi lire le début du célèbre sonnet « La vie antérieure » comme une évocation des belles *varangues* (ou vérandas) des maisons anciennes des îles :

J'ai longtemps habité sous de vastes portiques
Que les soleils marins teignaient de mille feux,
Et que leurs grands piliers, droits et majestueux,
Rendaient pareils, le soir, aux grottes basaltiques.

D'autres poètes (Paul-Jean Toulet, Louis Brauquier, Robert Mallet...), qui ont séjourné plus ou moins longtemps aux îles, ont mis dans leurs poèmes la fascination éprouvée. Dans *Mahafaliennes* (1961), Robert Mallet dit le mystère souriant du pays *mahafaly,* dans le sud de Madagascar.

> « Le pays *mahafaly* est une forêt sans feuilles où les épines font de l'ombre, au bord d'un océan feuillu dont les fonds donnent de la clarté ; les lacs y sont des miroirs de plumes roses, les tombeaux des chemins, les villages des surprises ; les carapaces de tortues y servent de portes à quelques hommes secrets, à quelques femmes souriantes. »

Dans les revues littéraires publiées aux îles, notamment à Madagascar, on peut lire de superbes poèmes d'auteurs moins connus, qui ont été les animateurs de la vie culturelle locale, comme Pierre Camo, Robert Boudry ou Octave Mannoni à Madagascar. De ce dernier, quelques vers mélancoliques savent trouver une tonalité poétique qui rappelle Saint-John Perse :

La terre, verte et verte, avec son chant de feuilles,
Avec ses oiseaux gris avec ses fumées grises,
Avec ses escaliers de roches et de ruine
Qui se hissent sans fin jusque dans les nuées...

Les romans nés de contacts directs de leurs auteurs avec les îles sont très nombreux. *Paul et Virginie* (1788) de Bernardin de Saint-Pierre en constitue le modèle et le chef-d'œuvre : la rêverie édénique du paradis de l'enfance a imposé son imagerie et, pendant longtemps, on ne verra Maurice qu'à travers les suggestions langoureuses du roman. La vieille société aristocratique de l'île de France évoquée par Bernardin inspirera aussi nombre de romanciers contemporains (Marcel Haedrich, *Adelaïde de Kergoust,* 1980 ; Geneviève Dormann, *le Bal du dodo,* 1989).

Beaucoup de romanciers s'inscrivent dans la mouvance du roman colonial : Pierre Mille (*Sur la vaste terre,* 1906), Jean d'Esme (*Empereur de Madagascar,* 1929), Myriam Harry (*Ranavalo et son amant blanc,* 1936), Pierre Benoit, (*le Commandeur,* 1960)... Leurs textes sont souvent imprégnés de stéréotypes réducteurs : les « indigènes » y sont relégués dans un statut d'infériorité, et cette infériorité sert à légitimer la domination coloniale, dont la plupart des romans font l'apologie sournoise ou avouée.

À l'inverse, certains romans procèdent d'une sympathie véritable pour les îles et leurs habitants et tentent de traduire la révélation apportée par leur rencontre. Charles Renel, qui fut directeur de l'Enseignement à Madagascar au début du XXe siècle, met en scène dans *le Décivilisé* (1923) un étrange personnage, un jeune Français, candidat malheureux à l'agrégation des lettres, qui vient s'installer dans un village betsimisaraka, sur la côte est de Madagascar, et qui trouve le bonheur en partageant la vie naturelle des villageois : belle rêverie d'un retour au primitivisme, soutenue par une connaissance approfondie du monde malgache. Robert Mallet, dans *Région inhabitée* (1964), développe une rêverie qui n'est pas sans affinités, en évoquant la rencontre du monde moderne et d'un village hors du temps, dissimulé dans la forêt. Jean Decampe (*Fort Princesse,* 1988) associe la peinture du désarroi malgache des années 1980 à une plongée dans le passé le plus reculé, retrouvé dans les rêves des personnages. L'œuvre la plus forte reste sans doute celle de Claude Simon, prix Nobel 1985, né à Tananarive en 1913, mais qui ne connaît son pays natal, quitté très jeune, qu'au travers de cartes postales et de souvenirs transmis par sa mère. Dans *l'Acacia* (1989), il recrée par l'écriture l'île lointaine de sa naissance, au croisement de nombreux fantasmes, comme un « primitif Éden ».

JACQUES-HENRI

Jacques-Henri Bernardin de Saint-Pierre (1737-1814) a connu avec *Paul et Virginie* (1788) un succès considérable, qui s'est prolongé tout au long du XIXe siècle. Le roman a plu par sa philosophie de la nature, inspirée de Jean-Jacques Rousseau, et par les descriptions exotiques qu'il donnait de l'île de France. Paul et Virginie sont les enfants de deux Françaises qui vivent isolées au fond d'une vallée de l'île. Les enfants sont élevés selon la simplicité naturelle, dans un bonheur tranquille. Au moment où leur amitié risque de se transformer en amour, Virginie part pour la France, auprès d'une tante dont elle doit hériter. À son retour, elle meurt dans le naufrage du bateau qui la ramène.

« Un objet digne d'une éternelle pitié »

Paul et son ami, le vieillard qui est censé raconter toute l'histoire, ont appris l'arrivée du Saint-Géran, *le navire qui ramène Virginie. Ils se rendent à Poudre-d'or où on l'a signalé. Mais le bateau s'est aventuré à franchir la barrière de corail, « par un endroit où jamais vaisseau n'avait passé avant lui » : il est maintenant mouillé entre l'île d'Ambre et la côte, dans une situation très dangereuse si la tempête se déchaîne.*

Il présentait son avant aux flots qui venaient de la pleine mer, et à chaque lame d'eau qui s'engageait dans le canal, sa proue se soulevait tout entière, de sorte qu'on en voyait la carène[1] en l'air ; mais dans ce mouvement sa poupe, venant à plonger, disparaissait à la vue jusqu'au couronnement, comme si elle eût été submergée. Dans cette position où le vent et la mer le jetaient à terre, il lui était également impossible de s'en aller par où il était venu, ou, en coupant ses câbles, d'échouer sur le rivage, dont il était séparé par de hauts fonds semés de récifs. Chaque lame qui venait briser sur la côte s'avançait en mugissant jusqu'au fond des anses, et y jetait des galets à plus de cinquante pieds dans les terres ; puis, venant à se retirer, elle découvrait une grande partie du lit du rivage, dont elle roulait les cailloux avec un bruit rauque et affreux. La mer, soulevée par le vent, grossissait à chaque instant, et tout le canal compris entre cette île et l'île d'Ambre n'était qu'une vaste nappe d'écumes blanches, creusées de vagues noires et profondes. Ces écumes s'amassaient dans le fond des anses à plus de six pieds de hauteur, et le vent, qui en balayait la surface, les portait par-dessus l'escarpement du rivage à plus d'une demi-lieue dans les terres. À leurs flocons blancs et innombrables, qui étaient chassés horizontalement jusqu'au pied des montagnes, on eût dit d'une neige[2] qui sortait de la mer. L'horizon offrait tous les signes d'une longue tempête ; la mer y paraissait confondue avec le ciel. Il s'en détachait sans cesse des nuages d'une forme horrible qui traversaient le zénith[3] avec la vitesse des oiseaux, tandis que d'autres y paraissaient immobiles comme de grands rochers. On n'apercevait aucune partie azurée du firmament ; une lueur olivâtre et blafarde éclairait seule tous les objets de la terre, de la mer, et des cieux.

Dans les balancements du vaisseau, ce qu'on craignait arriva. Les câbles de son avant rompirent ; et comme il n'était plus retenu que par une seule aussière[4] il fut jeté sur les rochers à une demi-encablure[5] du rivage. Ce ne fut qu'un cri de douleur parmi nous. Paul allait s'élancer à la mer, lorsque je le saisis par le bras : « Mon fils, lui dis-je, voulez-vous périr ? – Que j'aille à son secours, s'écria-t-il, ou que je meure ! » Comme le désespoir lui ôtait la raison, pour prévenir sa perte, Domingue[6] et moi lui attachâmes à la ceinture une longue corde dont nous saisîmes l'une des extrémités. Paul alors s'avança vers le *Saint-Géran,* tantôt nageant, tantôt marchant sur les récifs. Quelquefois, il avait l'espoir de l'aborder, car la mer, dans ses mouvements irréguliers, laissait le vaisseau presque à sec, de manière qu'on en eût pu faire le tour à pied, mais bientôt après, revenant sur ses pas avec une nouvelle furie, elle le couvrait d'énormes voûtes d'eau qui soulevaient tout l'avant de sa carène, et rejetaient bien loin sur le rivage le malheureux Paul, les jambes en sang, la poitrine meurtrie, et à demi noyé. À peine ce jeune homme avait-il repris l'usage de ses sens qu'il se relevait et retournait avec une nouvelle ardeur vers le vaisseau, que la mer cependant entrouvrait par d'horribles secousses. Tout l'équipage, désespérant alors de son salut, se précipitait en foule à la mer, sur des vergues[7], des planches, des cages à poules, des tables et des tonneaux. On vit alors un objet digne d'une éternelle pitié : une jeune demoiselle parut dans la galerie[8] de la poupe du *Saint-Géran,* tendant les bras vers celui qui faisait tant d'efforts pour la joindre. C'était Virginie. Elle avait reconnu son amant[9] à son intrépidité. La vue de cette aimable[10] personne, exposée à un si terrible danger, nous remplit de douleur et de désespoir. Pour Virginie, d'un port noble et assuré, elle nous faisait signe de la main, comme nous disant un éternel adieu. Tous les matelots s'étaient jetés à la mer. Il n'en restait plus qu'un sur le pont, qui était tout nu et nerveux[11] comme Hercule. Il s'approcha de Virginie avec respect : nous le vîmes se jeter à ses genoux, et s'efforcer même de lui ôter ses habits ; mais elle, le repoussant avec dignité, détourna de lui sa vue. On entendit aussitôt ces cris redoublés des spectateurs : « Sauvez-la, sauvez-la ; ne la quittez pas ! » Mais dans ce moment une montagne d'eau d'une effroyable grandeur s'engouffra entre l'île d'Ambre et la côte, et s'avança en rugissant vers le vaisseau, qu'elle menaçait de ses flancs noirs et de ses sommets écumants. À cette terrible vue le matelot s'élança seul à la mer ; et Virginie, voyant la mort inévitable, posa une main sur ses habits, l'autre sur son cœur, et levant en haut des yeux sereins, parut un ange qui prend son vol vers les cieux.

Jacques-Henri Bernardin de Saint-Pierre,
***Paul et Virginie,* 1788**

Compréhension et langue

1 – Montrez que la description est faite du point de vue des spectateurs ?

2 – Quelles sont les sensations privilégiées dans la description de la tempête ?

3 – Relevez les termes précis et techniques qui évoquent le navire et sa situation. Détaillez les différents moments du naufrage.

4 – Qu'est-ce qui oppose Paul aux autres spectateurs ? Pourquoi agit-il ainsi ?

5 – Expliquez : « un objet digne d'une éternelle pitié » (l. 47-48).

6 – Quels sont les traits qui donnent à l'épisode l'allure d'une image pieuse ?

7 – Relevez les traits qui définissent l'attitude de Virginie dans le naufrage. Quelle est l'impression produite ?

Le naufrage du *Saint-Géran.*

1. Partie immergée de la coque d'un navire.
2. Archaïsme pour : « on eût dit une neige ».
3. Partie du ciel à la verticale d'un observateur.
4. Cordage servant à amarrer.
5. Une encablure est une mesure de longueur utilisée dans la marine et qui équivaut à environ 200 mètres.
6. Esclave des familles de Paul et de Virginie.
7. Pièces de bois disposées en croix sur les mâts pour tenir les voiles.
8. Balustrade.
9. Sens classique : personne qui aime.
10. Digne d'être aimée.
11. Dont les tendons et les muscles sont apparents.

FRANCE

Alexandre Dumas (1802-1870), le célèbre auteur des *Trois Mousquetaires* et du *Comte de Monte-Cristo,* était le petit-fils d'une esclave noire de Saint-Domingue. Cette origine métisse ne semble pas marquer particulièrement son œuvre. Cependant, il publie en 1843 un roman, *Georges,* qui exalte le métissage, à travers son personnage principal, Georges Munier, jeune métis de l'île Maurice, entreprenant de « tuer à lui seul » le préjugé de couleur. Bien que Dumas n'ait jamais visité l'île Maurice, il en donne des descriptions parfois remarquablement exactes, jusque dans d'infimes détails : il avait sans doute bénéficié de la collaboration d'un ou de plusieurs informateurs mauriciens (dont peut-être Frédéric Mallefille, qui avait connu quelque succès à Paris comme auteur de théâtre). Il est évident que l'intrigue de *Georges* emprunte divers éléments à un épisode authentique, la révolte des esclaves animée par Ratsistatane, au début du XIXe siècle. La réédition de *Georges* en collection de poche en 1974 a suscité une vive curiosité à l'île Maurice.

XIXe siècle

« Ils sont douze mille et nous quatre-vingt mille »

Nazim et Laïza sont deux frères, d'origine comorienne, transportés séparément comme esclaves à l'île de France. Ils parviennent à se rencontrer clandestinement dans un bois, pour se communiquer leurs projets de révolte ou d'évasion.

« Quand le chef des Mongallos m'a pris à mon tour dans un combat, comme toi-même avais été pris quatre ans auparavant, et qu'il m'a vendu à un capitaine négrier, comme toi-même avais été vendu, j'ai pris mon parti à l'instant même. J'étais enchaîné, j'ai essayé de m'étrangler avec mes chaînes, on m'a rivé à la cale. Alors j'ai voulu me briser la tête le long de la muraille du vaisseau, on a étendu de la paille sous ma tête ; alors j'ai voulu me laisser mourir de faim, on m'a ouvert la bouche, et, ne pouvant me faire manger, on m'a forcé de boire. Il fallait me vendre bien vite, on m'a débarqué ici, on m'a donné à moitié prix, et c'était bien cher encore ; car j'étais résolu de me précipiter du premier morne que je gravirais. Tout à coup, j'ai entendu ta voix, frère ; tout à coup, j'ai senti mon cœur contre ton cœur ; tout à coup, j'ai senti tes lèvres contre mes lèvres, et je me suis trouvé si heureux, que j'ai cru que je pourrais vivre. Cela a duré un an. Puis, pardonne-moi, frère, ton amitié ne m'a plus suffi. Je me suis rappelé notre île, je me suis rappelé mon père, je me suis rappelé Zirna. Nos travaux m'ont paru lourds, puis humiliants, puis impossibles. Alors je t'ai dit que je voulais fuir, retourner à Anjouan, revoir Zirna, revoir mon père, revoir notre île ; et toi, tu as été bon comme toujours, tu m'as dit : “Repose-toi, Nazim, toi qui es faible, et je travaillerai, moi qui suis fort.” Alors tu es sorti tous les soirs, depuis quatre jours, et tu as travaillé pendant que je me reposais. N'est-ce pas, Laïza ?

– Oui, Nazim ; écoute, cependant : mieux vaudrait attendre encore, reprit Laïza en relevant le front. Aujourd'hui esclaves, dans un mois, dans trois mois, dans une année, maîtres peut-être !

– Oui, dit Nazim ; oui, je connais tes projets ; oui, je sais ton espoir.

– Alors, comprends-tu ce que ce serait, reprit Laïza, que de voir ces Blancs, si fiers et si cruels, humiliés et suppliants à leur tour ? comprends-tu ce que ce serait que de les faire travailler douze heures par journée à leur tour ? comprends-tu ce que ce serait que de les battre, que de les fouetter de verges, que de les briser sous le bâton à leur tour ? Ils sont douze mille et nous quatre-vingt mille. Et, le jour où nous nous compterons, ils seront perdus.

– Je te dirai ce que tu m'as dit, Laïza ; il y a dix chances contre une pour que tu ne réussisses pas...

– Mais je te répondrai ce que tu m'as répondu, Nazim : il y en a une sur dix pour que je réussisse. Restons donc...

– Je ne puis, Laïza, je ne puis... J'ai vu l'âme de ma mère ; elle m'a dit de revenir dans le pays.

– Tu l'as vue ? dit Laïza.

– Oui ; depuis quinze jours, tous les soirs, un foudi-jala vient se percher au-dessus de ma tête : c'est le même qui chantait à Anjouan sur sa tombe. Il a traversé la mer avec ses petites ailes et il est venu : j'ai reconnu son chant ; écoute, le voici. »

Effectivement, au moment même, un rossignol de Madagascar, perché sur la plus haute branche du massif d'arbres au pied duquel étaient couchés Laïza et Nazim, commença sa mélodieuse chanson au-dessus de la tête des deux frères. Tous deux écoutèrent, le front mélancoliquement penché, jusqu'au moment où le musicien nocturne s'interrompit, et, s'envolant dans la direction de la patrie des deux esclaves, fit entendre les mêmes modulations à cinquante pas de distance ; puis, s'envolant encore, toujours dans la même direction, il répéta une dernière fois son chant, lointain écho de la patrie, mais dont à peine, à cette distance, on pouvait saisir les notes les plus élevées ; puis enfin il s'envola encore, mais cette fois, si loin, si loin, que les deux exilés écoutaient vainement ; on n'entendait plus rien.

« Il est retourné à Anjouan, dit Nazim, et il reviendra ainsi m'appeler et me montrer le chemin jusqu'à ce que j'y retourne moi-même.

– Pars donc, dit Laïza.

– Ainsi ? demanda Nazim.

– Tout est prêt. J'ai, dans un des endroits les plus déserts de la rivière Noire, en face du morne, choisi un des plus grands arbres que j'aie pu trouver ; j'ai creusé un canot dans sa tige, j'ai taillé deux avirons dans ses branches, je l'ai scié au-dessus et au-dessous du canot, mais je l'ai laissé debout de peur qu'on ne s'aperçût que sa cime manquait au milieu des autres cimes ; maintenant, il n'y a plus qu'à le pousser pour qu'il tombe, il n'y a plus qu'à traîner le canot jusqu'à la rivière; il n'y a plus qu'à le laisser aller au courant, et, puisque tu veux partir, Nazim, eh bien, cette nuit tu partiras. »

Alexandre Dumas, *Georges,* 1843

COMPRÉHENSION ET LANGUE

1 – Quelles sont, d'après le texte, les réactions possibles des esclaves à leur situation ?
2 – En quoi s'opposent les projets de Nazim et de Laïza ? Par quels arguments les défendent-ils ? Quels semblent être les traits principaux de leurs caractères ?
3 – Expliquez : « le jour où nous nous compterons, ils seront perdus » (l. 31-32).
4 – Le texte est constitué essentiellement par un dialogue, interrompu seulement aux lignes 44-55 par l'évocation du rossignol de Madagascar. Quel est l'intérêt de cette description dans la progression de la conversation ?
5 – Pourquoi Laïza a-t-il préparé un canot creusé dans un tronc d'arbre ?
6 – Quels sont les éléments du texte qui peuvent lui donner une coloration exotique ?
7 – Les paroles que le romancier prête à ses personnages vous semblent-elles propres à une conversation familière ou portées par un élan rhétorique ? Donnez des exemples précis pour appuyer votre réponse.

ACTIVITÉS DIVERSES, EXPRESSION ÉCRITE

1 – Cherchez d'autres exemples d'œuvres littéraires qui ont traité de l'esclavage.
2 – Laïza semble envisager une révolte générale des esclaves. Cherchez dans des livres d'histoire, des dictionnaires, des encyclopédies si de tels événements ont eu lieu dans l'histoire. En quels pays ? À quelle époque ?

George Sand, pseudonyme d'Aurore Dupin (1804-1876), la plus célèbre des femmes écrivains du XIXe siècle français, a publié son premier roman, *Indiana*, en 1832. C'était une protestation contre le sort fait à la femme dans le mariage par la société de l'époque. Indiana, jeune femme originaire de l'île Bourbon, est mariée à un homme beaucoup plus âgé qu'elle. Elle est séduite par un homme sans scrupules, qui la délaisse pour faire un beau mariage. Devenue veuve, retirée dans son île natale, Indiana ne trouve pas à se consoler dans l'amour que lui voue Ralph, son cousin, épris d'elle depuis l'enfance. George Sand ne connaissait pas la Réunion, mais elle a utilisé pour ses descriptions les récits d'un de ses amis voyageurs, Jules Néraud, qui avait visité Bourbon et Madagascar.

« Un lieu pittoresque »

Ralph est entraîné dans ses promenades « vers les endroits sombres et couverts », en harmonie avec la mélancolie de son âme, comme la ravine du Bernica, près de Saint-Paul.

Cette île conique est fendue vers sa base sur tout son pourtour, et recèle dans ses embrasures des gorges profondes où les rivières roulent leurs eaux pures et bouillonnantes ; une de ces gorges s'appelle Bernica. C'est un lieu pittoresque, une sorte de vallée étroite et profonde, cachée entre deux murailles de rochers perpendiculaires, dont la surface est parsemée de bouquets d'arbustes saxatiles et de touffes de fougère.

Un ruisseau coule dans la cannelure formée par la rencontre des deux pans. Au point où leur écartement cesse, il se précipite dans des profondeurs effrayantes, et forme, au lieu de sa chute, un petit bassin entouré de roseaux et couvert d'une fumée humide. Autour de ses rives et sur les bords du filet d'eau alimenté par le trop-plein du bassin, croissent des bananiers, des letchis et des orangers, dont le vert sombre et vigoureux tapisse l'intérieur de la gorge. C'est là que Ralph fuyait la chaleur et la société ; toutes ses promenades le ramenaient à ce but favori ; le bruit frais et monotone de la cascade endormait sa mélancolie. Quand son cœur était agité de ces secrètes angoisses si longtemps couvées, si cruellement méconnues, c'est là qu'il dépensait, en larmes ignorées, en plaintes silencieuses, l'inutile énergie de son âme et l'activité concentrée de sa jeunesse.

Pour que vous compreniez le caractère de Ralph, il faut peut-être vous dire qu'au moins une moitié de sa vie s'était écoulée au fond de ce ravin. C'est là qu'il venait, dès les jours de sa première enfance, endurcir son courage contre les injustices dont il était victime dans sa famille ; c'est là qu'il avait tendu tous les ressorts de son âme contre l'arbitraire de sa destinée, et qu'il avait pris l'habitude du stoïcisme au point d'en recevoir une seconde nature. Là aussi, dans son adolescence, il avait apporté sur ses épaules la petite Indiana : il l'avait couchée sur les herbes du rivage pendant qu'il pêchait des camarous[1] dans les eaux limpides, ou qu'il essayait de gravir le rocher pour y découvrir des nids d'oiseaux.

Les seuls hôtes de ces solitudes étaient les goélands, les pétrels, les foulques et les hirondelles de mer. Sans cesse, dans le gouffre, on voyait descendre ou monter, planer ou tournoyer ces oiseaux aquatiques, qui avaient choisi, pour établir leur sauvage couvée, les trous et les fentes de ces parois inaccessibles.

George Sand, *Indiana,* 1832

1. *On dit plutôt* camarons *pour désigner des sortes d'écrevisses d'eau douce. Le terme est usuel dans l'océan Indien et en Afrique.*

COMPRÉHENSION ET LANGUE

1 – Comment se manifeste l'accord entre le paysage et la « mélancolie » de Ralph ?
2 – Relevez les éléments concrets de la description. Quel est l'effet obtenu ?
3 – Quels sont les traits du caractère de Ralph montrés par ce texte ?
4 – Quelle image de la Réunion peut-on se faire d'après ce passage ?

Myriam Harry (pseudonyme de Myriam Perrault-Shapira), née à Jérusalem en 1875, morte près de Paris en 1958, a passé sa première enfance au Proche-Orient, puis a connu une jeunesse cosmopolite à travers les capitales européennes. Son talent de romancière s'est développé dans une série de romans exotiques, qui manifestent son goût de la description imagée (*la Petite Fille de Jérusalem,* 1914 ; *le Petit Prince de Syrie,* 1929 ; *la Princesse turquoise,* 1942, etc.). D'un long voyage à Madagascar, au début des années 30, elle a tiré un roman historique prenant beaucoup de liberté avec l'histoire (*Ranavalo et son amant blanc,* 1936) et un récit de voyage dans le sud de la Grande Île (*Routes malgaches,* 1943).

« Des arbres sacrés »

Myriam Harry accomplit un long périple en automobile à travers Madagascar. Sur la route de Morondave, elle découvre les formes étranges des baobabs. Comme beaucoup de littérateurs de l'époque, elle adopte une orthographe francisée pour les noms malgaches.

On raconte que Radame fut si émerveillé des forêts sakalaves qu'il surnomma les habitants du pays les « Sous-les-Arbres » en opposition de ses propres sujets, appelés à cause de leurs aériennes montagnes dénudées les « Sous-le-Ciel ».

C'est dans cette merveilleuse forêt des Sous-les-Arbres que nous roulons ce matin sur une large route neuve, couleur de sang.

Essences des Indes et de l'Afrique, ébéniers, santals, « arbres bleus » à odeur de camphre, ficus à harpes éoliennes[1], palmiers à queue de chat, *fanes* magiques à feuillage de tremble, palissandres roses et polis comme des colonnes de temple, puis encore, piliers renflés d'un portique hindou, les baobabs, qui se multiplient avec notre avance dans le Sud. Monstres spongieux, boursouflés, pachydermiques[2], couleur de caïman, sans branches ni feuillage, excepté à une hauteur vertigineuse un ridicule toupet ébouriffé, les baobabs affectent les formes les plus imprévues et les plus bouffonnes : éléphants, tours, thermos gigantesques, et voici, s'affrontant de chaque côté du chemin, deux énormes maritornes[3], mèches envolées sur l'occiput[4], petits bras crochus tordus de colère, sorties des forêts pour mieux se crêper le chignon.

Réservoirs d'humidité et fétiches de grossesse, les baobabs sont des arbres sacrés pour les Malgaches, « les saintes mères » de la forêt, auxquelles ils offrent des sacrifices.

Mais les plantes grimpantes ne s'accrochent pas à cette lèpre titanesque, alors que sur les autres arbres ce ne sont que de tendres enlacements, que frémissements de corolles ailées, lianes qui flottent comme des flocons couleur corail, pervenches blanches et mauves sur la même grappe, essaims d'orchidées couleur d'abeille, et surtout des cascades de volubilis qui pourraient être de chez nous, n'était leur folle exubérance, et la sombre magnificence de leur calice de velours.

Pourtant dans cette splendeur végétale, aucun chant d'oiseau, nul froufroutement d'ailes, nulle fuite animale, même pas celle d'un lézard. Tout est silencieux et immobile comme dans un paysage de rêve.

Myriam Harry, *Routes malgaches,* 1943

1. *Une* harpe éolienne *est une boîte tendue de cordes que le vent fait vibrer.*
2. *Semblables à des éléphants.*
3. *Femmes laides et malpropres (d'après le nom d'une servante dans le* Don Quichotte *de Cervantès).*
4. *Extrémité postérieure du crâne.*

FRANCE

Robert Mallet, né à Paris en 1915, a parcouru un double itinéraire d'universitaire et d'écrivain. Il a été doyen de la faculté des lettres de Tananarive avant d'être nommé, au lendemain des événements de 1968, recteur de l'université de Paris et d'être élu président de l'Association des universités de langue française. Il a publié des pièces de théâtre (*l'Équipage au complet,* 1957), des essais (*Une mort ambiguë,* 1955, réflexion sur la mort d'André Gide), des entretiens radiophoniques (*Entretiens avec Paul Léautaud,* 1951), des romans (*Ellyn,* 1986), et édité la correspondance de Francis Jammes, de Gide et de Claudel. Son séjour à Madagascar lui a inspiré un beau recueil de poèmes (*Mahafaliennes,* 1961) et un roman (*Région inhabitée,* 1964), qui raconte l'aventure d'un ethnologue découvrant un village inconnu, dans une région réputée inhabitée, au milieu de la forêt.

XXe siècle

« Les cadeaux de l'hospitalité »

L'ethnologue René Villers a monté une expédition pour retrouver un village inconnu qu'il a cru repérer d'avion. Deux femmes, surprises sur un chemin de la forêt, vont le conduire vers le village qu'il recherche.

La marche avait déjà duré deux heures lorsque le sentier devint plus large, parut plus fréquenté. Soudain, de l'autre côté d'un rideau de ronces arborescentes, il déboucha sur un vaste espace plat et sablonneux où se dressaient des apparences de tas de fagots – une cinquantaine, pas davantage – qu'ombrageaient d'énormes euphorbes en forme de poteaux chevelus. Villers donna l'ordre à ses hommes de s'arrêter pour que les porteuses d'eau[1] fissent seules leur entrée dans le village. Ainsi les habitants prévenus seraient moins apeurés. Quelques foyers encadrés de pierres fumaient. Des chèvres et des pintades circulaient entre les tas de fagots. Villers s'avança vers une hutte en compagnie d'Anako[2], à qui il demanda de prendre contact avec les habitants. Mais la hutte sans porte était vide. En approchant de la case voisine, on entendit des bruits de voix étouffées à l'intérieur. L'interprète ne mettait aucun empressement à s'informer. Villers dut presque le pousser contre ce qui devait en être la porte : une carapace de tortue géante qui bouchait la seule ouverture. Il frappa contre l'écaille. Un silence complet se fit dans la case. Alors Villers dit à Anako de prononcer les paroles de salut du voyageur qui vient demander asile. Le spectacle était étrange de ces deux hommes debout devant une hutte de branchages, et dont l'un s'adressait en termes lents et solennels apparemment à une tortue sentinelle. Plusieurs minutes s'écoulèrent. Les paroles furent répétées sans que l'on réagît dans la case. L'interprète refusa de déplacer la carapace et dit :

« Il ne faut jamais entrer de force chez l'étranger. »

Villers n'insista pas. Il appela les porteurs et voulut faire installer le camp au centre de la clairière. Les hommes rechignèrent. Anako traduisit leurs pensées :

« On ne peut pas passer la nuit chez celui qui n'a pas offert les cadeaux de l'hospitalité. »

Villers leur fit répondre :

« C'est l'heure du soleil fou, à l'heure du soleil calme nous aurons reçu les cadeaux. Les esprits me l'ont dit. »

On disposa les bagages avec ordre. On ouvrit les caisses de provisions, et l'on alluma un foyer. Ce que Villers avait prévu se produisit. Les carapaces de tortue bougèrent et bientôt se révélèrent des visages de plus en plus curieux, de plus en plus audacieux, puis des bustes. Il dit alors à Anako d'annoncer à très haute voix que les voyageurs demandaient accueil dans le village et saluaient les habitants auxquels ils ne voulaient que du bien.

Robert Mallet, *Région inhabitée,*

1. Les deux femmes que l'expédition vient de rencontrer.
2. Interprète de l'expédition.

LOUIS

Louis Brauquier, né en 1900 à Marseille mort en 1976, a très tôt eu le goût des voyages et de l'exotisme. Il a été agent de la compagnie des « Messageries maritimes » en Océanie, à Alexandrie, en Chine, à Madagascar, en Australie, etc. Sa poésie (*Eau douce pour navires,* 1920 ; *Liberté des mers,* 1947 ; *Feux d'épaves,* 1970) cherche à capter la saveur des pays visités, à travers le concret des images et la magie sonore des mots étrangers et des noms propres. De son séjour à Diégo-Suarez, entre 1948 et 1951, il a tiré quelques beaux poèmes.

COMPRÉHENSION ET LANGUE

1 – Quels sont les éléments très concrets qui évoquent la ville de Diégo-Suarez dans le premier poème ?
2 – Expliquez : « l'obscurité efface les noms » (v. 6).
3 – Comment naît l'image du dernier verset ? Comment se développe-t-elle ?
4 – Quel est l'effet produit par les points de suspension dans le poème « Ramène » ?

Diégo-Suarez – Ramène – La carte chante

Ces poèmes, évoquant les rues commerçantes de Diégo-Suarez ou la plage voisine de Ramène, se construisent sur la densité des images, le rendu de l'atmosphère et la charge évocatrice des noms propres.

Diégo-Suarez

Rues défoncées et anonymes bordées de magasins pauvres
où, le crépuscule venu, discutent les marchands indiens ;
barbiches pointues, bonnets coniques ou tronqués,
la chemise tachée de curry sur le pantalon pas très blanc,
assis par terre ou sur la table,
tandis que peu à peu l'obscurité efface les noms de ces avatars[1] de princes :
Badrahouine, Nourbahy, Akbaraly, Fidahoussen
et Hanjee Nanjee, ce cri de guerre, au galop, cimeterres au clair, vers les remparts crénelés de l'Orient chrétien ou la sécheresse blanche des cités du royaume de León[2].

Ramène

. . . Cette plage presque polynésienne,
cocotiers, pirogues, cases en chaume,
troupeaux de bœufs à bosse dans des corrals[3] de bois rustiques et qui passent sur le sable, le soir…

La carte chante

Fénérive et Farafangana,
Fianarantsoa, Soanériane,
Antalaha et Vohémar,
Ambiloube et Mananjary.

Louis Brauquier, « Diégo-Suarez, II, IV, V » in *Feux d'épaves,*

1. Incarnations, métamorphoses (dans la religion hindoue, les avatars *désignent les différentes incarnations du dieu Vichnou).*
2. Royaume du nord de l'Espagne, un moment occupé par les Arabes, repris par les chrétiens et devenu le point de départ de la Reconquête de l'Espagne au Moyen Âge.
3. Enclos où l'on parque le bétail.

INDEX DES AUTEURS CITÉS

TABLE DES PRÉSENTATIONS ET SYNTHÈSES LITTÉRAIRES

INDEX DES GENRES ET DES FORMES LITTÉRAIRES

LES MEMBRES DE L'A.C.C.T.

ÉTATS MEMBRES (34)

Bénin, Burkina-Faso, Burundi

Cameroun, Canada, Centrafrique, Communauté française de Belgique, Comores, Congo, Côte-d'Ivoire

Djibouti, Dominique

France

Gabon, Guinée, Guinée-équatoriale

Haïti

Laos, Liban, Luxembourg

Madagascar, Mali, Maurice, Monaco

Niger

Rwanda

Sénégal, Seychelles

Tchad, Togo, Tunisie

Vanuatu, Viêt-nam

Zaïre

ÉTATS ASSOCIÉS (5)

Égypte

Guinée-Bissau

Maroc, Mauritanie

Sainte-Lucie

GOUVERNEMENTS PARTICIPANTS (2)

Canada-Nouveau-Brunswick, Canada-Québec

OBSERVATEURS (3)

Bulgarie

Cambodge

Roumanie

Références iconographiques

Archives Nathan : 20, 36, 57, 88, 120.
APPM L. Monier : 130.
Bulloz : 52, 150.
R. Chasle : 111.
Anne Cheynet : 66.
Ciric : 47, 67, 105, 108.
A. Decotter, 92, 94, 96, 102, 104, 114, 118.
Edimedia : 10, 82.
A. Esnouf : 90.
Explorer Coll. Soa Zig : 80, 113.
Explorer H. Veiller : 143.
M. Fanchette : 124.
Gamma-ULF Andersen : 68.
Giraudon B.N. : 48 / Lauros Giraudon : 146.
K. Hazarresingh : 115.
Hoa-QUI / M. Marenthier : 43 / C. Pavard : 27, 87 / C. Vaisse : 23, 31, 69.
Jacana J.-M. Labat : 59.
D. Jay : 54, 70, 74, 75, 77, 78.
M. Lagesse : 116.
A. La Hausse de Lalouvière : 85, 127.
Leu Mancienne : 141.
E. Maunick : 126.
L. Monier : 128.
E. Paturau : 125.
J.-M. Paturau : 58, 71, 89, 99, 100, 121, 129, 151.
J.-L. Raharimanana : 46.
M. Rakotoson : 44.
Bénédicte de Sèze : 17.
M. A. Toihiri : 137.
Roger Viollet : 132 / B.N. : 53.
Les autres photos nous ont été fournies par les auteurs : 13, 14, 15, 33, 37, 51, 61, 78, 83, 134.

Références iconographiques pour la couverture

1. Gamma / ULF Andersen – 2. D. Jay – 3. M. Fanchette – 4. L. Mancienne. – 5. A. Devi – 6. J. Tsang Man Kin – 7. Roger Viollet – 8. A. Decotter – 9. Archives Nathan – 10. H. Wachill – 11. Archives Nathan – 12. M. Rakotoson – 13. A. Cheynet – 14. M. A. Toihiri – 15. E. Maunick – 16. Archives Nathan – 17. Archives Nathan – 18. Fernand Nathan – 19. Bulloz – 20. D. Jay.

20	1	2	3	4	5
19					6
18					7
17					8
16					9
15	14	13	12	11	10

1. Axel Gauvin
2. Jean-François Samlong
3. Jean Fanchette
4. Leu Mancienne
5. Ananda Devi
6. Joseph Tsang Mang Kin
7. Jacques Rabemananjara
8. Malcolm de Chazal
9. Loys Masson
10. Hassam Wachill
11. Flavien Ranaivo
12. Michèle Rakotoson
13. Anne cheynet
14. Mohamed A. Toihiri
15. Édouard J. Maunick
16. Charles-Marie Leconte de Lisle
17. Jean-Joseph Rabearivelo
18. Léoville L'Homme
19. Évariste Parny
20. Jean Albany

Conception graphique : **François Durkheim – Kubikom**
Composition : **SOLÉVIL**
Recherche iconographique : **Marie-Thérèse Mathivon**

N° d'Éditeur : 10034470 - OSBTO - 80° - Mai 1996
Imprimerie **Jean-Lamour**, 54320 Maxéville - N° 96050019
Imprimé en France